Ano

Adressbuch aller

Der Kaufleute, Fabrikanten, Gewerbtreibenden, Gutsbesitzer..

Anonymos

Adressbuch aller Laender der Erde

Der Kaufleute, Fabrikanten, Gewerbtreibenden, Gutsbesitzer..

Inktank publishing, 2018

www.inktank-publishing.com

ISBN/EAN: 9783750131743

All rights reserved

Großes

Adreßbuch

des

Handels-, Fabrik- und Gewerbstandes

von

Ungarn, Siebenbürgen, Banat, Croatien, Slavonien, Siebenbürgische-, Croatische-, Slavonische-Militärgrenze, Gallizien, Dalmatien.

Mit

Handelsgeographie, Register der Orte, Fabrikate und Produkte.

Nürnberg,

Verlag von C. Leuchs & Comp.

1862.

Ungarn, Siebenbürgen, Banat, Croatien, Slavonien und Siebenbürgische, Croatische, Slavonische Militärgrenze. Gallizien, Dalmatien.

Acs, mit 5400 Einw. Schäferei, im Kommorner Komitat.

Agram, Eisenbahnstation. Haupt - und Freistadt in Kroatien, mit 18000 E., von dem schiffbaren Flusse Save eine halbe Stunde entfernt. Bisthum mit Akademie, Archi-Gymnasium, zwei Seminarien und einem abeligen Convikte; Handel und Schiffahrt längs der Militär-Grenze. Hauptprobucte sind: Honig, Getreibe, Potasche, Tabak in Blättern und Weinstein, in der Nähe das Kupferbergwerk zu Rube, und die warmen Bäder von Stubitza.

Gasthäuser: Hotel Kaiser Oesterreich. — Hotel Lamm. — Hotel Prukner, ungarische Krone.

Apotheker: Horatschek, Fr. — Ladenhauffer, Adolf. — Bannert, Frz. — Kimn, Stefan. — Mibic, G. R. —

Bierbrauer: Leitzendorf.

Buch- und Kunsthändler: Hartmann, Leopold. — Suppan, Franz, auch Papier.

Eisenhändler: Hatz, Paul, Eisen- und Geschmeidewaren. — Uondl, Alexander. Solar, Frz. — Weiglhofer, Franz.

Escomptegeschäft: Bauer, Johann.

Grosshandlung: Pongratz, Guido.

Krämerwaren: Nossan, Andreas. — Singer & Königsfeld.

Landesprodukte: Epstein, Samuel, en gros. — Gavella, Georg, Getreide u. Türkische Waren. — Spitzer, Moriz, en gros. — Weiss, Jakob. — Widanich, A.

Lederhandlungen: Hertmann, Josef. Hönigsberg, Samuel. — Höpler, Georg. Nussko, Lorenz. — Steiner & Racic.

Möbelhandlung: Sachs, M. E.

Nürnbergerwarenhandlungen: Concilia, Joh. — Gavella, Nikol. — Gutthard & Schwarz. — Kresio, Michael. — Nestlang & Kalabar. — Nossan, Anton. — Stupper, Martin. — Taitl, J. B.

Papierniederlage: Zeschko, Lbg.

Porzellan- und Glashandlung: Huth, Karl.

Samenhändler: Taitl, J. B. — Sumakovic, Frz. —

Schnitt- und Modewaren: Ausch, M. A. — Bruckner, J. — Cernadak, G. Holzmann, Sigm. — Herzel, Adolf. — Mischka, J. R. — Waisz, August.

Speditions- und Commissions-Geschäfte: Epstein, Jacques. — Frankl, Johann. — Leutzendorf & Comp., auch Incasso. — Schiwitz, F., auch Incasso. Weiss, Samuel.

Spezerei- und Farbwaren: Binder, Martin. — Bothe, C. F. — Deutsch, Ignaz. — Danilovich, D. — Gavella, Nikolaus auch Papier, Parfümerie, Delikatessen, Wein. — Hochstädter, Jos. — Kaiser, J. A. — König, Eduard. — Kornfeind, W. — Lendarich, Joh. — Ludwig, Alex. — Mudrowics. — Ostoich, Stefan. — Sablich, Eugen. — Stockan, Nikol. — Scoppini, Stefan. — Reputin, G. — Sumakovich, Frz. — Zeme, Heinrich.

Tuchhandlungen: Langraf, Jakob, auch
mit andern Waren en gros. — Waisz,
August.
Türkische Waren: Dizdar, W.
Buchdrucker: Gay, Ludwig.
Essig=Fabriken: Bannwitz, Karl. —
Löwinger, S. u. Weine en gros. —
Mihic & Sabljic, Spirituo=, Rosoglio=,
Liförfabrik.
Weinsteinraffinerie: Hirschler, Gg.
Porzellanfabrik: Barboth, Alr.
Seifensiederei: Blau, H. — Scholz, J.
Schürer, K. — Singer, M. — Dwor=
say, Joh. — Schürer, W.
Zuckerbäckerei: Abian, Frz. — Katz,
Fr. — Schemboo, Abeli. — Scholz, Frz.
Buchowoly, Ott.

Alibunár, Salpetersied, i. d. banaten
Militärgrenze.

Almasch und **Dallia** an der Donau,
Hausenfang Slavonien.

Almissa. Kreis Spalato in Dalmatien.
Negozianti: Bencovich, Paola qm.
Franc. — Gelich, Giovanni. — Puovich,
Giov.

Alt=Lublau am Poper. Sitz einer Ka=
meralherrschaft, Sauerbrunnen, Gesundbad,
im Zipser Land.
2 Posten von Kesmark, mit 2500 Einw.
Handel nach Polen und Schlesien mit Wein
und Leutschauer Meth. Der Fluß Popper,
aus den Karpathen, hat hier bereits einen
solchen Grad von Schiffbarkeit erlangt, daß
mittelst desselben Flösse mit Wein und son=
stigen Waren, durch Gallizien und russisch
Polen, auf der Warschauer und Danziger
Linie gegen das baltische Meer, und sohin
in den Ocean spedirt werden können. Eine
Stunde von der Stadt liegt in einem tiefen
Thale von allen Seiten mit Tannen und
Fichtenwäldern umgeben das Lublauer Bad,
mit der berühmten Mineralquelle. Es gibt
zwei saure Quellen oder eigentliche Brunnen,
deren Wasser weit verführt wird, und lange
erhalten werden kann, ohne etwas von sei=
ner Kraft zu verlieren.

Altsohl. Königl. Freistadt, Sohler Komi=
tat in Ungarn an der Gran. Sauerbrun=
nen, 5 St. s. v. Neusohl.

Advokaten: Banik, Georg. — Hupka,
Ludwig. — Huszagh, Dan. — Szalay,
Gust.
Apotheker: Thomka, Ludwig.
Färber: Kreska, Sam. — Makonyi,
Joh. — Roth, Joh. —
Gärber: Albert, Joh. — Bucsán, Dan.
Bucsán, Sam. — Hladky, Johann. —
Holecz, Anbr. — Kanka, Johann. —
Kanka, Samuel. — Kmetonyi, Abam.
Lazkavy, Abam. — Makowitzky, A.
Makowitzky, D. — Makowitzky, J.
Makowitzky, M. — Makowityky, P.
Margocs, Anbr. — Molitoris, Joh. —
Schmal, Georg. — Schmal, Sam. —
Spetyko, Johann. — Steflik, Georg.
Produktenhändler: Margocs, Adam.
Seifensieder: Rosznay, Johann.
Spezereiwarenhändler: Schlesingor,
Benjamin.
Uhrmacher: Iranek, Franz.
Vermischtwarenhändler: Koricsansky,
Joh. — Lange, Anton. — Szalay, Lud.
wig. — Vizner, Johann.

Alsó=Bátza, Dorf, Schwefelbäder. Zaran=
der Kom. Siebenbürgen.

Apatin, mit 5400 Einw. Wald=, Krapp=
und Seidenbau, Handel mit Hanf an der
Donau. Batscher Komitat.

Arad, königliche Freistadt, Arader Gespan=
schaft in Ungarn, Station d. Theißbahn, 16
Stunden östlich von Szegedin, am Flusse
Marosch, welcher in Siebenbürgen entsprin=
gend, als ein bei Maros Vasarhely (in
Siebenbürgen) schiffbar werdender Fluß, das
ärariatische Salz und ein großes Quantum
Baumaterialien, womit ein ausgebreiteter
Handel getrieben wird, herabliefert, dem
hier blühenden Produkten=Handel aber eine
um so größere Ausdehnung gibt, weil der=
selbe, bei Szegedin in die Theiß, mittelst
des Franzens=Canals auch mit der Donau
in Verbindung ist. Produkte sind Wein,
Sliwowitz, Tabak, Eisen, Binder=, Wag=
ner= und Tischlerholz, Getreide, Obst,
Knoppern, Honig, Wachs, Wolle, Federn,
Häute, Pferde, Schafe, Borsten = und Horn=
vieh, Fische, Eisenwaren; besonders wird
mit Mehl, unter dem Namen Königsmehl,
großer Handel getrieben. Ferner theilen

sich hier die Wege von Pesth aus nach Hermannstadt in Siebenbürgen, und Temesvar im Banat, wodurch der Transito-Handel bedeutend wird. Zwei Stunden von der Stadt ist das Menescher Gebirge, wo der berühmte Menescher rothe Ausbruch meistens von den in der Stadt wohnenden Weingärten-Inhabern erzeugt wird; auch sind noch die Magyaradei weißen Weine zu erwähnen.

Sitz eines griechisch nicht unirten Bischoffs, einer griechisch nicht unirten Präparantie, eines griechisch nicht unirten theolog. Institute. Sitz d. Komitatsbehörde, Komitatsgerichts, k. f. Bezirksgericht und Stuhlrichteramt des Stuhlbezirks Arad, 3 Jahrmärkte mit 28400 Einwohner, wovon
14600 griechisch unirt
1110 „ nicht unirt
10000 augsburger Konfession
260 reformirt
2500 Israeliten.

Am andern Ufer der Maros liegt **Neu-Arad.**

Großhandlung: Deutsch, Sgn. & Sohn auf Staatspap. u. Produkte. — Hertschka, Moriz in Produkten. — Kohn, Karl & Comp. in Manufaktur. — Steinitzer, J. Wolf in Produkt. — Steiner u. May, Filiale der Produkten Großhandlung gleicher Firma in Pesth.

Buchhandlung: Bettelheim, Gebrüder. Goldscheider, H.

Eisenhandlung: Audréuy, Karl auch Wein. — Feldinger, Tobias. — Fillinger & Wally. — Herrling, Joh. Weiler, Alex.

Huthändler: Barth, Jakob. — Bräuer. — Gallus, Josef. — Gruber, Karl.

Lithrfabrik: Deutsch, Martin.

Kurnb. und Galant.: Ebner, L. & Co. Deutsch, Brüder. — Klein, Moriz. — Lechners, Nikol. W. & Sohn. — Monti, Filipp. — Redl. — Weiss, Jakob. — Singer, L. S. & Comp. — Tedeschi und Zukowits auch Spediteur. — Schwarz, Simon.

Papierhandlung: Bettelheim, Gebr. Löwenbach D. & Comp. — Goldscheider, H.

Schnitt und Modewaren: Back, Leop.

Eckhard, Franz. — Soltz, Julius. — Hoffmann, J. R. — Kabdebo, Nik. — Kohn, Jakob. — Probst, Karl & Feketa. Richter, F. F. — Spitzer, Jakob. — Weisz, Andreas. — Wallfisch, Ch. & Söhne auch Staatspapiere.

Spezereiw.-Mat- und Farbwaren: Butscher, Peter. — Bisztriczky & Prinner. — Deutsch, Josef. — Kleber, Ldw. Lustig, Sigmund. — Lillin, Franz. — Lillin, Josef, auch Komiss. & Spedit. — Probst, F. J. auch in Landesprodukten, Comiß., Spedit. Inkasso, Hauptniederlage verschiedener auswärtiger Häuser, Assessor des Wechselgerichtes. — Petrowits, Prokop. — Pollak, Janaz. — Rajczanyi, Stefan. — Schwarz, Sigmund auch Inkasso, Spedit. u. Commission. — Tonnes, F. & Freyberger.

Siebenbürgerwarenhandlung: Kollmann, Hch.

Spedition: Blau, Heinrich auch Haupt-Agentschaft der Nuova Societa commerciale de Assicuratione. — Gregor, Brüber. — Tedesco, Leon. B. — Wollner & Holländer.

Fabriken: Hadik, Gustav. Graf. Besitzer einer Dampfmühle in Szemlak. — Heinz, Hch. Maschienen- und Schlosserwaren-Fabrik.

Oel-Dampfmühle: Reitter & Krönberger.

Dampfmühle: Traitler.

Spiritus und Preßhefe: Rudolf, Leop.

Abvokaten: Arkosay, Johann. — Balázs, Albert. — Binder. — Biró, Emerich. — Bogdanffy, Greger. — Boros, Josef. — Boros, Alexander. — Bragyán, Georg. — Csemegi, Károly. — Ebesfalvay, Georg. — Haas, Alexander. — Kádár, Josef. — Kádas, Johann. — Klee, Karl. — Kormuth, Ludwig. — Kornay, Karl. — Kosztolányi, Anton. Kutny, Alois. — Kutny, Paul. — Maly, Guido. — Miklósy, Franz. — Murady, Johann. — Návay, Emerich. — Oláh, Gábor. — Palfy, Johann. — Petrowits, Peter. — Popowits, Johann. — Popowits, Peter. — Ritter, Julius. — Szabó, Josef. — Szakulits, Johann. — Szentiványi, Johann. — Stampß, Gust. Tavassi, Anton. — Theodorovits, Janaz,

Wajna, Michael. — Warjasy, Johann.
Warjasy, Josef. — Wizer, Abam.
Apotheker: Andrényi, Sigmunb. —
Grundl & Szarka, Karl. — Hidegh,
Alexander. — Ring, Karl. —
Baumeister: Ekker, Ludwig. — Ernst,
Gustav. — Gruber, Johann. — Klein,
Johann. — Lehmann, Andreas. — Pe-
kár, Franz. — Ursitz, Leopolb. — Zieg-
ler, Anton.
Buchbinder: Bettelheim, Abolf. —
Breitrück, Julius. — Deyak, Karl. —
Skolnik, Karl. — Grünwald, Jos.
Branntweinbrenner: Berger, Jsak. —
Neumann, Brüder.
Buchbruder: Goldscheider, Heinrich. —
Réthy, Leopolb.
Drechsler: Heilmann, Sebaftian. —
Janisch, Franz. — Weil, Heinrich. —
Weil, Gg.
Einkehrgasthöfe: Hotel Bas. — Zum
weißen Kreuz. — Zur Eisenbahn. — Zu
ben brei Königen. — Zum golbenen Lö-
wen. — Zum golbenen Schlüffel. — Zum
golbenen Stern. — Zur Stabt Arab.
Färber: Bittner, Franz. — Müller, Jo-
fef.
Gelbgießer: Bessesek, Wilhelm. — Mit-
termajer, Franz. — Müller, Franz. —
Steiner, Josef.
Glashändler: Gebbardt, Joh. — Grün-
wald, Franz. — Hassinger, Josef. —
Jamnitzky, Anton. — Priegl, Georg. —
Ritz, J. M. — Zorimba, Josef.
Golb-, Silber- u. Juwelenarbeiter:
Brüll, Moriz. — Gross, Simon. — Herz,
Josef & Sohn. — Marpuch, Filipp. —
Pollák, Moriz. — Rosenberg, Leopolb.
Schönwald, Jos. — Stiffsohn, Bejamin.
Handschuhm.: Patlowitz, Joh. —
Suhaj.
Kaffeehäuser mit Billards: Zur Hoff-
nung. — Zur Krone. — Zum König. —
Zum Kreuz. — Zum Steinizer. — Zum
Bas. — Zur Stabt Wien.
Inftrum. Chirurg.: Gründl, M.
Kleiberhändler: Barth, Leopolb. —
Braun, Jakob. — Ebstein, Lázár. —
Eisele, Johann. — Feigl, Simon. —
Grün, Albert. — Hammerschlag, Jg.
Melchner, Josef. — Rosenborg, Leop.
Rodler, Daniel. — Schabrl, Samuel.
Szendrei, Josef. — Vanitsek, Leopolb.
Kupferschmiebe: Blaschkovits, Franz.

Keilinger, Johann. — Steinitzer, A. J.,
auch Maschinift. — Stiegler, Franz,
besgl.
Kürschner: Guttmann, Hermann. —
Kiurszky, Georg, auch Pelzhanblung. —
Kraus, M. L. auch Pelzhanblung. —
Schlesinger, Wilhelm. — Szwatek, Ste-
fan.
Litöhhanblung: Goldmann, D. B. auch
Gemischtwarenhanblung.
Leberer unb Gärber: Bartl, Wenz. &
Sohn. — Edelmüller, Josef. — Edel-
müller, Jof. jun. — Krisán, Paul. — Mül-
ler, Georg. — Priegl, Engelbert. —
Probst, Abolf. — Rátz, Karl. — Reck,
Juftinuš. — Scherfeneder, Johann. —
Stankowits, Simon. — Schütz, Ferbi-
nanb. — Teschitz, Georg. — Weiler,
Johann. — Winkler, Jakob, k. k. priv.
Leber-Fabrik.
Lebzelter: Bartl, Karl. — Baroch. —
Drassay, Stefan. — König, Karl. —
Steinitzer, Paul.
Leimfieber unb Stärkerzeuger:
Grünzweig, Josef. — Leszansky, Joh.
Palfy, Franz. — Schmiedt, Anton. —
Reiner.
Leberhanblung: Bartla, Witwe. —
Schoinkel, Albt.
Litograf: Poisl, J.
Mobiftinnen: Gruber, Rosa. — Grün-
wald, Maria. — Knittl, Pauline. —
Kollerits, Emilie. — Novák, Emilie.
Möbelhändler: Albrecht, F. & Ros-
manit jun. — Barabas, Kummer, Vert-
sek & Löwy. — Fialowits, Sigmunb.
Rosmanit, Alois.
Probuktenhändler: Deutsch, Jgnaz &
Sohn. — Haas, Jonaš. — Berger,
Jsak. — Berger, Wilhelm. — Hertschka,
Moriz. — Mittelmann, F. D. — Stei-
nitzer, J. Wolf. — Steinitzer, Josef.
Steinitzer & May. — Strasser, Leop.
Photograf: Fett, Ferb.
Schloßer: Gasa, Karl. — Heim, Mor.
Keller, Josef. — Ritter, Josef. — Ran-
ner, Nikolaus. — Zimmermann, Franz.
Schnürmacher: Pollak, Aron. — Rátz,
Franz. — Rosenblüh, H.
Seifenfieber: Deutsch, Bernarb. —
Dragits, Max. — Elias, Simon. —
Elias, Hermann. — Kobitsek, Jonaš.
Spengler: Braumiller, Rubolf. — Lim-
bek, Jos. — Weinberger, Jos. — Ri-

schavi, Blume. — Bauer, Franz. — Gruber, Joch. — Reisinger, J.
Tabak-Großverschleiß: Spitzer, Filipp.
Tapezirer: Becherer, Wilhelm. — Fialowitz, Sigmund. — Lechner, Karl. — Löwy, Josef. — Rosmanit, Aloiß. — Rosmanit junior.
Theater-Unternehmer: Szabó, Josef.
Tuchhdl. & Chozen: Hartmann. — Weiss, Jul.
Uhrmacher: Konrath, Leopold. — Lippert, Franz. — Lippert, Josef. — Piller, Josef. — Priegl, Gottfried. — Schöberle, G. — Szeliszky, Josef.
Bergolder: Golcz, Josef. — Hora, R. Wieden, Georg.
Weinhändler: Andrényi, Karl. — Deak, Gb. & Comp. — Epstein, Leopold. — Steinitzer, J. Wolf. — Steinitzer, Jos. Weisz, Andreas, Eigenbau.
Zeitungs-Redaktion: Goldscheider, H., Redakteur der „Arader Zeitung."
Zuckerbäcker: Maffei, Johann. — Pots, J. — Szabó, Josef. — Heim, Karl.

Arany-Jdka. (Post Kaschau) t. k. Amalgamation. Ober-Ungarn.

Aranyos-Maróth. Marktflecken im Barser Comitate in Ungarn.
Advokaten: Bottka, Stefan de Széplak. Fridvalszky, Dinzenz. — Gaál, Stefan. Mattyasovszky, Leop. — Rudnyánszky, Peter de Dezseö.
Bierbrauer: Singer, Ignaz.
Buchbinder: Steiner, Moriz.
Gastwirth: Sinnreich, Franz.
Kupferschmied: Czember, Georg.
Seifensieder: Czember, Georg jun. Pfeiffer, Johann.
Vermischtwarenhändler: Rosenberger, H. — Sammassa, Joh. — Steiner, Moriz. — Wertheim, Mor.

Baan. Marktflecken Unter-Neutrar Comitat in Ungarn.
Advokaten: Eördögh, Emerich. — Ztuparich, Peter.
Apotheker: Bartovics, Stefan.
Baumeister: Gratzer, Paul.
Bräuer: Kacser, Israel.
Galanteriewarenhändler: Hochmut, Samuel.

Goldarbeiter: Goldner, Leopold.
Lederhändler: Pollak, Markus. — Wellward, Wilh.
Probuktenhändler: Kwittner, Gebrüder. Pollak, Jsak. — Roth, Markus.
Schnittwarenhändler: Fischer, Albr. Fischer's, J. Ww. — Khansied, Sam. Ochs, Jakob. — Pollak, Samuel. — Schlesinger, Jst. — Schönhäuser, B. Wolf, Emrich.
Seifensieder: Zaittnyen, Anton.
Spezereiwarenhändler: Brix, Valentin. — Diamand, Simson. — Ochs, Samuel.
Spiritusfabrik: Sina, S., Freiherr von.
Vermischtwarenhändler: Munk, Ignaz. — Munk, Leopold.

Baja, a. b. Donau, Stadt, im Temeser Banat. 12000 E., starker Schweinehandel.
Buchhändler: Kollár, Anton. — Schön, Jakob.
Eisenhändler: Eckert, Christian. — Mitterman, Franz. — Mitterman, Joh. Salamon, Wilhelm. — Schlesinger, M. L.
Galanterie- und Nürnbergerwarenhändler: Herczog, Ignaz. — Herczog, Josef. — Werb, Josef.
Lederhändler: Baja, Michael. — Berger, Sigismund.
Schnittwarenhändler: Beck, Josef. — Beck, Moriz. — Boschán, Samuel. — Hirsch, Lafar. — Kohn, Gebrüder. — Lemberger, Ignaz. — Reich, Wolf. — Schliesser, Leopold. — Steiner, Adolf.
Spezereiwarenhändler: Ditzl & Michitsch. — Fazekas, Franz, Ww. — Gladovátz, Mathias. — Juray, Anton, Klenancz, Johann. — Schmidthauer, Franz. — Stampfl, Josef & Sohn. — Szávits, Stefan.
Vermischtwarenhändler: Adler, Aron. Bruck, Josef. — Bruck, Moriz. — Berger, Julius. — Blann, Jakob. — Bogdánovits, Alexander. — Boskovitz, Alexander. — Deneberger, Leopold. — Deutsch, Salomon. — Deutsch, Karl. Frank, Karl. = Frühmorgen, Josef. — Hadzits, Konstantin. — Herczfeld & Söhne. — Hesser, Salomon. — Krieszhaber, Emanuel. — Lövy, Filipp. — Pajha, Paul. — Rózsa, Demeter. — Reitzer, Wilhelm. — Rubinstein, David.

Schön, Karl. — Spitzer, Abr. —
Spitzer, Albert. — Spitzer, David. —
Spitzer, Ignaz. — Spitzer, Samuel. —
Stampfl, Anton. — Sternberg, Jakob. —
Strohoffer, Josef. — Theodorovits, Ga-
briel. — Weisz, Nathan. — Vuits, Bg.
Advokaten: Allaga, Emerich. — Decsy,
Karl. — Gyurinovits, Mathias. —
Gergits, Emerich. — Jakobcy, Alexan-
der, zugleich städt. Anwalt und rechtskun-
diger Beisitzer der Waisen-Kommission. —
Kosa, Adam. — Kiss, Josef. — Mihoj-
levits, Johann. — Milasin, Sigismund.
Nemes, Karl. — Sándor, Georg.
Apotheker: Pallerman, Franz. — Pan-
kovits, Ernest.
Bauholzhändler: Csukás, Franz. —
Delli, Stefan. — Furo, Ludwig. —
Kerék, Alexander. — Nagy, Ladislaus.
Pajor, Josef. — Papp, Josef. — Szabó,
Stefan.
Buchdrucker: Medersiczky, Ignaz.
Dampfmühle: Redl, Baron v.
Glas- und Geschirrhändler: Jilk,
Josef, Witwe. — Pollák, Samuel.
Lithograph: Hajnisch, Anton.
Produktenhändler: Angenfeld, Jakob.
Ausch, David. — Bachrach, Lasar. —
Bachrach, Lasar. — Basch, Bernoth.—
Blitz, Moriz. — Kazal, Johann. —
Kazal, Franz. — Maudits, Markus. —
Radán, Koloman. — Radán, Julius. —
Spiczer, Martin. — Spitzer, Benjamin.
Szalinay, Josef. — Szobner, Anton. —
Szohner, Nikolaus. — Szohner, Rudolf.
Szvoboda, Karl. — Zsigmond, Stefan.
Weinhändler: Atanackovits, Gabriel &
Söhne.

Balabanya, im Neutraer Komitat.
Eine Post von Schemnitz zwischen großen
Wäldern, mit 3000 Einw. Gold- und Sil-
berbergwerke.

Balassa-Gyarmath, am Flusse Ipoly,
Marktflecken, Neograder Komitat in Ungarn.
8 Jahrmärkte. 9000 E.
Advokaten: Berczy, Ludwig v. — Bod-
nar, Stefan. — Bory, Ladislaus v. —
Csörfölk, Emerich. — Droba, Johann,
Gonda, Franz v. — Györky, Eduard v.
Jeszenszky, Daniel v. — Plachy, Sig-

mund v. — Somoskeöy, Stefan v. —
Thuránszky, Christof v. — Vladár, Bar-
tholomäus.
Buchbinder: Levay, Alexander. — Le-
vay, Michael. — Schulcz, Ludwig.
Buchdrucker: Kek, Ladislaus.
Drechsler: Schmiedt, Vinzenz.
Eisenwarenhändler: Aninger, Gebrü-
der. — Gazdik, Ludwig. — Unger,
Stefan.
Färber: Beck, Samuel. — Löffler,
Aron.
Gärber: Baumgarten, Moriz. — Fe-
renczi, Andreas. — Jonas, Josef. —
Laczko, Franz. — Nagy-Labancz, Jos.
Rosenbaum, Jakob. — Varga, Johann.
Verebes, Elias. — Wiltsek, Franz.
Glaswarenhändler: Felsenburg, Mo-
riz. — Piukasz, Benedet.
Lederhändler: Berczeller, Wilhelm. —
Lewi, Israel. — Weczler, Salomon.
Maurermeister: Langh, Rudolf.
Schnittwarenhändler: Domann, Mo-
riz. — Elfer, Samuel. — Herzfeld,
Aron. — Himler, Moriz. — Kasztelan,s,
Witwe.
Seifensieder: Nigrinyi, Andreas.
Spezereiwarenhandlung: Berczeller,
Jakob. — Berczeller, Moriz. — Elfer,
Markus. — Felsenburg, Hch. u. Nürnb.
W. — Kiriaki, Bg. — Kristoffy auch
Spediteur. — Omaszta, Tobias. —
Rath, Joh. — Stiller, Leop. & Sohn.
Schippler, Gebrüder.
Vermischt: Berczeller, Jg. — Berczel-
ler, Samuel. — Bischitz, Markus. —
Domann, Bernh. — Elfer, Isak. —
Elfer, Jos. Wn. — Iszakovits, Gebr.
Klein, Samuel. — Milovan, Art. —
Milovan, Uroflus. — Rigotz, Franz.
Zimmermeister: Alk, Adam.
Zuckerb.: Menzel, Joh.

Balassa-Hutta. Neograder Komitat in
Ungarn.
Glasfabrik: Goschler, Franz.

Bartfeld, 2½ Post. v. Eperies. Leinwandhandel, mit 6700 Einw. (Deutschen
und Slaven.) Bedeutenden Weinhandel
nach Polen. Hat zwei vortreffliche Sauerbrunnen, deren Wasser weit und breit ver-
sendet wird.

Hauszer, Joh. Franz, Spezerei und vermischte Waren. — Hauszer, Josef, vermischte Waren. — Luchs, Robert, mit Spezerei-, Geschmeide- und Nürnbergerwaren. — Wanick & Comp. Gemischte Waren. — Sexty, Georg, Spezerei- und vermischte Waren. — Donschachner, Gg. Spezerei. — Zagrotzky, Jos., mit vermischten Waren.

Báterkészi. Komorner Komitat in Ungarn.
Bierbräuerei, Spiritusbrennerei und Dampfmühle: Pálffy, Anton Fürst. Pächter Luffevich & Sohn.
Vermischtwarenhändler: Binöter, Jonas. — Dick, Gabriel. — Renner, David.
Zimmermeister: Felsinger, Ignaz.

Báth. Marktflecken, Honther Komitat in Ungarn.
Abvokaten: Paczolay, Alexius. — Rakaanyi, Paul. — Zalay, Franz v.
Gärber: Jakusik, Johann. — Kalpaszki, R. — Liffa, Johann. — Schnörer, Sam.
Lederer: Hloska, Samuel. — Jagoda, Michael. — Kalina, Michael. — Prandorfy, Paul. — Valach, Josef.
Vermischtwarenhändler: Deutsch, Michael's Witwe. — Rosznawszky, Franz.

Beköbvar oder **Békés** am Körös, (Beleser Gespannschaft) 15000 E. starke Vieh- und Bienenzucht, bed. Jahrmärkte.

Bela in der Zips. Stadt am Fuße der Karpathen, auf dem linken Ufer des Flusses Poprad, 1 St. von Kesmark, mit 1200 E. Flachsbau, Leinwandhandel, Wachholderbeeren-Branntwein (Borovicska), der seiner vorzüglichen Güte wegen weit und breit bekannt ist. 300 Schritte von der Stadt ist ein Schwefelbad.

Bellus. Marktflecken, Trentschiner Komitat in Ungarn.
Produktenhändler: Bledy, Wilhelm. Strassmann, J.
Vermischtwarenhändler: Singer, Baruch. — Weiss, Simon.

Belovar, befestigte Stadt, in Kroatien. 5000 Einw.
Eisen-, Geschmeide, Nürnberger- u. Spezereiwaren: Gjurkovic, Anton. — Milasinovic, Stefan. — Quinz, Johann.
Spezerei- und Nürnbergerwaren: Hegedich, Franz, auch Grazer Lotto-Kollekteur. — Gross, Paul. — Lakovic, Georg. — Nikolic, Demeter. Popovic, Simon.
Tuch-, Schnitt-, Nürnberger- und Spezereiwaren: Beilic, Basilius. — Bosovic, Peter. — Gjurgjic, Stefan. — Knesevic, Demeter. — Pellec, Demeter. Russichich, Georg. — Vitojevic, Peter. Voinovich, G. R., auch Tabak-Großverschleiß.
Apotheker: Klebovic, Elias.
Bräuer: Knusman, Johann. — Vukobradovic, Peter. — Zjubisic, Athanas.
Tabak-Großverschleiß: Voinovich, G. R.

Beregh-Szász. Marktflecken. 5000 E. in derselben Gespannschaft.

Bernstein an der Raab, mit 1200 Einw. Schwefelfabr., Flachsbau, Steinkohlenbau, Serpentinsteinbruch, im Eisenburger Komitat.

Bistritz. Siebenbürgen. 6000 E. 4 Jahrmärkte, Wochenmärkte.
Apotheken: Heim, Sam. (Pächter). — Herberth, (Pächter).
Spezerei, Mat. Farb. u. Nürnberg.W.: Nussbächer, Karl auch Eisen. — Dietrich & Fleischer auch Eisen. — Tondon, Simon. — Kelp, Friedr. auch Eisen.
Schnittwaren: Angyalossy, Georg. — Herberth, Adolf. — Laday, S. J. — Luni, Eduard.
Vermischtwaren: Konrad, Aug. & Comp. Novak, Daniel. — Rosenberger, Leop. Szongott, Gregor. — Szongott, Joh. J.
Abvokaten: Häussler. — Hofgräf, Joh. Lamm, Daniel. — Weiss, Joh.
Bierbrauer: Hüttner, Ant. — (städtisch. Bräuhaus) Schiffbeiner, (Pächter).
Papierfabrik: Haltrich.
Spiritusfabrik: Wermescher, Mich. & Comp.
Seifensieder: Albrecht, Karl. — Ber-

gers, Bw. — Gellner, Friedr. — Klein, Samuel. — Kreidner jun. — Kreidner sen. — Kroner, Daniel. — Schep, Daniel. — Scholtis, Friedr. jun. — Scholtis sen. — Teket, Mich.
Zuckerbäcker: Sahling, Andreas. —

Kuschma, bei Bistritz. Baron v. Löwenthal, Branntweinbr.

Bistritz a. d. Waag. Marktflecken, Trentschiner Komitat in Ungarn.
Advokat: Argay, Mathias.
Eisenhändler: Chudovsky, Michael.
Gärber: Lovisek, Andreas. — Pastirik, Stefan.
Gastwirthe: Trostler, Hermann. — Waldapfel, Leopold.
Potaschensieder: Singer, Bernhard.
Salzhändler: Janecz, Franz. — Koczina, Joh.
Seilensieder: Schurmann, Adolf.
Vermischtwarenhändler: Linx, Josef. Teschner, Moses. — Teschner, Isidor. Tauber, Jakob.

Bittse. Marktflecken, Trentschiner Komitat in Ungarn.
Advokaten: Huliák, Stefan. — Urbanovszky, M.
Apotheker: Tombor, Ludwig.
Bauholzhändler: Bjelcsik, Stefan. — Milich, Leopold. — Neudörfer, Jak.
Gärber: Horn, Philipp. — Weiner, Josef.
Gastwirth: Grönbaum, Jakob.
Getreidehändler: Radik, Johann. — Bellony, Michael. — Leindörfer, M. — Leindörfer, M. — Schlesinger, Jak.
Gold- und Silberarbeiter: Lippe, Salomon.
Produktenhändler: Spitz, David.
Schmalzhändler: Bellony, Emerich. — Bellony, Johann. — Leindörfer, Sam. Skotniczky, Bw.
Schnittwarenhändler: Flachs. Simon. Klein, Leopold.
Spezereiwarenhändler: Friedler, Adolf. Micely, Franz.
Vermischtwarenhändler: Holady, Josef. Hübsch, Ignaz. — Hübsch, Moritz. — Lina, Daniel. — Wittenberg's Bw. — Zahn, Samuel.

Blasenstein, Schloß, Stuterei, Tropfsteinhöhle. Preßburger Komitat.

Boboth. Dorf, Unter-Neutraer Komitat in Ungarn.
Papiermühle: Koppel, L. M. & Comp.

Böös. Marktflecken, Preßburger Komitat in Ungarn.
Spezereiwarenhändler: Raab, Martin.
Vermischtwarenhändler: Breuer, Jakob.
Zuckerfabrik: Arnstein & Eskeles, Runkelrüben-Zuckerfabrikation.

Böfing. 6000 E. Gesundbrunnen-Eisenbad. Königl. Freistadt, Preßburger Komitat in Ungarn. 5 St. nördlich von Preßburg. Goldbergwerk. Weinbau.
Handelsstand.
Eisenhändler: Schmogrovics, C. A. — Waltersdorfer, Michael.
Lederhändler: Adler, Adolf. — Rosenblüh, Jak.
Schnittwarenhändler: Brunner, Gottlieb. — Brunner, jun. — Frankl. — Singer, Leop.
Vermischtwarenhändler: Bogner, Wilhelm. — Brunner, Isak. — Hübner, Josefa. — Jermendi, Johann. — Kröpfl, Gustav. — Mahler, Moritz. — Mayer, Moritz. — Schab, Josef. — Streicher, Georg. — Smogrovitz.
Viehhändler: Steger, Ferdinand.
Im Czailathale liegend.
Fabriken: Seybel, Emil, Schwefelsäurefabrik. — Tauber, Franz, Papierfabrik. Ein Gesundbad.
Gewerbtreibende.
Apotheker: Dengler, Franz. — Platzer, Michael von.
Buchbinder: Brunner, Joh. — Schreiber, Ignaz.
Drechsler: Rossenhauer, Friedrich.
Einkehrgasthöfe: Goldene Krone, Eigenthum d. Stadt. — Steger, Ferdinand, zum goldenen Hirschen und grünen Baum. Palffy, Maria Gräfin, z. kleinen Traube. Kucsera, Anton v., z. gold. Traube. — Linzboth, Ignaz, zum weißen Roß.
Färber: Schmogrovics, Gottfried.
Glashändler: Habenicht, Ignaz. — Lederer: Jurenak, Samuel. — Szloboda, Wilhelm.
Modistin: Heszler, Susanna.

Produktenhändler: Schaab, Josef.
Seifensieder: Bogner, Sam. — Enslin, Lathar. — Karig, Adolf.
Tabak-Großverschleiß: Bogner, Wilh.
Uhrmacher: Mihel, Ignaz. — Prohozka, Josef.

Bőős, (auf der Insel Schütt) Zuckerfabrik Bőős.

Böszörmény, mit dem Hauptort gleichen Namens, mit 13,500 Einw. Slavonien.

Bogsan, Dorf, Eisenschmelz- und Hammerwerk, Eisengieß. Araber Komitat.

Borosch-Jenő, Marktfl. mit 9000 Einw. Weinbau im Banat.

Bonyhad. Markt, auf der Straße von Tolna nach Fünfkirchen.
Apotheker: Kramolin, Jos.
Advokaten: Muttmyanky, Alois. — Kirmitly, Alex. — Kiss, Ludwig.
Gemischtwaren und Eisenhandlung: Müller, Karl. — Streicher, Benj. — Treiber, Alois. — Weber, Joh.
Schnittwaren: Engelmann, L. — Engelmann, S. — Deutsch, Löwy. — Engel & Kron.
Nürnb. und Kurzwaren: Brukner. — Braun. — Perlstein. — Roth, Ignaz.
Lohgärber: Fischler, Alois.
Porzellanhandlung: Spitzer.

Borsa, Silber- und Bleigruben. Marmarofcher Komitat.

Botza, Marktflecken in einem tiefen Thale, 15 M. öftl. von Trentfin, mit 1200 Einw. Bergerichtsfubftitution.

Brazza (Insel in Dalmatien) Handel mit Oel, Seide, Maftir, Holz, hat 12000 E. großen Weinbau, darauf der Flecken Neriti mit 1700 E.

Brezowa. Marktflecken, Ober-Neutraer Kom. in Ungarn. 5000 Einw., bedeutende Eisenwerke.
Gärber: Cserny, Samuel. — Djurkoviez, Joh. — Gaza, Johann. — Juretzky, St. Kosztelny, M. — Kosztelny, Stefan jun. Kosztelny, Stefan sen. — Krajczy,

Johann. — Kriho, Stefan. — Kruty, Stefan. — Kuczera, Martin. — Michalek, Stefan. — Moravetz, Georg. — Mosny, Stefan. — Papanek, Johann. — Polacsek, Johann. — Potacsek, Joh. Stefanik, Georg. — Stefanik, Martin. Streba, Stefan. — Szopoczy, Martin. Tomaska, Martin. — Witzian, Stefan. Wrablik, Thomas.
Lederhändler: Cziran, Stefan. — Cziran, Thomas. — Michalek, Martin.
Orgelbauer: Schaschko, Martin.
Produktenhändler: Goldfinger, Rudolf. Grünwald, Jakob. — Herzfeld, Samuel. Herzog, Josef. — Löwy, Samuel. Nagl, Simon. — Neumann, Isak. — Winter, Simon.
Uhrmacher: Tallo, Johann.
Vermischtwarenhändler: Breznik, Samuel. — Löwy, Bernhard.
Wollhändler: Nagel, Markus.

Brief. 5000 Einw. 5 M. n. ö. von Neusohl. Königl. Freistadt, Sohler Komitat in Ungarn. Handel mit Schafkäse, Wolle, Gold- und Silbergew.
Advokaten: Pejkó, Georg. — Zachar, Mathias.
Apotheker: Lehren, Stefan.
Färber: Braska, Daniel. — Burian, Michael. — Geyer, Ludwig.
Gärber: Brouth, Daniel. — Brouth, Johann. — Brouth, Samuel. — Brouth, Samuel sen. — Lammor, Johann. — Repka, Samuel. — Schramko, Michael sen. — Schramko, Michael jun. — Schupalla, Mathias. — Schupalla, Michael. — Skrovina, Andreas sen. — Skrovina, Andreas jun. — Skrovina, Johann. — Skrovina, Martin. — Weissenbacher, Johann.
Kratzenfabrik: Tibely, Franz, unter Firma: Wagnarer-Kratzenfabrik.
Kunstmühle: Eigenthum der Stadt Briess, von einer Gesellschaft gepachtet, durch den Direktor A. Heyßl unter d. Firma: Brießer Kunstmühle, betrieben.
Produktenhändler: Csipkay, Johann. Csipkay, Nathan. — Jacz, Ludwig. — Lepény, Johann. — Polovy, Daniel. — Tinschmidt, Samuel.
Seifensieder: Fillo, Gustav. — Obrankovics, Michael.
Vermischtwarenhändler: Baittrok,

Josef. — Fogler, Labislaus. — Göllner,
Samuel. — Kubiny, Anton.

Brod, befest. Marktfl. des Broder Grenz-
Diftritts. Eisenbau, an der Sau 3000 E.

Broos. Großfürstenth. Siebenbürgen.
Advokaten: Csonka, Franz. — Nagy,
Ignaz. -- Seifried, Eduard.
Apotheker: Spech, Gustav. — Wotsch,
Karl.
Konditor: Lichtensteiger, Johann.
Glas, Perz. und Galanter. Szöllösy,
Franz.
Glas, Eisen, Spez., Porzell.: Well-
mann, Josef.
Spezerei: Lejzay, Joh. v. — Leonhardt,
Friedrich Jos. auch Eisen und Material-
warenhandlung, Spedit. & Kommiss. —
Markovinovich. F. A. — Schelker,
Friedr. auch Eisen und Nürnberg. W.,
Kommiss. & Spedit. — Welthern, Karl,
auch Eisen. — Vogler, Louis, auch Ei-
sen, Geschmeide und Nürnberger W. und
Orlater Papier Niederlage, Spedition.
Schnittwaren: Bock, Ed. — Bartsi,
Gebrüder auch Modew. — Kamner, F.
auch Tuch- und Modew.- und Spielwaren-
handlung.
Vermischt: Bournass, Jakob. — Dinges,
Josef, auch Schnittw. — Leonhardt, Fr.
Jos., auch Ruszkberger Bergwerks Produk-
ten-Niederlage. — Nemeth, Wilh. —
Publig. Martin. — Schuster, Joh. —
Tartartzy, Spiridon.
Gasthäuser: Pistolen. — Graf Szechenyi.
Bierbrauer: Danninger, R.
Buchdrucker: Nagel, Aug.
Juwelier: Bulhack, M.
Möbel-Niederlage: Brosser.
Seifensieder: André, Friedrich. — Da-
hinten, Bw. — Dahinten, Karl — Ge-
stalter, Samuel.

Bugganz. Königl. freie Bergstadt, Hon-
ther Komitat in Ungarn.
Apotheker: Cironyi, Maximilian.
Gärber: Adamesik, Stefan. — Balina,
Paul. — Blaho, Johann. — Gralza,
Georg. — Horko, Johann. — Hrussko-
vits, Stefan. — Hrusz, Joh. — Jagoda,
Joh. — Karaba, Samuel. — Keviczky,
Mathias. — Kohuth, Paul. — Kovacsik,
Georg. — Kovacsik, Paul. — Krizsán,

Paul. — Ocsovszki, Samuel. — Pla-
vecz, Georg. — Plavecz, Johann. —
Szluka, Martin. — Vajdicka, Samuel
jun. — Znbaczhy, Johann.
Lederer: Czibulka, Martin. — Zambol,
Michael.
Vermischtwarenhändler: Lindmayer,
Joh. Rep.

Bujakowa. Dorf, Sohler Komitat in
Ungarn.
Eisenhammer und Hochofen: Würsching, Peter. Erzeugung: Gewalztes
und Pflugblech, Faßreifen und Stabeisen.

Bzowa (Alt-). Neograber Komitat in
Ungarn.
Glasfabrikant: Kuschel, Franz.

Bzowa (Neu-). Neograber Komitat in
Ungarn.
Glasfabrik: Kuchinka, Leopold.

Carlstadt. Eisenbahnstation am schiffba-
ren Flusse Kulpa, beim Einfluß der Ko-
rona, 7000 Einw. Merkantil für ganz
Kroatien und Slavonien, Gymnasium, Bi-
schof, Hauptschule. Stapelplatz ungarischer
Produkte, Handel in Honig, Holz, Getreide,
Habern, Holzschwamm, Horn- und Borsten-
Vieh, Commission und Spedition.
Apotheker: Hammerschmidt, Wtw. —
Mäder, Eduard.
Gasthäuser: Hotel Nationale. — Stadt
Fiume. — Zum Anker.
Advokaten: Germann, Ignaz. — Groz-
danovic, J. Medunic, S.
Buchdrucker: Lukssich, Abel.
Mühlen: Tullic, B. — Hakl, E. —
Lach, J. — Belgische Tourbinenmühle
(Eigenth. Pongratz & Comp. in Agram).
Nürnb. u. Galant.: Lukssich, Peter,
M. A. — Radocay, Peter und Manu-
faktur.
Typografisch, literarische Anstalt
von Luksic, Abeles auch Herausgeber der
Zeitschrift Glasonosa (der Herold) und
der allg. Geschäftszeitung für Kroatien,
Slavonien und Dalmatien.
Eisenhändler: Balbago, Math. —
Davidovic, Nikolaus. — Jellenz, Ignaz.
Paropel, Josef. — Szonitskys, Wtw.
Matth. und Nürnberg. Waren. — Un-

ger, Matthias. — Wexmar, Nikolaus.
Wynsky, Josef.

Schnittwarenhändler: Boben, Michael.
Fröhlich, Josef. — Kokanovic, R. —
Leutsek, Frz. — Palle & Polansky. —
Polz, C. & Vukovic, R. G. — Popo-
vic, G. & Söhne. — Rainer, Phil. —
Ressmann, Peter. — Rosenberg, Wtw.
Slanowics, Peter.

**Spezerei-, Material- u. Vermischt-
warenhändler:** Aleksic, Wtw. —
Beidinger, Wtw. — Benic, Josef. —
Bogovic, Ignaz. — Borcic, Stefan. —
Dragmann, Alois. — Gerweis, Georg.
Gahovacs, May. — Hudelja, Johann.
Inze, Emerich. — Oberster, Emanuel.
Pinter, Anton. — Skavic, Martin. —
Türk, Franz. — Vranic, Joh. — Gra-
hovacs, Eb. — Wendauer, Gg.

**Spebitions- und Kommissionsge-
schäfte:** Blauhorn, May. & Heinrich,
A., Agentie des Anker und Phönix, Ein-
und Verkauf u. Inkasso aller Landesprod.
Burgstaller & Comp. — Cilic, Johann.
Covacich, J. L. — Ferketic, Josef. —
Luksic, Peter. — Martinich, Liberat.
Mayer, Anton. — Turkovic, Wenzel.—
Vidali, Simon. — Vranyczany, R.

**Spebitions-, Kommissions- und
Detailgeschäfte:** Dadic, Nikolaus, —
Dadic, Pavel. — Fröhlich & Sohn.—
Gavella, Theob. — Grozdanic, Georg.
Luksich, Blasius. — Mikic, Paul. —
Milicevic, Michael. — Modrusan, Joh.
Modrusan, Josef. — Popovits, Markus.
Raizovic, Adam. — Roksandic, Gebrü-
der. — Rozmanic, Nikola. — Simichen,
L. — Ucelaz, E. R. — Vidali, Simon.

Hutniederlage: Skavic.

Fabriken: Bunjati, Anton, Seifen-, Un-
schlitt- und Stearinkerzenfabrik. — Dan-
helowsky, Franz, Seifen- und Unschlitt-
kerzenfabrik. — Kunic, Josef, desgl. —
Weiss, Josef, desgl. — Vranic, Franz,
Lederfabrik.

Bräuer: Reichherzer, Al. — Vranyczany,
R. — Zizler, G.

Getreidehändler: Barako, Basil. —
Banjanin, Daniel. — Krek, Alexander.
Lederer, Gebrüder. — Luksich, Peter.
Musalin, Michael. — Tschopp, Raimund.
Vranyczany, R. — Zivojnovic, Peter.

Glas- und Porzellanhändler: Din-
ter, Eduard. — Radocai, Mathias.
Goldarbeiter: Paduani, Johann. —
Pregel, Ant. — Schöller, S. auch Gra-
veur.
Lederhändler: Neafeld, Slg. — Res-
kovac.
Probuktenhändler: Bachrach & Pul-
zer. — Blazevic, Johann. — Fodoro-
vic, Alexander. — Funk & Heinrich.
Grünwald, H. — Jovanovic, Alexander.
Kermar, Georg. — Krismann, Ferdin.
Rosenberg, R. — Retzel, Mich. —
Vucetic, Demeter. — Weiss, Hermann.
Wenzel, May.
Wachsbleicher und Lebzelter: Graho-
vacs, Eb. — Wendauer, G.

Cattaro. Hauptort d. gleichn. Kr. Dalmatien. Hafen. 4000 Einw.
Avvocati: De Pasquali, nob. Marco. —
Verona, Dr. Bernardo.
Negozianti: Berber, Lazzaro. — De-
gialli, Angelo. — Finzi, Mayer.
Mandel, Maurizio. — Popovich, Sa-
verio. — Stefanovich, Marco. — Zuzak, Nicolo.

Csaba, Station d. Theißbahn das größte Dorf
(Bekeser Komitat) in Ungarn und überhaupt
in Europa, 1715 angelegt, am Hejo, mit
20,000 Einw. Luth. und reform. Kirchen,
starke Viehzucht, Wein- und Hanfbau.

Csakathurn, Eisenbahnstation, Szalaber
Komitat in Ungarn. 2 Stunden nördl. n.
Warasdin.
Zuckerraffinerie: Csakathurn. (Luft, A.)
Dampfmühle: Kaupp.

Csánad, Marktfl. an der Marosch, mit
6800 Einw. Sitz eines kathol. Bischofs
und Protopopen i. d. gleichnamigen Gespanschaft.

Csetnek, mit 3800 Einw., luth. Gymnasium, Kupfer- und Eisenwerke. Gömörer
Komitat.

Csongrad, Marktfl. mit 12,000 Einw.
im gleichnamigen Komitat.

Czakowa, Marktfl. (Banat). Eisenbahnstation Szebely.

2 *

Gasthäuser: Goldener Engel, Kloty, Karl. Weiß. Rößl, Soller, Peter. — König v. Ungarn, Mittermayer.
Apotheke: Kovats, Jos. v.
Advokaten: Jankovits, Ludwig v.
Conditor: Rittinger, Franz.
Buchbinder: Razuzza, Leop.
Eisenhandlung: Schiessler, Leop. — Schönborn.
Spez. Mat.: Dina, Gg. — Panitsch, Salomon.
Gemischt: Csaritsch, Peter. — Floritsch. Schanowits, Joh. — Woinowits, T. B.
Bierbrauer: Peogradatz, Lucca.
Likör-Essig.: Milloschitz. — Troube, Karl.
Oelfabrik: Czibores.
Schnittw.: Dina, Gg. — Schandrowits. Schnabel, Jsak. — Steiner, Gebrüder.
Seifenf.: Peokratas. — Nikolitsch, Nik. Schandrowitsch.

Czerwenicza, Opalgruben, im Saroscher Komitat.

Czubar, unweit Brod, Eisenbau. (Kroatien).

Daruvár, Marktfl. mit 500 Einw. Tuchweberei, Seidenbau, warme Bäder, Marmorbruch. Slavonien. (Poseger Gespanschaft).

Debreczin, cir. 62000 Einw. 4 Jahrmärkte, Station der königl. kaiserl. priv. Theiß-Eisenbahn. Siß der Distriktualtafel des Kreises, ref. Collegium mit Bibliothek, kath. Gymnasium, kath. Hauptschule, Piaristen Collegium, größter Schwein- und Spekmarkt in Ungarn. In der Nähe 15 M. hinaus große Viehweiden, daher Viehhändler, die oft 8—10,000 Stück Rindvieh auf der Weide haben. Sud wird viel Soda gesammelt und zur Seifenfabrikation verwendet. Handel mit eigenen und in der Umgegend erzeugten Produkten, als: Federn, Roßhaar, ungar. Saflor, Nüssen, Zwetschgen, Potasche, Soda, Schafwolle, Fenchel, Cantharides, rohem Leder, Hadern, Hanf, Honig, Hörner, Knoppern, Leim, rohem und raffin. Rüböl, Luzerner-Klee-Samen, Reps-

samen, Leinsamen, Leinöl, Unschlitt in Scheiben und rohes in Stangen.

Eisenhändler: Farkas, Franz. — Lobmayer, M. J. & Com., Chef Josef Lobmayer. — Nemes, G. & Comp., Chef Nemes Gabr. — Roslosnyik, Simon. Sesztina, Ludwig. — Tóth, Ludwig & Comp., Chef Tóth Ludw. — Sestina, Karl.

Großhändler: Dragota, J. priv. Großhandlung in Landesprodukten und Colonialwaren, Leimfabrik in Debreczin und Mitinteressant der Kunstmühle in Pecze-Szent-Márton bei Großwardein. Die Firma zeichnet Ignaz Dragota jun. und Eduard Novelli p. procura jeder für sich.

Galanterie- und Nürnbergerwarenhändler: Dáne, Stefan. — Handtel, Wilhelm. — Márton, Ladislaus. — Szepescy & Gáll, Censor der Bank. — Swoboda, Josef.

Lederhändler: Györfy, Alexander & Comp. — Lázár, Ludwig. — Makó, Stefan.

Leinwandhändler: Kardos, Ladislaus, Direktor der k. k. priv. österreichischen Nationalbank-Filiale. — Kovács, Georg. Mathé, Ludwig. — Szabó, Ludwig. — Szabó, Stefan. — Szikszay, Stefan.

Papierhändler: Gyárky, Alexander und Schreibrequisitenhdl.

Porzellanhändler: Schmiedl, Johann Repomut.

Schnitt- und Modewarenhändler: Böhm, Daniel. — Böszörményi, Josef sel. Witwe. — Budaházy, Josef von. — Jeney's, Jos. sel. Witwe. — Kollát, Daniel. Koncz's, Gb. sel. Witwe. — Koncz, Lud. Molnár, Samuel & Comp. — Mollnár, Samuel sen. — Papp, Alexander. — Perecz, Josef. — Roth, Elkan. — Zury, Mich.

Spezereiwarenhändler: Balázs, Wendelin. — Berghofer, Stefan. — Bignio, Johann. — Csanak, Josef. — Frankl, Hermann. — Gasner, Karl & Spedition. — Gasner, Paul. — Hegedüs, Karl, Direkt. d. Theiß-Filiale. — Hoffmann, Ignaz. — Heinrich, Ignaz. — Kiss, E. Siegmond. — Kolbenhayer, Edu. Némethy, Joh. — Orosz, Michael. — Papp, Georg. — Poszert, Johann. —

Kiss, E. Zsigmond, Wechsel Sped. Com.
und Produkten-Geschäft. Ein und Verkauf aller Gattungen Staats- und In-
dustrie-Papiere Lotterie-Effekten In- und
Ausländer Gold- und Silbermünzen.
Commissions-Lager von landwirthschaftl.
Maschinen, auch Haupt-Agent der Oesterr.
Feuerversicherungs-Gesellschaft Phönix für
die Comitate Bihar, Szathmar, Szabolcs,
nebst den Haidukenstädten, Közép-Szolnok
u. Kraszna. — Renó, Jof. — Rickl, Jof.
Anselm, Gremial-Ausschuß, Censor der
Bank-Filiale, Specerei. Material-Farbwaa-
ren-Handlung in Engros und in Detail,
ferner in Landesprodukten, besonders Export
in Bettfedern auch Inhaber einer Kunstmühle in Pevre Sz. Marton bei Großwardein. — Es zeichnet auch per Procura
deffen stiller Compagnion Gera von Fabricius. — Stenzinger, Anton. — Stenzinger, Karl. — Swetitsch, Mathias,
Gemeinderath auch Kommiff., Spedit.,
Landesprob. und Inkaffo. — Sichermann,
H. & S. Spezerei Colonial-Farbwaa-
ren. — Szarka, Johann. — Szecsey,
Samuel, Litörfabrik. — Szentpéteri,
Johann.

Kurz- und Bandwarenhändler:
Gyulay & Comp. — Szubó, Jofef.

Tuchhändler: Antalfy's, Johann sel.
Wtwe. — Koszorns, Franz. — Szathmáry, Michael. — Tóth, Ludwig.

Ingremirte und inprotokolirte Pro-
duktenhändler: Aron, Emanuel &
Comp., Chef Aron Emanuel auch in
Spedition pr. Procura, deffen Schwager
Fürst. — Baffka, Karl — Berger,
Heinrich. — Eisenberger, Adolf. —
Eisenberger, Moritz. — Huttflesz, Ste-
fan. — Jablonczai, Kolomann. — Katz,
Heinrich. — Klein, Ignaz. — Kohn,
Ignaz. — Konrad, Samuel. — Né-
methy, Johann sen. — Percsi, Anton.
Steinfeld & Feischl in Spedition, Com-
miffion, Landesprodukten, Incaffo. Chef
Anton Steinfeld, Censor der Bankfiliale.
Steinfeld, Ignaz.

Niederlagen: Kuchinka, E, S. in Alt-
und Neu-Antonsthal, Glas-Niederlage.
Munkacser, Alaun- und Eisenfabriks-Nie-
berlage. — Gacser, k. k. landesbef. Fein-
tuchfabriks-Niederlage.

Weinhandlungen: Debreciner Weinhalle.
Telégdi Rikl & Comp.

Aktien-Gesellschaft der Stefans-Dampf-
walzmühlen. Präsident Dr. Tegze, Direk-
toren: Csanak, Jofef und Szabo, Ludw.

Leimfabrik: Dragota, Ignaz.

Litörfabrik: Telegdi, Labislaus, erste
Debreciner landesbef. — Szecsey, Samuel.

Stärkfabrik: Bignio, Johann.

Apotheker: Boer, Labislaus.
Zur Sonne. — Borsos, Franz. Zur
Schlange. — Péter, Michael. Zur
ungarischen Krone. — Göltl, Ferdinand.
Zum Erlöser. — Rothschneck, Karl,
Zum goldenen Einhorn. — Tamasfy,
Karl. Zum Schwan. — Tomássy's,
Georg Erben. Zum goldenen Engel.

Bierbräuerei: Stadt Debreczin, in Pacht.
Szikazai, Jofef, landesbefugte.

Buchdruckerei: Stadt Debreczin. — Telegdi, Ludwig.

Buch-, Kunst- u. Papierhandlung:
Csathy, Ludwig. — Telegdi, Ludwig,
auch Verleger mit Leihbibliothek.

Einkehrgasthöfe: Weißes Roß. — Goldener Stier. — Telegdi's, Gasthof nächst
d. Bahnhofe.

Leihbibliothek (öffentliche): Berghofer,
Stefan.

Lithografische Anstalt: Werfer, Jofef.
Möbelhändler: Schweitzer, J. & Sohn,
Tapezirer. — Kerekes, A., Tischler.

Tabak-Großverschleiß: Berghofer, Stefan.

Zeitungs-Redaktion: Debreczen Nagy
Váradi Ertesitö. Wochen-Ankündigungs-
blatt, Redakt. Ballo Karl.

Dechtitz. Ober-Neutraer Komitat in Ungarn.

Fruchthändler: Meiszl, Pinkas.
Papierfabrik: Smekal, Wenzel.

Dées, Statt am Zusammenflusse der großen und kleinen Szamos mit 6000 E. (in-
nere Szolnoker Gespanschaft, Siebenbürgen)
hat 4 Jahrmärkte und 2 Wochenmärkte.

Abbokaten: Deschi. — Kühlbacher, — Tomaschl.

Apotheke: Roth, Paul.

Spezerei-Material-Farbw.: Bereghszaszi, Aler. — Kremer, Samuel. — Kovrik, Martin. — Markovics, Stefan. Peielle, Otto.

Vermischt: Donovak, Lucas. — Görög, Joh. — Botianczi, Josef. — Lengyel, Dan. — Papp, ;Franz. — Szatmary, Karl.

Schnittwaren: Czesz, Mart. — Gowrik & Gayzago. — Hirsch, Leop. — Kovats, Moriz. — Laszloffy, A.

Dampfmühle: Kremer, Samuel.

Spiritusbrenner: Markovics, Stefan.

Denta, Marktfl. (Banat) an der Berzava, Reisplantagen.

Gemischtw.: Kohn, Ignaz. — Jäger, Joh. Kramer, Alois. — Mischar, R.

Dereczke, Dorf mit 5200 Einw. Biharer Komitat. Sastorbau.

Detta, Marktfl. Banat. Eisenbahnstation.

Apotheke: Braumüller, Josef.

Gemischtw.: Flesch, Dina. — Hack, Joh. Frey, Aron. — Fürth.

Eisenhändler: Jäger, Math.

Essigf. und Färber: Szwy, Rich.

Dettwa, Sohl Komitat in Ungarn.

Abvokat: Libertinyi, Rudolf.

Färber: Schrötter, Johann. — Krnács, Johann.

Gärber: Hino, Andreas. — Jelsa, Joh. Straka, Franz. — Straka, Josef.

Vermischtwarenhändler: Dobay, Andreas. — Lassovszky, Michael.

Deutsch-Pilsen, Marktflecken, starke Schweinezucht in den großen Eichenwäldern. Honther Komitat.

Deva, (Siebenbürgen) Marktflecken mit cir. 3000 Einw. mit Kupferbergwerk.

Abvokaten: Nagy, Emerich. — Waldstein, Ant.

Vermischt.: Biluska, Joh. — Bosnyak, Ant. — Büchler, Abrah. — Gergeyfy, Em. — Issekutz, Mart. — Karacsonyi, Paul. — Martonffy, Mart. — Masvi-

lagi, Jos. — Moldovan, Joh. — Moldovan, Isaia, auch Eisen. — Moldovan, Nik. — Moldovan, Peter. — Roska, Anton. — Schikander, Witwe.

Devetser, Marktflecken, Weinbau. Vesprimer Komitat.

Dilln, K. freie Bergstadt, cir. 1700 Einw. Honther Komitat in Ungarn.

Gärber: Gollfuss, Samuel.

Gastwirth: Fulmann, Moriz, zur Traube.

Vermischtwarenhändler: Goldberger, Stefan. — Gosznoviczer, Susanna Wt.

Dioszeg', Marktfl. mit 4000 Einw. Biharer Komitat. Weinbau.

Diosgyör, an der Szinwa, 3 St. westlich vor Miskolcz (Ungarn) 4500 Einw. Wein- und Obstbau.

Aktien-Papierfabrik. (Leiter-Kräuter).

Dobra bei Deva. Siebenbürgen.

Vermischt.: Herbay, Gg. Witwe. — Herbay, Mich. — Manyul, Joh.

Donaczka, Marktfl. Kupfergruben. Banat. Kraschaver Komitat.

Dobschau, Dobsina, Flecken an der Dobsina, mit 4000 Einw. Luth. Gymnasium, Kobalt-, Eisen- und Kupferwerke, Fundort von Granaten, Asbest und Quecksilber, Papiermühle. Gömörer Komitat.

Dorosma, mit 3000 Einw. Starke Fischerei. Banat.

Drahova, Neutraer Komitat. Sauerbrunnen.

Dubowa, an der Donau, mit der veteranischen Höhle, 200 Fuß im Umfange. Banater Militärgrenze.

Ebedecz, Barser Komitat in Ungarn.

Glasfabrik: Langhammer, Ignaz.

Edelény, Borsober Komitat, Ungarn.

Schöller & Reich, Pächter der herzoglichen Coburg'schen Zuckerfabrik.

Einsiedel oder Remete, Bergfl. Kupferbau. (Zips).

Eisenstadt. Königl. Freistadt. Debend. Gespanschaft in sehr schöner Lage. 8000 E. Ungarn, starker Weinbau, in dem 3 Stunden südöstlich gelegenen Orte Rust wird nächst dem Tokayer der beste ungarische Ausbruch erzeugt, mit Kadetteninstitut und englischen Schloßgarten, prächtiges esterhaz. Schloß mit großem Park und Thiergarten, über 70,000 der seltensten Pflanzen in 2 Glashäusern, deren jedes 340 Schritte lang ist; Hospital der barmherzigen Brüter.
Eisenhandlung: Giesser, M. — Mozell, Frz.
Material-, Spez.- und Schnittw. Hobenstreit, Andreas. — Morth, Franz. Peyerersteiner, Anton. — Sedlmayer, Moritz. — Schlesinger, Mayer. — Spatoy, Alois. — Stuckluck, Joh.
Tuchhändler: Hutterer, Stefan. — Jaborek, Leop. — Pollak, Anton. — Spitzer, Ignaz.
Weinhändler: Kollewein, Joh. — Leiner, Michael & Sohn. — Wetzstein, Franz. — Wolf, Leopold.
Lederfabriken: Grüszner, Anton. — Spitzer, Abraham k. k. landesbefugte.
Likörfabrik: Leinner & Sohn, auch Weinessig.
Thonpfeifenfabrik: Brunner, Franz. Besitzer eines k. k. ausschl. Privilegiums auf Pfeifenbeschläge.
Advokaten: Possard, Franz. — Pregardt, Louis v. — Schreiner, Julius.
Apotheker: Grössner, Franz.
Branntweinbrenner: Lichtscheidl, Johann. — Moszhammer, Ignaz.
Bräuer: Job, Bonifaz.
Brunnmeister: Neuhold, Anton.
Buchbinder: Hedel: Engelbert.
Buchdrucker: Stolz, Heinrich.
Drechsler: Nusz, Johann, Maschinist, auch Gelbgießer.
Essigsieder: Heim, Franz.
Färber: Geischläger, Eduard. — Seiwerth, Franz.
Gasthofinhaber: Eder, Josef, zum Abler.
Glaser und Glashändler: Ahammer,

Josef. — Bauer. — Engert, Josef. — Pauer, Josef.
Handschuhmacher: Raaber, Ferdinand.
Hutmacher: Kattusch, Binz. — Märker, Stefan. — Tintera, Josef.
Kaffeesieder: Leinner, Michael. — Töröky, Witwe. — Woegerer, Math. — Kritsch, R.
Kupferschmiede: Giesser, Josef. — Loeb, Franz.
Lebzelter u. Wachszieher: Altdorfer, Alois. — Szeitz, Ignaz.
Müller: Körnmüller, Ant. — Tesslik, Ferd.
Sattler: Gras, Mathias. — Muschenhofer, Jakob. — Reichard, Karl.
Seifensieder: Zechmeister. — Kohl, Karl.
Seiler: Sonnenberg. — Waldbier, Frz.
Spängler: Freyberger, Fr. — Neunherz, Math. — Nübling, Johann.
Stellfuhrinhaber: Leckwinofsky. — Wolfbauer, Mathias.
Tabak-Großverschleiß: Permayer, Johann.
Tapezierer: Wanjek, Karl.
Zuckerbäcker: Arendt, Emil.

Eisenburg (Vichnye), warme Bäder, an der Raab. Eisenburg. Komitat.

Eperies. Königl. Freistadt, Saroser Kom. Ungarn. 11,000 Einw. 6 Jahrmärkte, 2 Wochenmärkte, an der Straße von Kaschau nach Gallizien, mit Kunstmühle in Saros bei Eperies, viele Mineralquellen, in der Nähe Opalgruben. Handel mit Hegyalier, Ausbruchweinen, Getreide, Leinwand. Der Hauptstraßen, von welchen die bedeutendste nach Polen einen lebhaften Handel mit galizischen und ungarischen Produkten gewährt. In geringer Entfernung von der Stadt befindet sich im Dorfe Sóvár eine bedeutende königl. Salzsiederei. Ballint, C., Tuch, Schnitt-Modewaren. — Bohrandt, Glas, Spez. und Porzellan. Csanyi, J. R., Hauptagent der k. k. priv. allgem. Assekuranz in Triest, Engros Lager von Nürnberger, Galanterie und Colonialwaren Spedition, Kommission, Ein und Verkauf aller Gold- und Silbermünzen, allen Gattungen Staats-Industrie-Privatpapier und Lotterieeffekten. — Friedmann, Nathan, Schnitt- und Ma-

nufakturw. — Gabany, Alex., Schnitt-
und Modew. — Klein, Ignaz, Tuch-,
Schnitt- und Modew. — Koch, Joh.
Spez. u. Nürnberger W. — Koch, Rich.
Jos., Spez.-, Mat.- und Farbw. — Kol-
bay, J., Spez. und Gal. — Kolbenbayer & Jakubik, Spez. Nürnb. Manufaktur, Farb, Leder, Eisen und Produkten. Niederlage des Pradenborfer Eisen-
werkes. Kommiss. u. Spedit. — Kosch,
Ludwig & Sohn, Tuch-, Schnitt-Modew.
und seines Porzellan. — Lilia, B. D.,
Spez.-Farbw. Nürnberger und Lederwa-
renhandl. unter derselben Firma ein 2tes
Geschäft in Manufaktur und Nürnberger-
und Galanterie- und Colonialwaten. —
Lilias, B. Witwe & Jos. Sam. Pap,
Spezerei-Material-Farbw.-Schreibrequisi-
ten- und Lederhanblung, Papierlager, auch
Agentschaft der ersten österr. Brandschaben
Versicherungsgesellschaft in Wien und Aus-
kunftsbüreau d. k. k. Donau-Dampfschiff-
fahrtsgesellschaft. — Kys, Anton, Eisen,
Nürnb., Spez. — Kiraly, Rich., Spez.
Eisen, Nürnberg. — Mittermann, Joh.,
Eisen-, Spez.- und Nürnbergerwarenhbl.
k. k. Stempelpapier-Verschleiß. — Oswald, Daniel, Spez.-, Galant.-Farbw.
Porubszky, Binzenz, Eisen-, Spez. und
Nürnb. — Schäffer, Leo., Tuch-, Schnitt-,
Mode-, Leder-Spezereiw. — Rainer, C.,
Eisen und Spedition. — Spiegel, Mar-
kus, Schnitt und Manufaktur. — Spie-
gel, Josef, desgl. — Stanzel, Alb., Spe-
zerei. — Schwarzer, A. B., Manufak-
tur- und Kurzw. — Taussig, N. E., Ge-
mischt. — Thror, Ludwig, Tuch-, Schnitt-
Modew. — Thror & Comp., Besitzer
der französischen Mühlsteinfabrik zu
Bois Jonp. — Wantzak, Stefan, Spez.
und Porzellan. — Waniek, Anton, Tuch-,
Schnitt- und Modewaren. — Zsembery,
Ignaz, Spez.-, Mat.-, Farb.-, Nürnb.
Spielw. auch Agent d. erst. ung. allgem.
Affekuranz.

Advokaten: Bujanovits, Cajus. — Dir-
ner, Josef. — Duka, Josef. — Des-
sewffy, Maurus. — Hellner, Karl. —
Hodossy, Eduard. — Joob, Wendelin.
Kardos, Samuel. — Keczeri, Andreas.
Kriebel, Ernest. — Hovacsy, Joh. —
Lehoczky, Eugen. — Meczner, Eduard.
Pap, Eugen. — Roskovanyi, Ambros.
Rosnay, Johann. — Schulek, Gustav.

Tizedy, Nikolaus. — Zsitkovszky. Jos.
Apotheker: Makowiczky, Josef. —
Schmied, Karl. — Turtzer, Luzian.
Bräuer: Bertsch, Karl.
Buchdrucker: Staudy, Anton.
Buchhändler u. Leibibliothek: Vet-
ter, Robert.
Einkehrgasthöse: Legany, Stefan, zum
grünen Baum. — Pfeiffer, Leop., zum
schwarzen Abler. — Siebert, Christof,
zur Krone.
Glashändler: Kreitzer, Joh. — Kosma,
Binz.
Goldarbeiter: Janowitz, Leo. — Keler,
Gottlieb. — Weszely, Karl.
Buchbinder: Buchert, G. — Hepke, J.
Rosenberg, S.
Blaufärber: Daschtrlma. — Kirsch-
masky. — Rammer. — Strasser.
Produktenhandlung: Barkan, Markus,
Wollen-, Wein- und Spiritushandlung.—
Frankel, Bernhard, desgl. — Tritsch,
Adelbert, Wollenhandlung und Eigenth.
einer Wollenspinnerei. — Patzauer, Mo-
ritz, Wolle. — Rosenberg, Herrm.
Uhrmacher: Bruger, Ant. — Zsitkowszky,
Karl.
Weinhandluug: Kolbenbayer, Ludwig,
empfielt seine eigen producirten Tokayer
Weine, haftet für die Echtheit.
Zuckerbäcker: Zuan, Rudolf.
Seifensieder: Dalström, Karl. — Lag-
ner, Stefan. — Nadafskay, Aler. —
Schmidt, Wenzel. — Urbanofski, Ignaz.

Erlau. Freistadt am Erlauflusse, mit
mehr als 25,000 Einw., worunter viele
Raizen. Seminar, Gymnasium, Hauptschule,
Bibliothek, Sternwarte, Spital der barm-
herzigen Brüder, Weinbau, meistens rothen
Wein, Gerberei, Handel, warme Bäder,
schöner erzbischöfl. Garten. Szolnoker Ge-
spanschaft in Ungarn.
Buch- und Kunsthändler: Geibel, Her-
mann. — Plank, Ferencz.
Eisenhändler: Gröber, Ferencz. — Po-
lanzky, F. — Reinprecht, Joh. —
Simonides, Ignaz — Török, Alexander.
Verloviez, Franz.
Glas- und Porzellanhändler: Pol-
lak, J. — Schir, Anton.
Lederfabrikant: Schwarz, Stefan.
Nürnberger- und Galanteriewaten-
händler: Piller, Josef.

Papierhändler: Violet's. Konstantin, sel. Witwe.

Schnittwarenhändler: Barchetti's, Karl, sel. Witwe. — Greiner, Anton. — Greiner, Gebrüder. — Holzer, Karl. — Knöpfler, Wolf. — Kohn, Elias. — Schwarz & Lazar. — Weisz, Simon.

Spezereiwarenhändler: Bajzát, Jos. Móczer, Ignaz. — Rotter, David. — Steinhauser, Stefan. — Tschögel, Jos.

Vermischtwarenhändler: Berger, Heinrich. — Deutsch's, sel. Witwe. — Janffy, Robert. — Kanicz, Leopold. — Palacsik, Hermann, — Palacsik, Moriß. Totovics's, Johann, sel. Witwe.

Weinhandlung: Fekete & Comp.

Advofaten: Eiscomann, Joh. — Fenyvesy, Franz. — Szalay, Johann. — Szavis, Paul.

Apotheker: Entinger, Ignaz. — Wesselly, Joh.

Buchdruckerei: Erzbischöfliche.

Gold- und Silberarbeiter: Szurmak, Joh.

Kaffehaus: Steinfeld, Samuel.

Tabak-Großverschleiß: Stanzel, Jos.

Tapezierer: Bild, J. — Schwar, Frz.

Uhrmacher: Faustka, Anton. — Krank, Friedrich.

Zuckerbäcker: Flitsch's, Witwe. — Gerstner, Lorenz. — Letscher's, sel. Witwe.

Apotheker: Peintinger, Leopold.

Brauer: Gruber, Ignaz. — Hammerer, Aloisia. — Lehner, Michael.

Buchbinder: Pfeifer, Karl. — Reiter, Johann.

Büchsenmacher: Wertgarner, Dominik.

Drechsler: Hall, Anton.

Er-Mihályfalva. Nord Biharer Komitat in Ungarn.
Stubenberg, Jos. Graf v., Spiritusfabrik.

Esseg nahe dem Einfluß der Drau i. d. Donau mit 17,000 E., großer Fischfang. Esseger Komitat in Slavonien. Freistadt und Festung an der Drau, über welche eine schöne Brücke führt, die Ungarn mit Slavonien verbindet, Handel mit Getreide, Vieh und Häuten; Gymnasium, Cultur-Inspectorat.

Eisen- und Geschmeidewarenhändler: Bartholovics, Ant., auch getirftes

und gewalztes Kupfer. — Fischer, Frz. Hartwich, Franz, Witw. — Meditsch, J. F. — Walter, Karl Ignaz, (Eigenthümer. Reisner, Emerich).

Kurz- und Nürnbergerw.: Hiller, C. & Comp. — Kalivoda, Wilh. — Kaloszek, Ignaz. — Landsinger, Samuel. — Mayer, Jakob & Lehner. — Ruspini, Joh. G.

Rauchwarenhändler: 'Georgievic, Mitoš. — Marinovic, Elias.

Schnittwarenhändler: Csordasich, Josef. — Gillming, Franz. — Gujak, Wladimir. — Hiller, Josefs Sohn & Engle. — Katzthaller, Alois. — Kaup, Franz. — Krauss, Mayer. — Krauss, Sigmund. — Meiseles, Moriß. — Mohatsy, Stefan. Witwe & Sohn. — Poznanovic, Sofron. — Radanovic, Georg Söhne. — Simonovic, Elisabeth. — Singer, Ignaz. — Spiller, Markus. — Jadic, Witw. — Trenchiner, David. — Vojdicska, Alois. — Weiss, S. & Herrmann, L. — Zivanovic, Daniel, Witwe & Bosnjak, Wladimir.

Siebenbürgerwarenhändler: Trandaphill, Johann. — Wuics, Demeter & Söhne.

Spezereiwarenhändler: Axentijovic, Peter & Sohn, auch mit Rohprodukten. — Argirovic, Gregor, auch Steingut. — Bartholovic, Joh. Rep. — Collognath, Peter. — Elsner, H. & Schwarz. — Folk, Franz Xav. — Goriupp, Victor, Firma Elias Lefitich, auch Produkten-, Speditions- und Wechselgeschäft. — Leipzig, Johann. — Hollup, Michael. — Nagel, Moriß. — Pessic, Miloš. — Wynder, Anton — Thairner.

Spekulanten: Axentijovic, Peter & Sohn. — Blank, Josef. — Blau, Leopold. — Bonnet, Anton. — Eisner, Hermann. — End', Johann. — Epstein, Leopold. — Follert, Paul. — Haudler, Jakob. — Krauss, Leopold. — Mergenthaller, Karl. — Nedelkovitsch. — Nedelkovic, Constant. — Nedelkovic, Peter. — Neuwirth, Leopold. — Rotterer, Paul. — Schachtiz, Jakob. — Spissic, Melchior. — Szödenyi, Martin.

Sattler, Möbel-Niederlage: Wolkober, Josef.

Tischler: Heim. — Böhm. — Wolschütz.

Tuch- und Leinwandhändler: Kostic, Gebrüder. — Marinkovic, Gabriel. — Taicsevics. Gebrüder, auch getiestes und gewalztes Kupfer, Produkte und Speditionsgeschäft. — Zivanovic, Witwe.

Vermischtwarenhändler: Baic, Gregor. — Buday, J. R. — Jankovic, Vladimir. — Linbis, Johann. — Lucsics, Georg. — Mavrodic, Georg. — May, Johann. — Poznanovic, Theodor. Riffer, David. — Sarcevic, Andreas. — Thill. — Ve.ter, Josef. — Weiss, Heinrich.

Schiffmühlen-Assekuranz: Privat-Gesellschaft. (Direktor: Endt, Johann).

Lederfabrik: Gillming, Mart. jun., landesbef.

Oelfabrik: Pruckner, Josef Karl (Michael Lahs Erben).

Seidenfabriken: Schey, Fr. & Chwalla, A. & Comp., (Friedberg, Johann, Direktor). — Bovara, Rafael.

Zündhölzchenfabrik: Reisner & Fözmayer, landesbef.

Niederlagen: Zwecewo, Glasfabrik. — Nustar, Dampfmühle.

Advokaten: Arvay, Ladislaus. — Fözmayer, Josef, sen. — Fözmayer, Josef, jun. — Hegedusevic, Anton, Dr. b. R. Joannovic, Johann. — Kozic, Johann. Kugler, Stefan. — Marinovic, Hugo. Nedelkovic, Stefan. — Rajacic, Daniel. Spoljaric, Jakob. — Stojanovic, Anton, Dr. Phil. — Taicsevics, Markus. — Verofsky, Franz. — Virovac, Peter.

Apotheker: Horning, Josef. — Molnar, Ladislaus. — Raimann, Franz.

Bräuer: Raith, Alexander. — Seper, Kajetan.

Buchbinder: Harsch, Karl. — Lehmann, Karl. — Mlinaric, Mich.

Buchdrucker: Divala, Katharina. — Lehmann, Karl & Comp.

Buchhändler: Lehmann, Karl.

Essigfabrik: Kramer, Josef. — Kaufmann. — Reichner, Adam.

Drechsler: Gruber, Johann. — Migicky, Friedr.

Einkehr-Gasthöfe: Bader, Josef, gold. Hirsch. — Foller, Johann, sieben Sterne. Frank, Emanuel, wilden Mann. — Guldner, Franz, Plebau. — Hottinger, Joh., zum schwarzen Rößl. — Kunst, Albert, Traube. — Neffe, Anton, gold. Kreuz. — Sirmer, Kasimir, schwarzer Bär. Steger, Eduard, Breze. — Thill, Mathias, weißer Wolf. — Waldinger, Ignaz, drei Kronen.

Färber: Sax, Josef.

Gelbgießer: Pissarovic, Anton.

Gold- und Silberarbeiter: Eckel, Moritz. — Maixner, Hugo. — Riegl, Max. — Verofsky, Alois.

Großtrafik: Braneuf, Alois.

Kaffeehäuser: Bader, Josef. — Neffe, Anton.

Kupferschmiede: Herzog, Josef. — Kragujevic, Jgn.

Lithograf: Eberding, Ludwg.

Lebethbl.: Unger.

Lederer und Gärber: Albert, Johann. Gillming, Barthol. — Gillming, Christ. Geng, Karl. — Stanetti, Ferd.

Modistinen: Helbling, Cecilia. — Kaltneker, Maria. — Lock, Rosa. — Masper. Frziska.

Schiffmühlen: Auer, Anton. — Axmann, Michael. — Bader, Josef. Baumgartner, Anton. — Erney, Thomas. — Gissinger, Andreas. — Hamma, Ferdinand. — Hübert, Josef. — Jankovic, Alois. — Lutter, Stefan. — Martirovic, Gregor. — Mohl, Elias. — Piringer, Magdalena. — Sedlakovic, Josef. — Sieber, Johann. — Zimmer, Peter.

Seifensieder: Cseh, Michael. — Fongager, Hugo. — Nedelkovic, Joh. — Pinterovic, Frz. — Müller, Josef.

Tapezierer: Weld, Eduard.

Uhrmacher: Portner, Josef. — Seidling, Alex — Stiasny, Ladis.

Zuckerbäcker: Berkovic, Karl. — Szabo, Anna.

Esterház, Schloß des Fürsten Esterhaz, mit einer Bibliothek von 30,000 Bänden, schönen Gartenanlagen und Park. Oedenburger Komitat.

Facset, Marktflecken an der Straße von Lugos nach Herrmannstadt.
Apotheker: Otter, Hugo.
Advokat: Antonowits, Joh.
Vermischtwarenhdl.: Hirschl, David.

Küliky. — Mayländer, Karl. — Hussarek. Rif· auch Eisen. — Orawetz, Aler. Färber: Werrer, Eb. — Krepß, Jof.

Farkasb. Marktflecken, Preßburger Komitat in Ungarn.
Bauholzhändler: Ivan, David. — Ivan, Ladislaus. — Szabo, Josef jun. Der mischtwarenh.: Feldmár, Mofes. Ignatovits, Paul. — Kullmann, Karl.

Félegyháza, Marktfl. mit 18,000 Einw. Kathol. Gymnafium, Hauptschule. 4 Poften v. Szegedin, 13 Poften von Temesvar, im Diftrikt der Kumanier.

Felsö · Remete, Dorf, Eisenbergwerk. Unghvarer Komitat.

Ferneze, Dorf, Schmelzhütte für die ärarischen und gewerkschaftlichen Erzeugniffe. Szathmarer Komitat.

Fiume. Freihafen im kroatischen Küftenlande. Commerzial·Stadt am Meerbufen von Quarnero des abriatischen Meeres und am Fluffe Fiumara, mit 15,000 Einw. Gymnafium. Handel mit Ungarn, befonders mit Getreide und Tabak, die es weiter über das Meer verfendet, mit Oel, Colonialwaren, getrockneten Früchten ꝛc. Lazareth in dem benachbarten Thale Martinschizza. Mercantil·Gericht. Jährlich kommen 2 bis 3000 Schiffe an.

Camera di commercio e d'industria Presidente Scarpa Iginio Cav. de.
Tureich, Antonio. (Segretario).

Banca filiale di sconto.

Direttori.

Cosulich, Casimiro. — Scarpa, Iginio Cav. de. — Verzenassi, Giuseppe.

Censori.

Chiachich, Michele. — Cosulich, Domenico. — Descovich, Antonio. — Francovich, Giovanni. — Jellouscheg, Francesco.— Meynier, Carlo. Palese, Francesco. — Reisner, Rodolfo. — Rossi, Luigi. — Scarpa, Pietro Cav. de. — Sporer, Carlo.

Ditte di commercio, Società e Stabilimenti insinuati.
Baccarcich, Giuseppe. — Burgstaller, Cornet, Luigi, rapp. p. p. da G. R. Mayer. — Cosulich, Domenico. — Cosulich, Gio. Matteo per cui firma Cosulich Casimiro. — Descovich, Antonio per cui firma anche Descovich Giovanni figlio. — Francovich, Giovanni per cui firma anche il figlio Francovich Luigi. — Jakic, Antonio. Jelouscheg, Francesco. — Kohen, Nathan. — Kohen, N. Figli di. — Mandussich, Giuseppe rapp. p. p. da Pausi Giuseppe. — Mattessich, Antonio per cui firma Mattessich Valento. — Pascucci, Serafino. — Perussich, Giuseppe. — Pessi, Vincenzo. — Purkardhofer, Giovanni.— Rossi, Luigi. — Scarpa, Paolo rapp. da Scarpa Iginio e p. p. Scarpa Paolo d'Iginio. — Sarinich, Cosmo. — Spendou, Andrea. — Sporer, Carlo rapp. anche p. p. da Wanner J., Verzenassi e Comp. — Wallentschitsch e Peltzer. — Würth, V. rapp. p. p. da Pogoreltz Lorenzo.
Compagnia d'illuminazone a gas, della Città di Fiume, rapp. da G. Francovich, F. cav. Thierry, e G. Verzenassi.
Fabbrica paste a vapore, rapp. da Pietro Scarpa, ed Iginio Scarpa.
Fabbrica pellami, colla ragione, Francesco Palese & Comp.
Fabbrica tela da vele i. r. privil., rapp. da Tommaso Gelcich ⁀m. Filippo.
Fonderia di metalli, rapp. da F. G. Verzenassi, Roberto Whitehead, Iginio Scarpa, Fr. Jellouscheg, Walter Crafton Smith.
Nuova compagnia d'assicurazioni marittime, rapp. da Matteo Gasser, Matteo cav. Vranyczany.
Società fiumana d'assicurazioni marittime, rapp. da Casimiro Cosulich. (Un posto vacante.)
Stabilimento della cartiera colla ragione, Smith & Meynier.
Stabilimento commerciale di farine in Zakayl, rapp. da Iginio Scarpa, e p. p. Paolo Scarpa d'Iginio.
Stabilimento prodotti chimici, rapp. p. p. da Carlo Geseke e Pietro Rack.

3 *

Brazzoduro, Giac., costruttore navale.—
　Calich, Stefano　　　　dto.
　Catalinich, Carlo　　　dto.
　Schiavon, Fratelli,　　dto.
　Spadon, Giuseppe　　　dto.
　Spadon, Luigi　　　　dto.
　Zanon, Andrea col Figlio Faustino. —
　Karletzky, Antonio, tipografo. —
　Rezza, Ercole, tipografo e litografo.
　Donda, G. B., librajo. — Egger, K.
　W. carta. — Förg, Vilibaldo, fabbr.
　di birra. — Walluschnig, Gius. dto.
　Pessi, Vincenzo fabbr. di cera e miele.
　Pessi, Teresa　　　　dto.
　Simonich, Giov., fabbr. pellami. —
　Simonich, Gius.　　　dto.
　Spadoni, Giov. M. Fr. fabbr. cordaggi.
　Sirolla, Giov.　　　dto.
　Crespi, N. Theodoro　dto.
　Corossacz, Franc. & figlio, Oreficeria.
　Branchetta, Giac. & figlio, fabbr. Cap-
　pelli. — Ellinger, Antonio, Sartoria.
　Cante, Giusseppe, Deposito mobiglie.
　Kunasz, Antonio　　dto.
　Reisner, Rudolfo, manifatture.
　Chiachich, Michiele　dto.
　Seipelt, Maria Ved.　dto.
　Hanszlick, Edoardo, ferramenta. —
　Blasich, Ant., Coloniali, e commestibili.
　Deffei, Vincenzo　　dto.
　Vio, Antonio　　　dto.
　　　Pubblici Patentati Sensali.
Rossovich, Gius, in noleggi, e sicurtà.
　Clescovich, Luigi, in noleggi, e merci.
　Sauritsch, Francesco in merci. —
　Campacci, Giorgio, aggiunto sensale
　in merci.
Stazzatore giurato d'uffizio dei navigli.
Zanon, Faustino.
Publico giurato misuratore di legnami di
　　　cubaggio.
Gerbaz, Antonio.

Földvár, Markt an der Donau, mit 8000
Einw., kathol. Hauptſchule, Weinbau, Hau-
ſenfang. Zolner Komitat.

Föll, mit 1300 Einw. Leinwandweberei.
Zipſer Komitat.

Forchtenſtein oder **Frakno**, feſtes Berg-
ſchloß des Fürſten Eſterhaz. Oedenburger
Komitat.

Focaras, Marktflecken (Siebenbürgen).
Apoth.: Sterzing, Joh.
Abvok.: Nanassy.
Buchbinder: Freund, Jakob.
Eſſigf.: Godlinger, Joſ. — Römer,
　Witwe.
Branntweinbrenner: Gebrüder Fleiſ-
　ſig, Nathan und Schweizer. — Gold-
　ſtein und Tagelicht. — Schul, Grün-
　feld, Gelb, Schwarz. — Gebr. Schul,
　Fleiſſig und Gürtlinger. — Rimanoff,
　Wachspreſſe.
Tuchmacher: Liebenzky, Ant.
Vermiſcht: Eiſen, Eg. — Golun —
　Figuli, G. A. — Legyel, Chr. — Ma-
　ſtic, Mart. — Nehrer, Sam. — No-
　vak, Joh. — Papp, Peter. — Papp,
　Mich. — Zakarias, Mart. — Zakarias,
　Joſef.
Eiſen, Spezer. u. Gemiſcht: Alzner,
　Michael. — Keresztenyi, Anton. —
　Leutſchoft, Karl.
Schnittw., Spezw. u. Nürnbergw.:
　Schul, Hch.

Frauenmarkt, Marktflecken, 3 Meilen ſ. w.
von Schemnitz, Getreide, Wein- und Ta-
　bakbau. Honther Komitat.

Freiſtadtl (Galgócs) an der Waag.
Marktflecken, Unter-Neutraer Komitat. Un-
garn. 3 M. n. w. von Neutra 5000 E.
Schönes Schloß und Garten, bedeutende
　　　Pferdemärkte.
Abvokaten: Bacho, Ludwig. — Koron,
　Michael. — Kosztolanyi, Ferdinand.
Apotheker: Dörner, Peter.
Bauholzhändler: Stauda & Vrazaina,
　Szesler, Gebrüder.
Baumeiſter: Tomanek, Karl.
Buchbinder: Hoppe, Adolf.
Eſſigfabrik: Zwebner, Leopold.
Fruchthändler: Eiszlor, Emanuel. —
　Hirschfeld, Salomon. — Szamek, Adolf.
　Szamek, Nathan, auch Malzerzeuger.
Gaſtwirth: Fischer, Johann.
Goldarbeiter: Löwy, Joachim.
Kupferſchmied: Janovszky, Andreas.
Lederhändler: Bettelheim, Samuel. —
　Khonn, Koloman & Sohn.
Maurermeiſter: Végh, Emerich.
Produktenhändler: Welesz, Leopold.

Schnittwarenhändler: Apfel, Leopold. Deutsch, Leopold, Firma Eißler & Deutsch. — Hermann, Moriz. — Nagel, Moriz. — Quittner, Marmilian.
Seifensieder: Weiner, Moses. — Winkler, Josef.
Spezereiwarenhändler: Eißler, Daniel. — Prezelmayer, Sigmund. — Rudolfer, Emanuel.
Spiritusbrennerei u. Bierbrauerei: Becher, Aron & Com.
Uhrmacher: Hlavaty, Arcab. — Wallach, Eduard.
Vermischtwarenhändler: Back, Moriz. Braun. Johann. — Friedmann, Leon, auch Weinhändler. — Langh, Gustav. — Singer, David. — Silberherg, Markus. Szrubian, Paul.

Fuchne, Dorf, Eisengruben, Potascheisederei (Kroatien).

Fülek. Marktflecken, Neograder Komitat in Ungarn.
Handelsleute: Pichler, Adolf, Vermischtwarenhdlr. — Pichler, Lud. desgl. Popovics, Michael desgl.
Advokaten: Folkushazy, Josef v. — Koczery, Stefan v. — Kovacsik, Joh.
Apotheker: Kalman, Karl.
Gärber: Blanar, Johann. — Toth, Jos.
Gastwirthe: Kavecz, Andreas. — Lustig, Ignaz. — Michalicska, Samuel.

Fülöp Szallas. Stadt Kun-Szt. Miloser Bezirk in Ungarn.
Kauf- und Handelsleute: Deutsch, Abraham. — Deutsch, Meißes. — Grof, Salomon.

Funatza, merkwürdige Hölen. Biharer Komentat.

Fünfkirchen, von hier Eisenbahn nach Mohacs an der Donau. Königl. Freistadt Baranyer Comitats in Ungarn, deren Einwohner Ungarn, Deutsche, Slaven sind. Bischof, Capitel, Consistorium, Akademie, Gymnasium, Präparandia, Seminar, Bibliothek, Franziskaner-Convent, Bürgerspital, Barmherzigen-Convent, Spital, Sitz des Baranyer Comitats, eines Provinzial-Commissariats, Salzamt, Kriegskasse; bedeutende Oelfabriken. Großer Handel mit Wein, Knoppern, Potasche, Frucht und Mehl. Bedeutende Wein-Kultur. Schiefer, Schleif- und Kiesstein, Hafnerthon, weißen, rothen und schwarzen Marmor; bedeutende Steinkohlengrabungen und Kalkbrennereien. In dem eine Stunde von Fünfkirchen entfernten Orte Kővágó Szöllős werden Mühlsteine gehauen. Fünfkirchen ist von der Donau und Drau 5 Meilen entfernt und in tiefer Distanz ist auch Siklos, Mohacs und Szigeth, wo die für Ungarn so traurigen Schlachten mit den Türken geschahen. Drei Stunden von Fünfkirchen sind die Harkányer Schwefelbäder, welche sehr besucht werden. In der Umgebung Fünfkirchens sind auch Glashütten und k. k. Salpeter-Siedereien.
Galanterie und Nürnbergerwarenhändler: Held, Franz, Silber- und Spiegel-Goldleisten, auch Porzellain- und Steingut-Niederlage. — Tilscher, J. Stahl-, Messing- und Schlosserwaren, Werkzeuge für Tischler, Drechßler, Kinder und Schuhmacher, Inländische und englische Feilen- und Sägeblätter. — Nobl, Jos., Porzellan. — Obetko, Sigmund, auch Kurzwaren. — Reinfeld, A. desgl. — Rubin, Karl, auch Kurzwaren. Schibinger, Franz, auch Kurzwaren. Weber, A. desgl. — Weber, Franz, auch Schreib- und Zeichen-Requisiten. — Zach, Karl, auch Kurz- und Kinderspielwaren. — Zsolnay, Wilhelm, auch Kurzwaren-, Porzellan- und Instrumentenhandlung.
Leder- und Rauchwarenhändler: Bielitz, Sal. Witwe.
Leinwandhändler: Hartmann, Anton, auch Mode- und Weißwaren, Stickereien und Teppiche. Agent der ersten österr. Versicherungsgesellschaft. — Krause. Gebrüder.
Manufakturwarenhändler: Samson, Franz. — Trebitscher, P. — Weiss, Anton.
Spezerei-Material-Farbwarenhdl.: Aidinger. W. — Adler, Anton. — Berger, Karl auch Eisen. — Beretz, Karl, auch Eisenhändler. — Betlheim. Joh. und Speb.-Com.-Inkasso. — Blauhorn, A., auch Eisen- und Papierlager. —

Blauhorn, J. M. sen., auch Eisenge-schmeide, dann Commissions- und Spe-ditionsgeschäft und Agent der Triester all-gemeinen Assekuranz. — Buzarovits, Ferd., auch Eisen. — Csarsch, Karl u. Mehllager. — Czenger, Karl. — Gyur-kovits, J. G., auch Landesprodukten- und Weinhändler en gros. — Jäger, L. F., auch Eisen. — Kovatsits, auch Eisen. — Lakitsch, Franz auch Delika-tessen. — Lakits, F. X., auch Eisen. — Mayer, Anton, auch Eisen und Landes-produkte. — Mayer, Ferdinand, desgl. Obermayer, Jos., auch Eisenhdl. u. Essig-fabrikant. — Pucher, J. G., auch Eisen, Commissions- und Speditionsgeschäft, k. k. Tabak-Großtrafik, Stempel- und Salz-verschleiß. — Rech, Wilhelm, auch Eisenhänd-ler, Comandite der allgemeinen Versor-gungsanstalt, Agent der k. k. Siebenbür-ger Feuer- und Hagelschaden-Versiche-rungsgesellschaft. Spedition. — Ritzel, Michael, auch Eisen. — Spitzer, Alex-ander. — Traiber's, Leopold, Witwe, auch Eisen. — Trixler, S., auch Lan-desprodukten- und Weinhändler en gros. Varga, Alexander. — Zsolnay, Karl, auch Eisen.

Tuch-, Schnitt- und Modewaren-händler: Blau, Herrmann. — Blum, Josef. — Kaufer & Sohn. — Kraus, S. — Tiegelmann, A. — Wiener, Mayer.

Csetnok Pecser Eisengewerkschaft (Pächter Prick, B. und Madarasz).

Oelfabriken: Justus, L. auch Raffinerie. Schapringer, J., auch Speditions- und Commissionsgeschäft, Landesprodukten- und Salzhändler en gros, dann Oelraf-finerie. Agentur der Reunione adriatica in Triest.

Steingutfabrik: Zsolnay, R.

Apotheker: Zum goldnen Adler, Gabor, Jos. v. — Zum Mohren, Siposz. — Apoth. d. Barmherzigen.

Bierbrauer: Michl, Carl. — Schultz, Anton.

Buchbinder: Baumgartner.

Buchhändler: Valentin, L. — Weid-linger & Sohn.

Conditor: Giovannoli, Joh. — Scar-tazini, auch Chokolades. — Havelek, Anna. — Kammermayer, Josef.

Einkehrhäuser: Dürnbacher, P., Eigen-thümer, zur goldenen Krone. — Hobe, Georg, Eigenthümer, Dulaten-Wagner. Lang, Joh., Pächter vom Hotel Kurfürst. Laubheimer, J. R., zum golb. Schiff. Mayer, Josef, zum wilben Mann. — Rybay, J., Pächter vom Hotel Nabor. Sengwein, Mich., Besitzer vom Hotel Bago. — Thot, Joh., Eigenth. vom Hotel Tiger.

Färber: Steinhauser, F.

Gärber: Ered, Anton. — Ered, Joh. — Höfler, Jak. — Höfler, J. — Krautsak, Joh. — Rosinger, Franz. — Stirling, Anton.

Glashandl.: Ivanko. — Kotzer. — Ro-singer.

Glocken- und Metallgießerei: Meis-ner, Ludw. — Rurecht, Johann.

Gold- und Silberarbeiter: Erdner, Herrm., Kemberg, Wilh. — Kaufmann, Jos. — Riffer, Jos. — Schak, Franz jun. — Schak, Franz sen. — Schön-wald, Moritz.

Kaffeehäuser: Dürnbacher, Paul, Be-sitzer, z. Krone. — Hoh's Kaffeehaus. — Leidesdorf, Ferd., Besitzer der Kaffee-Quelle. — Pillarius, Jos., Besitzer, Na-tional-Casino. — Rybay, J., Pächter, Nabor. — Gack, Besitzer, zum König von Ungarn.

Kappenmacher: Roskovitz. — Engel, Simon. — Gross, Ignaz. — Stern, Moritz. — Waltner.

Ketten- und Ringschmied: Förster, Ignaz, erzeugt auch Schnallen und Strie-gel.

Laden- und Floßhändler: Engel, Adolf. — Jankovits, Johann. — Pin-tir, Josef. — Rath, Mathias. — Schulz, Franz.

Maschinisten: Schellenberger und Go-mara, erzeugen Einrichtungen für Brenne-reien, dann Maschinen-Brunnen und Was-serleitungen.

Mühlen (Dampf-): Madarass, Andreas.

Orgelbauer: Leschnig, Josef. — Focht, Josef.

Seifensieder: Adler, Jos. — Heindlhofer, J. — Jankovits, C. — Witt, Franz.

Tischler: Bauer, J., erzeugt Billards und sonstige Kaffeehaus-Einrichtungen. — Pehr, Mathias, desgl.

Uhrmacher: Billarius. — Piller. — Thaller, Witwe. — Thaller, Josef.
Weinhändler: Fodor, Josef. — Gründler, Andreas. — Karlbauer, Josef. — Kotzian, Anton, bereiteter Wein-Sensal. Littke, Lorenz. — Mayer. Josef. — Trixler, S. — Weidinger, Johann.
Zeugschmied: Junck, Jakob, verfertigt alle Gattungen Brücken- und Balken-Waagen.
Kohlenwerke: Vasaser, Bergbau 2 Stunden von Fünfkirche. — Donau, Dampfschifffahrt. — Szabolcser, Bergbau (Eigenthum der Kathederate). — Drasches, Pachtterrain in Somogy. — Riegels, Gruben in Szabolcs, Stadtgemeinde Fünfkirchen. — Czinderg'sche Gruben. — Czvetkovitsche Gruben. — Littkesche Gruben. — Feketehegy Gewertschaft. Incorporirte auswärtige Handelsleute.
Vermischtwarenhändler: Blumenstock, L., in Betvar. — Grönhut, J. in Jbasa. — Krauss, J., in Weislo. — Löwy, Adolf, in Sellye. — Löwy, Jakob, in Sellye. — Weigl. Josef, in Sellye. Zobovits, Stefan, in Sellye.

Füred, Dorf am Plattensee, Sauerbrunnen. Szalader Komitat.

Füzes-Gyarmath, mit 3600 Einwohner. Starke Viehzucht. Bekeser Komitat.

Füzütö. Post Acs. Komorner Komitat. Füzütöer Zuckerfabrik. Aktiengesellschaft.

Gács. Dorf, Neograder Komitat in Ungarn.
Handelsleute: Fischer, Bernhard. — Merkstein, Josef.
Tuchfabrik: Gacser, k. k. priv. Wollzeug- und Tuchfabrik (auf Aktien gegründet).

Galantha. Eisenbahn-Station. Marktflecken, Preßburger Komitat in Ungarn. 3000 Einw., worunter viele Zigeuner, die als Musiker im Lande umherziehen.
Apotheker: Karl, Josef.
Buchbinder: Kohn, Bernhard.

Leberhändler: Kollmann, Hermann.
Kaffeesieder: Rudolf, Franz.
Produktenhändler: Ehrenwald, Sim. Steiner, Josef. — Steiner, Leopold. — Steiner, Wolf.
Schnittwarenhändler: Taub, Jakob.
Seifensieder: Branstrahler, Jos. — Markstein, M.
Spezereiwarenhändler: Müller, Ab. Stern, S.
Vermischtwarenhändler: Petenitz, Joh. — Reiss, Phil. — Stern. Gerf. Wallandt, Th.
Weinhändler: Adler, Jak. — Müller, Aron. — Steiner, Jak.

Gálszécs an der Straße von Kaschau nach Nagy-Mihaly und Munkács.
Gemischthdl.: Glück, Sam. — Glück, Jac. — Ponevats, J. — Zgolay, Ignaz. — Kurfunki, A.
Apotheker: Walko.

Gava. Szabolcser Komitat in Ungarn.
Spiritusfabriken: Frenkl, Ignaz. — Klein, Efraim.

Gayring. Marktflecken, Preßburger Komitat in Ungarn.
Produktenhändler: Adler, David. — Adler, Isak. — Bauer, Jakob. — Fischer, Abrah. — Fok, Jakob. — Fok, Josef. — Fok, Salomon. — Golich, Abraham. — Lehner, Abrah. — Piszk, Jakob.
Schnittwarenhändler: Adler, Hermann. — Löhner Salomon.
Spezereiwarenhändler: Baar, Salomon. — Werthheimer, Samuel.
Vermischtwarenhändler: Adler, Michael. — Piszk, Jakob. — Wertheimer, Abraham.

Gemzse. Szabolcser Komitat in Ungarn.
Spiritusfabriken: Szmrecsanyi, Ludwig von. — Weisz, Heinrich, k. k. landesbef.

Gerlißte. Steinkohlenbergwerk. Banat. Krassower Komitat.

Gölnitz. 6000 Einw. Bergflecken. Stadt, Zipser Komitat in Ungarn. Kupfer= u. Eisen= werke und Eisendrathzieherei.
Kaufleute: Barany, Mathias. — Baruch, Isak. — Boldoghy, Eduard. — Fischer, Karl. — Hartman, Karl. — Kuliczy, Mich. Wilhelm. — Schloszerik, Theres.
Draht= und Ringelschmiedwaren=Fabriken: Gosznowitzer, Wilhem. — Valko, Martin. — Valko, Michael b. ält. — Valko, Michael b. jüng. — Streck, Michael.
Eisenwerksbesitzer: Breuer, Sebastian. Jacobs, Ottokar und Gabr. Horvath. — Menesdorfer, Karl.
Nagelschmiede: Hennel, Adam. — Schütz, Mathias. — Velbach, Elise, Witwe.
Pochwerk mit Wasserkraft: Valko, Josef.

Gran. Königl. Freistadt in Ungarn. 6 M. n. w. von Pesth, am Einfluß der Gran in die Donau. Befestigtes Schloß, erzbischöfliches Lyceum, prächtige Metropolitan-Kirche, kathol. Gymnasium, Hauptschule, warme Bäder, Weinbau. Geburtsort des Stifters des Erzbisthums, des heiligen Stephan. Graner Gespanschaft.
Spezereiwarenhändler: Berger, Maxim. Clement, Karl. — Fekete, Johann. — Gantner, Franz. — Gans, Ign. — Heischman, Flor. — Kollar, Michael. Nitter, Franz. — Prutsi, Labislaus. — Trenker, Franz. — Ulrich, Adalbert.
Schnitt= und Tuchhändler: Grosman, Herm. — Jaulus, Peter. — Lefler, Michael. — Mellinger, Moriz. — Mellinger, Rudolf. — Popper, Philipp. — Rosenberg, Dav. — Spanraft, Johann. Schwarz, Jakob. — Scheiber, Josef. — Walfisch, Wilh.
Eisenhändler: Bischitzky, Joh. — Frey, Wilhelm. — Frey, Johann Söhne. — Niederman, Franz.
Nürnberger= und Galanteriewaren=händler: Bierbrauer, Josef. — Bauer, Ignaz. — Pozzis, Ant. Witwe. — Thausz, Josef.
Papierhändler: Szerontaés, Michael.
Manufakturwarenhändler: Braunsteiner, Josef.

Advokaten: Czégleni, Andreas. — Havasi, Emerich. — Kiss, Michael. — Miklosß, Antreas. — Molnar, Josef. — Nagy, Josef. — Papp, Johann. — Revitzki, Paul. — Szengali, Franz.
Apotheker: Sihulszki, Jof. Witwe. — Holmik, Franz.
Brauer: Etter, Lorenz.
Buchbinder: Hertel, Ignaz. — Siegler, Ferdinand. — Stumpf, Peter.
Buchdrucker: Horak, Egidius.
Drechsler: Lorentz, Johann. — Rudolf, Jakob. — Sieferling, Johann.
Einkehrgasthöfe: Bitter, Johann. — Beker, Anton. — Dotzl, Josef. — Gros, Anton. — Kurtz, Martin. — Wajand, Johann.
Färber: Lehman, August, Witwe. — Motus, Franz. — Sultz, Josef. — Taxner, Johann.
Gelbgießer: Bajer, Alexander.
Glashändler: Deininger, Franz. — Deininger, Johann. — Frenkl, Josef. Schateles, David.
Gold= und Silberarbeiter: Raab, Josef.
Kaffeehäufer: Bitter, Joh. — Dotzl, Josef. — Kurz, Martin. — Schleifer, Mathias. — Wajand, Johann.
Kleiderhändler: Als, Florian. — Gabriel, Leopolk. — Tauber, Wilhelm.
Kupferschmiede: Platz, Mathias. — Teschel, Johann.
Lederer: Lövi, Ignaz. — Schleifer, Jof.
Modistinen und Putzwarenhändler: Bauer, Franziska. — Bekk, Josef. — Drak, Witwe. — Maltsiner, Moriz.
Möbelhändler: Wagner, Simon. — Wendler, Johann.
Mühle (Dampf=): Hochw. Domcapitel.
Produktenhändler: Bleszl, Albert sen. Bleszl, Albert jun. — Leipoldner, Jof. Lövi, Ignaz. — Lövi, Jakob. — Schalkusz, Josef.
Seifensieder: Bettenhofer, Josef. — Heischman, Ferenz. — Kminek, Jof.
Tabak=Großverschleißer: Thausz, Josef.
Tapezierer: Schleicher, Eduard. — Uebellaker, Johann.
Uhrmacher: Melicher, Johann. — Pintig, Ignaz. — Strockbauer, Johann. — Winkler, Johann.

Vergolder: Bauman, Eduard. — Mertl, Eduard.
Weinhändler: Bleszl, Albert jun. — Handinger, Johann. — Leipoldner, Josef. — Mellinger, Moritz. — Schalkasz, Josef.
Zuckerbäcker: Schleicher, Johann.

Parkany. Marktflecken, Komorner Komitat in Ungarn, an der Donau, gegenüber Gran, wohin eine Schiffbrücke führt.
Apotheker: Krotky, Vinzenz.
Fruchthändler: Beig, Nathan.
Farbenfabrik: Löwy, Fr.
Gastwirth: Klement, Franz.
Kupferschmied: Csebinszky. Josef.
Stärkefabrik: Wallfisch, Isak.
Vermischtwarenhändler: Baig, Ignaz. Ehrenwald, Bernhard. — Gross, Heinrich. — Müller, Andreas.

Groß-Becskerek. Kreis Gr. Becskerek, in der serbischen Wojwodschaft und Temeser Banat, cir. 19000 Einw.
Buchhändler: Bettellheim, F. P.
Eisen=, Stahl= und Messingwarenhändler: Gruber, Andreas, Obervorsteher. — Prandell, Johann. — Prandell, Paul. — Tichy, Robert. — Till, Nikolaus.
Galanterie= und Nürnbergerwarenhändler: Abeles, Wilhelm. — Deutsch, Netti. — Fetter, Salamon. — Krieshaber, Karl. — Metz, Samuel. — Opolczer, Rub. — Weiss, Hermann.
Lederhändler: Kohn, Josef Leopold.
Porzellan= u. Steingutgeschirrhändler: Dujakov's, P. Wittwe. — Dujakovits, Georg. — Stanischits, Daniel.
Schnitt= und Kurrentwarenhändl.: Eisenstädter, S. & Comp. — Engl, Samuel. — Freund's, M. Söhne. — Gross, Abraham. — Joanovits, J. P., Michajlovits, Brüder. — Stagelschmidt, Paul. — Slavnits, Alexander. — Szekulits, Kiril.
Spezerei= und Materialwarenhändl.: Arsenovits, Peter. — Danilovits, Gg. Haidegger, Georg, Groß=Trafikant. — Joanovits, Joh. — Kramolin, Anton. Nedelkovits, Demeter. — Pyrra, J. D. Staits, Simon. — Srbesko, Euthimius.

Schlesinger, Ignaz. — Tyurkovits, Labislaus. — Wegling & Harschany. — Zavisits, Michael. — Zernyasky, Joh.
Spielerei= und Rauchrequisitenh.: Spitzer, Leopold.
Advokaten: Bielek, Wilhelm v. — Kovats, August v. — Savits, Stefan. — Steingaszner, Ernest. — Vecsey, Stefan v. — Virany, Josef v.
Apotheker: Kellner, Eduard. — Kleszky, Johann.
Bildhauer: Kopf, Michael.
Bräuer: Berger, Simon, Pächter des hiesigen Cameral=Bräuhauses.
Buchbinder: Kohn, Josef. — Mangold, Leopold. — Schenk, Hermann.
Buchdruckerei: Pleitz, F. P., zugleich Redakteur und Herausgeber des Groß=Becskereker Wochenblattes, auch Inhaber einer lithografischen Anstalt.
Drechsler: Haidvogl, Anton. — Nussbaum, Jul.
Einkehrgast= und Kaffeehäuser: Zum König von Ungarn, Pächter Josef Kiebrer. — Zur Krone, Pächterin Anna Trombach.
Färber: Nack, Johann. — Tolweth, Johann.
Glaser und Glashändler: Kanischa, Karl. — Pfahn, Karl. — Sandler, Karl. Szilvásy, Franz v.
Gelbgießer: Gitler, Johann.
Gold=, Silber= und Juwelenarbeiter: Helmbold, Leonh. — Mesnik, Rudolf.
Schneider (Männer) u. Kleiderhändler: Ellinger, Anton. — Grünbaum, Leop. — Keks, Anton. — Jaritz, And. Müller, Andreas.
Kupferschmied: Starno, Josef.
Lederer: Periatl, Anton. — Salveter, Josef.
Weißgärber: Eckstein, Samuel.
Produktenhändler: Bukovalla, N. — Guttmann, Hermann. — Jankovits, Gg. Lichtenthal, M., auch Inhaber einer Oelmühle.
Seifensieder: Szakadaty, Michael. — Schlesinger, Simon.
Tabak=Großverschleiß: Haidegger, Alois.
Tapezierer und Möbelhändler: Anau, Josef. — Lichownik, Ant.

Theater: Cameralisches, Eigenthum, Vorstellung jedoch nur in den Wintermonaten.

Uhrmacher: Baaden, Johann. — Hay, Josef. — Perger, Ferdinand. — Schaller, Firmus.

Vergolder: Inglickshofer, A.

Weinhändler: Molnar, Karl, nur en gros.

Zuckerbäcker: Franz, Leopold.

Groß-Gama, Wesprimer Komitat. Dorf mit Kirche und Familiengruft der Grafen Esterhazy.

Groß-Kikinda, Markt an der Eisenbahn, 11000 Einw., 4 Jahrmärkte, zwischen Szegedin und Temesvar.

Apotheker: Stutz, Franz.

Advokat: Gödl, Karl. — Radonnivits. — Stojannovits, Alex. — Weidits. — Tanaxovits.

Cigarrenverschleiß: Joannovits, Nikol.

Spezerei-Materialfarbw.: Damjanovits, Thio. — Fany, R. — Wegling, Johann.

Eisenhandlung: Csuncsecs, Johann. — Gartlgruber, Michael, auch Sped., Commiss. u. Dampfmehlniederlage. — Kisslinger, Mathias.

Nürnb. Galanteriew.: Komka, A. J. auch Agentur der Aziend-Assicurationi. Stanjowits, Gregor.

Schnittwaren: Adamovits, Demeter. — Fany, Christof. — Gödl, Franz. — Jankovits. — Russ, Georg.

Porzellan, Steingut und Glas: Jorgowits, Johann.

Essigf.: Wisnovsky, Ab., auch gem. W. Wolf, Jakob.

Färber: Tangl, Brüder. — Lapossi. — Nagy, Josef.

Commission und Spedition: Stefanowits, Konst. — Wolsinger, L.

Groß-Kanischa. Stadt, Szalader Gespanschaft mit 12000 Einw., Gymnasium, große Ochsenmärkte. 6 Jahr- 2 Wochenmärkte, an der k. k. priv. südl. Staats-, lombard-venetianisch und central-italienisch. Eisenbahn.

Axenti, Georg, Leder-Rauhwaren und Lobentücher. — Bettelheim, Samuel, unter der Firma S. W. Bettelheim, in Landesprodukt. — Blau's Söhne, in Landesprodukten, vorzüglich Rohleder. — Blau, Heinrich, in Rauhwaren. — Bauer, Jakob, in Habern und Holz. — Dobrin, Julius, in Lobentüchern. — Dobrovits, Elise & Sohn, in Tuch-, Schnitt- und Siebenbürgerwaren. — Ebenspanger, Emanuel, Lederhändler. — Ellenberger & Sohn, Nürnbergerw. — Fesselhofer, Josef, Spezerei-, Material- und Farbwaren. — Gutmann, S. H., Oelraffinerie, Spedition, Kommission, Landesprodukte, Wechsel- und Holzgeschäft. — Gutmann, Simon, in Viktualien. — Hauser, Johann, in Eisen-, Geschmeide- und Nürnbergerwaren. — Hirschl, L. J., in Spezerei- und Nürnbergerwaren. — Köhler, Anton, Liför- und Essigfabrik. Commiss. Spedition Gemischtwaren. — Kürschner, Max, in Tuch- und Schnittwaren. — Kürschner, Mayer, in Tuch- u. Schnittwaren. — Lackenbacher, Karl, in Landesprodukten und Viktualien. — Lackenbacher, Josef, Liför und Essigfabrik. — Lang, Heinrich, in Landesprodukten und Holz. — Löwinger, Heinrich, Tuch- und Schnittwaren. — Löwinger, Israel, in Landesprodukten, vorzüglich Getreide. — Löwy, Josef, Oelraffinerie, Spedition u. Kommission. Produkten u. Agentur. — Mayer, Josef und Bernhard, in Landesprodukten. — Neumann & Sohn, Eisenhandlung. — Ollop, Ignaz, Landesprodukten. — Ollop, Samuel, in Produkten, vorzüglich Hanf. — Pollak, Samuel, in Schnittwaren. — Reissner, J. Spezerei. — Reichenfeld & Hoffmann, in Landesprodukten, vorzüglich Franz, in Spezerei-, Nürnberger- und Galanteriewaren. — Rosenberg, Johann, in Leder, Spezerei-, Materialwaren. — Rosenfeld, Alexander, in Spezerei-, Nürnberger- und Galanteriewaren. — Rosenfeld, Witwe, in Spezerei- und Glaswaren. — Rothschild, Gebrüder, in Schnittwaren. — Scherz & Engländer, in Getreide. — Schiffer, Wilhelm, Glashandlung. — Schlesinger, M. H., Spezerei- und Holzwaren. — Sommer, Josef, Nürnberger- und Galanteriewaren. —

Sommer, May. und Alex., Produkten.—
Stern, J. R., in Getreide. — Sukitsch,
Salomon, Tuche, Schnitt- und Modewa-
ren. — Walbach, Jakob, in Getreide. —
Weiser, J. C., Eisen-, Geschmeide- und
Nürnbergerwaren. Wechsel und Inkasso.
Weiss, H., in Manufakturwaren. —
Weiss. Markus, in Nürnberger- und Ga-
lanteriewaren. — Weissmayer, Markus,
in Tuche, Schnitt- und Modewaren. —
Wellisch, Johann, in Schnittwaren. —
Wellisch, R. B., in Spezerei-, Nürn-
berger- und Galanteriewaren. — Woll-
heim, Emanuel, in Produkten, vorzüglich
Slivowitz. — Wncskits, Jos., Spezerei.
Zerkowitz, B. und Albert, Spezerei-,
Material- und Farbwarenhandlung. —
Zerkowitz, Sigmund, Produkten.
Advokaten: Hegedüs, Dr. Jos. v., gleich-
zeitig fürstlich Batthyanischer Fiskal. —
Thot, Dr. Ludwig v. — Babocsay, Dr.
Josef v. — Horvath, Dr. Johann v.—
Koch, Dr. Michael.
Apotheker: Belus, Josef. — Lovak,
Karl.
Bräuer: Killich, Jos. — Kosányi, Karl.
Buchbinder: Konrády, Karl. — Matul-
nik. — Wajditsch, Johann.
Buchdrucker: Markbreiter, J.
Buchhändler: Matulnik. J. — Waj-
ditsch, Johann.
Einkehrgasthöfe: Grüner Baum. —
Goldene Krone. — Goldener Hirsch. —
Schwarzer Adler.
Färber: Pick, S. — Hirschl. Heinr. —
Pollak, Valentin.
Gelbgießer: Weinberger, J.
Gold- und Silberarbeiter: Kugler &
Khun. — Milhofer, A.
Kaffeehäuser: Reindl & Comp. —
Kohn, Filipp.
Kupferschmiede: Wagner, J.
Modistinnen: Bachrach, Anna. — Hal-
phen, Rosina. — Fraukl. Therese. —
Scherz, Louise. — Weissmayer, Laura.
Mühle (Dampf-): Groß-Kanischaer
Dampfmühle.
Riemer: Bartos, Janos.
Seifensieder: Rosenstok, Wolf & A.
Werner, Franz.
Tabak-Großverschleiß: Spanier, Ferdi-
nand.
Tapezierer: Zottl, Georg.

Uhrmacher: Ecker, Anton. — Jack,
Friedrich. — Rott, Anton. — Seiler,
Zuckerbäcker: Fasciatty, Bertalan.

Groß-Kosztolán. Marktflecken im Ober-
neutraer Komitat in Ungarn.

Branntweinbrenner: Wollmann, Sa-
lomon.
Fruchthändler: Diamant, Jakob. —
Wertheimer, David. — Wollmann, Da-
vid.
Mälzer: Spitzer, Michael.
Weinhändler: Fischer, Salomon. —
Goldmann, Salomon. — Lewy, Salo-
mon. — Sonnenschein, Salomon. —
Wertheimer, Markus.
Wollhändler: Pretzelmayer, Abraham.

Groß-Maros. Honther Komitat in
Ungarn.

Advokat: Sarnoczay, Paul.
Apotheker: Kovartsik, Karl.
Drechsler: Hoffmann, Moritz.
Färber: Plenner, Emanuel.
Maurermeister: Czizler, Franz. —
Moyer, Jakob.
Spezereiwarenhändler: Chalupka,
Johann.
Zimmermeister: Giller, Johann.

Groß-Schützen. Preßburger Komitat in
Ungarn. Messerschmiede, Töpferei.

Bräuer: Stern, Michaell.
Drechsler: Kupka, Michael.
Gastwirth: Parala, Josef.
Produktenhändler: Holzmann, Meyer.
Schnittwarenhändler: Jelenek, Her-
mann.
Seifensieder: Ditrich, Franz.
Vermischtwarenhändler: Plank, Josef.
Zeug- und Messerschmiede: Birtsak,
Josef. — Kleinadler, Johann. — Majer,
Johann. — Müller, Andreas. — Reiff,
Johann. Schönherr, Johann. — Till,
Johann. — Walter, Josef.

Groß-Surany. Unter-Neutraer Komitat
in Ungarn.

Branntweinhändler: Fischer, Moritz.

4 *

Früchtenhändler: Klein, Jakob. — Neumann, Salomon.
Gärber: Weiss, Samuel. — Widder, Simon. — Wollner, Aron.
Kupferschmiede: Allein, Karl. — Mar. Bernhard.
Maurermeister: Kollarik, Blasius.
Produktenhändler: Weiss, Filipp.
Spezereiwarenhändler: Grünwald, Jakob. — Reisz, Karl.
Vermischtwarenhändler: Braun, Hermann. — Braun, Rudolf. — Kempfner, Roth, Antonia. — Roth, Jakob. — Weiss, Leopold.
Zimmermeister: Szkokan, Martin.
Zuckerfabrik: Suranyer, Rübenzuckerfabrik v. Gerson & Lippmann.

Groß-Tany bei Comorn, k. k. priv. Groß-Tanyer Zuckerfabrik.

Groß-Tapolcsány. Unter-Neutraer Komitat in Ungarn, ein Mineralbad.
Advokaten: Kozlik, Georg. — Svóky, Ignaz. — Szebi, Alexander. — Turcsanyi, Josef.
Apotheker: De Grach, Franz.
Eisenhändler: Kuhn, Rudolf. — Mank, Adolf. — Weiss, Markus. — Weiss, Wolf.
Essigsieder: Pollak, Mendl. — Schlesinger, Hermann.
Fruchthändler: Blum, Markus. — Czukmann, Adolf. — Czukmann, Moritz. — Löwbär, Markus. — Marle, Alexander. — Neumann, Abraham. — Schwarzer, Hermann. — Weiss, David. Weiss, Leopold.
Gärber: Hartenstein, Hermann. — Hartenstein, Sigmund. — Weiss, Leopold.
Gastwirths: Löwbär, Samson. — Vaczky, Josef.
Holzhändler: Weiss, Abraham.
Kupferschmied: Murányi, Adolf.
Lederhändler: Friedmann, Leopold.
Maurermeister: Mikka, Franz.
Papierhändler: Hausmer, Adolf. — Hausmer, Hermann.
Produktenhändler: Friedmann, Jakob. Friedmann, Leopold. — Hriako, Leop. Kassriel, Josef. — Nagel, Moritz. — Weisz, Moritz. — Witkovszky, Markus.

Schnittwarenhändler: Friedmann, Adolf. — Friedmann, Leon. — Friedmann's, Witwe. — Löwbär, Nathan. — Nagel, Leopold. — Schreiber's Witwe.
Seifensieder: Hartenstein, Joachim. Otto, Johann. — Pacsis, Johann. — Pacsis, Josef. — Schwarz, Josef.
Spezereiwarenhändler: Feld, Josef. Friedmann, Hermann. — Friedmann, Pinkas. — Hartenstein, Hermann. — Löwbär, Samuel. — Miksier, Ignaz. — Pollak, Joachim. — Pollak, Samuel.
Tuchhändler: Link, Filipp.
Uhrmacher: Felsenburg, Moritz.
Vermischtwarenhändler: Bärnfeld, Josef. — Friedmann, Isak. — Link. — Linkenberg, Wiktor. — Löwy, Benjamin. — Nagel, Markus. — Weiss, Filipp.

Großwardein 21 Posten von Ofen, 4 v. Debreczin, 10 von Klausenburg. Befestigte Stadt, 23,000 Einw. Biharer Komitat in Ungarn. Station der Theißbahn. 4 Jahrmärkte, 2 Wochenmärkte. Durch den Fluß Sebeskörös, welcher in Siebenbürgen entspringt, und in großem Quantum Baumaterialien, als: Balken, Bretter, Schindeln ıc. liefert, in zwei Theile, d. i. in Großwardein und Großwardein-Olaszi getheilt, welche Theile durch zwei stehende Brücken, worunter die obere 60, die untere 52 Klafter lang ist, verbunden sind; Handel mit Wein, Slibowitz, Getreide, Knoppern, Wachs, Honig, Horn, Hornspitzen, Wolle, Federn, Pferde, Borsten- und Hornvieh. Jahrmärkte sind im Jahre sechs, worunter der Frohnleichnam-Markt dem Debrecziner wenig nachgibt, und aus den entferntesten Gegenden besucht wird; Königlichen Academie, Erzb. Gymnasium, katholischen Bischof, unirter griechischen Bischof. In der Nähe der Stadt sind zwei warme Mineralbäder, wovon das eine Bischof-, das andere Felixbad genannt wird, auch in dem städtischen Garten werden warme Bäder bereitet. Unweit von Großwardein ist ein Sauerbrunnen-Wasser sammt dem Badeorte Szolórb.
Gasthäuser: Feher, Mich. — Gosztonyi, Andreas. — Kasimir, Josef. — Komornyik, Benjamin. — Ruszka, Emerich.
Apotheker: Berczinazky, Karl, Convent

b. barmh. Brüder. — Lindner, Eb. —
Lapossy, Ludwig. — Molnár, Josef.
Spezereiwarenhdl. u. Farb-Mat. W.
Cservenka, Paul. — Csavdori, Ant. —
Ferency, Franz. — Glatz, Josef U. —
Gross, Stefan. — Janky, Ant. — Kiss,
Samuel. — Korda, Andreas. — Röss-
ler, J. C. — Rosenthal & Sohn. —
Schnell, A. — Schwarz, Jakob. —
Wurst, Josef.
Spediteure: Berlitzer & Blum. —
Adler, Ig. & Fenyvessy, Spedition-
Büreau d. k. k. priv. Theiß-Eisenbahn.
Commissions-Inkasso und Produkten-Ge-
schäft.
Schnittwaren: Bende, Lbw. — Han-
del, Israel. — Handel, Lazar. — Har-
sanyi, Mich. — Held, Hermann, Manu-
faktur und Modewarenlager en gros und
en détail. — Jakob, Samuel. — Ni-
kolitsch Gebrüder. — Ornstein, Leop.
Poznar, Joh. — Stern Witwe & Ro-
senberg. — Stern, Samuel. — Rott,
E. M., Manufaktur-, Mode- und Kurz-
waren. — Weiss, Eduard. — Zsiga,
Nikolaus. — Michl, S. Wwe. & Sohn.
Tuchhändler: Stein, Anton.
Produktenhandlung: Basch, Em. —
Bridl, Leopold. — Friedländer, Nathan.
Gross, J. & Sohn. — Guttmann, Lazar.
Haas, Gottl. — Kanicz, Adolf u. Moritz.
Lederer, Sam. — Lederer, Anton. —
Stein, Israel. — Steiner, Leopold —
Spitzer, David. — Wiener, Binder.
Kunst- u. Musikhdl.: Broche, B.
Weinhandlung: Bakats, Josef. — Tar,
Emerich & Com.
Werkzeughdl.: Grünwald & Mönich.
Baumeister: Dudek, Josef. — Hallas,
Labißl. — Karaguj, Alex. — Kriszto-
fori, Karl. — Lapossi, Josef. —
Savitek, Martin.
Bierbräuer: städt. und römisch-kathol.
Kapital.
Branntweinbrenner: Löbl, David. —
Dillinger, Nathan. — Lederer & Kal-
mann. — Mayer, Adolf. — Mayer,
Isak. — Mihelfy, Moritz. — Püspöky,
Gg. — Stern, Gebrüder. — Zweig.
Buchbinder:
Hollosy, Lbw.)
Pollak, Eb.   } auch Bücherverschleiß.
Panker, Dom.)
Vari, Josef)

Cseropes, Daniel. — Nadudvari, Karl.
Buchdrucker: Tichy, Alois.
Büchsenmacher: Keresztesai, Paul. —
Szentpali, Johann.
Essigfabrik: Halbauer.
Färber: Elek, Samuel. — Török, Jos.
Unger, Leop.
Friseur: Blümel, Mich.
Gelbgießer: Berghold, David. — Ro-
senthal & Kranaz. — Zichermann, Ru-
bolf.
Glaser und Glashändler: Bonnár,
Josef. — Gremminger, Lorenz. — Hok-
kets's Friedrich Witwe. — Miller, Ant.
Sipka, Paul.
Glockengießer: Horner, Heinrich.
Großwardeiner Thonwaren- und Kunst-
Ziegelfabrik.
Gold- und Silberarbeiter: Auslän-
der, Leopold. — Balazsovits, Rudolf.
Farkas, Lorenz. — Kikinger, Karl. —
Kohn, Moritz. — Meszaros, Ludwig. —
Schwanbeck, Karl. — Weintraub, Si-
mon. — Weiss, Ignaz.
Holzhändler: Csizmadia, Johann. —
Dekan, Johann. — Engel, Wilhelm. —
Eterle, Colomann. — Fazekas, Emerich.
Kojanto, Stefan. — Kosztraban, Joh.
Marton, Peter. — Mundio, Michael.
Nagy, Alexander. — Oltyan, Demeter.
Papp, Jogyer. — Petkö, Josef. —
Sternthal, Martin. — Stern, Josef.
Kaffeehäuser: Kazimir, Josef. — Ko-
mornyik, Benjamin. — Ruszka, Emerich.
Szavics's, Franz Witwe. — Schütz, N.
Kleiderhandlung: Ausländer, S. —
Friedmanns, Witwe. — Goldner, W. —
Kalman's, Witwe. — Möller, Jakob. —
Stein, Anton. — Schwarz, M.
Kupferschmiede: Czerip, Johann. —
Fejkmayer's Witwe. — Fejkmayer,
Ludwig. — Helstedt, Joh. — Horarik,
Jos. — Klell, Stef. — Schneider,
Joh. — Szilagyi, Gg.
Lebzelter und Wachszieher: Bor,
Emerich. — Czuczor, Josef. — Fabian,
Ludwig. — Fröhlich, Josef. jun. —
Kreismer, Jos. — Rozvany, Alex. —
Zabian, Ludwig. — Zsarkucza, Joh.
Lithograf- und Kunstanstalt: Moll,
Gustav.
Maschinist: Strangfeld, Isidor.
Modistinnen: Amiga, Magd., Borbely,
Karolina. — Kohn, Cäcilia. — Lazar,

Rina. — Mathe, Franziska. — Nagy, Rosalia. — Neuer, Katharine.
Orgelbauer: Jonas, Stefan. — Kissel, Stefan. — Szalovszky, Karl.
Seifensieder: Micholstädter, Ignaz. — Messaros, Witwe. — Muszkas, Demeter.
Papp, Em. — Roth, Ign. — Reichenberger, Josef. — Siegfried, C.
Sensale, beeidete: Schwartz, J. L. — Willig, David.
Tapezierer: Almasi, Jos. — Kreutz, Franz. — Santho, Stefan.
Tuchscherer: Reichart, Wilh.
Uhrmacher: Amiga, Jeremias. — Bergmann, Jakob. — Czuczor, Jos. — Holmberg, Karl. — Jippmann, Alois. Kanofszki, Martin. — Knorr, Karl. — Kovacs, Friedrich. — Kozma, Ludwig. Miskovszki, Anton.
Zeugschmied: Strauss, Witwe.
Zimmermaler: Brückner, Elias. — Goldmann, David. — Kaiser, Hermann. Schönstein, Sigmund. — Schwarz, M.
Zimmermeister: Knapp, Gg. — Nagy, Mich. — Reck, Rud.
Zinngießer: Stacho, Stefan.
Zuckerbäcker: Finy, Leonard. — Orlaudi's, Witwe.

Güns. Stadt, Eisenburger Komitat in Ungarn. Wein, Getreide und Baumfrüchte am Flusse Güns. 8000 Einw.
Eisenhändler: Ecker, Anb. Mario. — Fleischhacker, Leopold. — Stibeker. — Zins, Ludwig.
Lederhändler: Czeke, Josef.
Modewarenhändler: Nödl, Leopold.
Nürnbergerwarenhändler: Frei, Joh. Wölfel, Josef.
Schnittwarenhändler: Czeke, Michael.
Spezereiwarenhändler: Keinrath, Andreas. — Kern, Juliana. — Milanovits, Franz. — Mormay, Elisabeth. — Puskarits, Stefan. — Rath, Franz Xaver. Unger.
Tuchhandlung: Ringhofer, Charlotte.
Apotheker: Reithammer, Emil.
Bräuer: Netler, Martin.
Buchbinder: Leitner, Johann. — Nemeth, Stefan. — Putz, Anton.
Drechsler: Freyler, Johann. — Fröhlich, Johann sen. — Wölfel, Josef.

Färber: Kehrn, Karl. — Lindmayer, Gustav.
Gastwirthe: Blechschmid, Johann. — Gesell, Samuel. — Mussca, Samuel. — Pfeiffermann, Franz. — Röck, Sigmund. — Theuringer, Franz.
Glashändler: Schuster, Samuel.
Kaffeesieder: Blümel, Josef. — Gambert, Ludwig.
Kupferschmied: Petroczy, Johann.
Lederer: Freuberger, Anton. — Polster, Johann jun. — Salomon, Samuel. — Schuster, Georg.
Seifensieder: Freyler, Eduard. — Schuster, Franz. — Szep, Johann.
Tabakverleger: Szep, Michael.
Tapezierer: Kunye, Josef. — Scholtz, Robert.
Uhrmacher: Löffler, Anton. — Nemeth, Franz. — Swoboda, Joh. Witwe.
Zuckerbäcker: Genthon, Ignaz.

Gyoma. Komitat Bekes-Csanad in Ungarn.
Apotheker: Kramplitz, Ludwig.
Bierbräuerei- u. Spiritus-Fabrikseigenthümer: Wodianer, Moritz und Albert.
Buchbinder: Kuer, Samuel.
Drechsler: Eva, Paul. — Szabo, G. Josef. — Kérl, Andreas. — Kun, Josef. — Papp, Johann.
Einkehrgasthof: Reisinger, Franz.
Eisenhändler: Piko, Paul.
Färber: Tassy, Michael.
Glaser und Glashändler: Valentini, Michael.
Kupferschmied: Pitner, Johann.
Vermischtwarenhändler: Adler, Israel. — Draun, Josef. — Grimm, Samuel. — Klein, Ignaz.
Zimmermaler: Feichtmann, Samuel.

Gyöngyös. Heveser Komitat. Markt mit 12,000 Einw., kathol. Gymnasium, Hauptschule; Wein-, Obst- und Getreidebau, Maulbäume; Branntweinsfabr., Tuchweberei, Gerberei. Hier wachsen die berühmten Sarheghyáler weißen und rothen Gebirgsweine.

Gyula. 13,000 Einw. Stadt, Komitat Békés-Csanad in Ungarn.
Apotheker: Lidiats, August.
Baumeister: Berndt, Franz. — Czigler. Anton. — Nuszbel, Josif.
Bräuer: Videntzki, Josef.
Buchbinder: Vegh, Josef.
Buchdrucker: Reti. Leopold.
Büchsenmacher: Oelschläger, Samuel.
Drechsler: Dajmel, Anton. — Dannel, Leopold.
Einkehrgasthöfe: Biz, Wolf. — Izrael. Leopold.
Eisenhändler: Schock's, Franz Witwe. Schweiczer, Franz.
Färber: Kolmann, Franz. — Sreder, Gottfried.
Gelbgießer: Nagy, Georg.
Gold= und Silberarbeiter: Kobu, Moriz. — Nagy, Franz.
Kupferschmied: Serzöd, Anton.
Lebzelter: Hertskler, Andreas. — Herberth, Johann. — Már, Simon. — Modvány, Stefan. — Papp, Josef. — Papp, Nikolaus.
Lederer: Bélliets, Wilhelm.
Mehlhändlerin: Dubani's, Emerich Witwe.
Schnitt= und Modewarenhändler: Bock, Salomon. — Geyer, Franz & Comp. — Hoffmann, Gebrüder.
Seifensieder: Rosenthal, Martin.
Spezereiwarenhändler: Császár, Karl. — Ferenczy, Alois. — Kutsera, Jakob. — Titl, Johann. — Wallfisch, Bernhard, zugl. Spediteur.
Uhrmacher: Maschik, Paul.
Vermischtwarenhändler: Mezei, Andreas. — Molnár, Andreas. — Pilisch, Leopold. — Radolts, Christof. — Steinfeld, Ignaz.
Zimmermaler: Grajner, Ant. — Weisz, Leopold.
Zimmermeister: Merksz, Josef.
Zuckerbäcker: Reinhardt, Josef. — Szalisz, Sebastian.

Haj. Arva Komitat in Ungarn.
Badeanstalt: Bad=Stuben oder Ellenó.
Färber: Langfelder's Witwe. — Karlovszky, Georg.
Goldarbeiter: Franciszy, Johann.

Vermischtwarenhändler: Karjovszky, Josef. — Klein, Isak.

Halap (Klein=). Neograder Komitat in Ungarn.
Rübenzuckerfabrik: Mayr, Joh. Freiherr v., in Gesellsch. mit Neumann, Josef, Dr.

Harzagh bei Fünfkirchen. Rübenzuckerfabrik, Herbetz, W. & Com.

Hatvan. Hevesser Komitat. Tuchweberei, Pferdezucht, Melonenbau.

Hatzfeld. Eisenbahnstation, zwischen Temesvar und Szegedin.
Apotheker: Crettier, Anton. —
Advokaten: Illes, Franz v.
Eisenhandl.: Bayer, Leop. — Bayer, Jos. L. — Gumpotz, Gg.
Gemischtwarenhbl.: Felbisz, Joh. — Manzin, Peter. — Nassbaum, Titus. — Schnur, Jos. Friedrich. — Stagelschmid. Csokany.
Färber: Dill, Ludwig. — Eckert, Fr.
Glashandlung: Bresovsky.

Hedervár, Marktfl., Museum des Grafen Wiczay, mit einer Münzsammlung von 18,000 Stük. Raaber Komitat.

Heltau bei Hermannstadt (Siebenbürgen).
Bierbrauer: Nekel, Peter.

Herrengrund, silberhaltiges Kupferbergwerk (jährlich 12 bis 1500 Ztr. Kupfer und 5 bis 600 Mark Silber), Cementwasser, wo alles hineingelegte Eisen binnen einigen Wochen in Kupfer verwandelt wird. Sohler Komitat.

Hermanetz (Unter=). Sohler Komitat in Ungarn.
Papierfabrik: Arnstein & Eskeles, Firma k. k. pr. Hermanetzer Maschinen= Papierfab.
Holz=Säge=Mühle.

Hermannstadt. Hauptst. des Großfürsten-
thums Siebenbürgen. cir. 27,000 E. Königl.
Freistadt und Hauptstadt des Sachsenlandes,
am Flusse Zibin, Sitz des siebenbürgischen
General-Commando's, griechisch nicht unirter
Bischof; sächs. Universität mit ihrem Natio-
nalarchive. Kathol. und lutherisches Gymnasium, Gewerbsschule, öffentliche Hand-
lungsschule für Lehrlinge; großes Nationalmuseum. Meistens Deutsche; hierunter besonders Sachsen, welche theils Tuch und
Kotzen verfertigen, theils Gerberei, Hut-,
Kunkelrübenzucker-, Stearinkerzen- und
Schwefelsäure-Fabriken, eine Pulvermühle,
eine Papiermühle, Wachsbleichen, einen
Kupferhammer, Beutel- und mehrere Mal-
mühlen unterhalten. An der Aluta führt
der Rothenthurmpaß in die Wallachei, wo
ein Contumazamt und herrliche Ueberreste
der alten römischen Heerstraße via julia
sind.

Artner, Daniel, mit Spezerei-, Material-
und Farbwaren, Kommission und Spedition. Die Firma führt der Chef Artner,
D., und per Procura Roth, J. —
Baumann, Friedrich, Mode-, Manufaktur-
und Galanteriewaren. — Bechnitz, Ant,
Gemischtwaren und Commissionslager d.
k. k. priv. Pottendorfer Baumwollspinne-
rei und Weberei. — Czikeli, Friedrich,
mit Eisen-, Geschmeide- und Nürnbergerwaren. — Dinges, J., Ferdinand, mit
gemischten Waren. — Demeter, G. K.,
desgl. — Eggert, Ludwig, Glas-, Perzel-
lan- und Steingutwaren, auch Spiegel-
und Kinderspielwaren. — Etter, Wilh.,
vermischte Waren. — Filtsch, S., Buch-,
Kunst- und Musikalienhandlung. Die
Firma zeichnet auch der stille Gesellschafter Strassberger, A. — Göttl, M., mit
gemischten Waren. — Haggi, Georg R.,
mit Currentwaren. — Jahn, Joseph,
mit Material-, Spezerei- und Farbwaren.
Hartmann, Karl, mit Spezerei-, Farb-
und Eisenwaren. — Holzleitner, S., mit
Eisenwaren. — Jahn, Franz, mit Ma-
terial-, Spezerei- u. Farbwaren.
Jikeli, Karl F., mit Eisen, Eisenge-
schmeide und Nürnberger Waren, in Commission und Spedition, Niederlage der Erzeugnisse der Eisen- u. Walzwerke des Kronstädter Bergbau- und Hüttenaktien-Vereins.

Sükösd, J., mit Manufaktur- und Mode-
waren. — Kabdebo, P. J., mit Roh-
produkten, dann Ein- und Verkauf von
Staats- und Industriepapieren, Geld- und
Münzvertwechslung. — Kindler, Josef,
Material-, Spezerei- und Farbwaren. —
Krabs, J. A. R., Buch-, Kunst und
Musikalienhandlung. — Löw, Mich., mit
Eisenwaren. — Mailath, E. & Comp.
Schlosserwaren-Werkzeuge und Nürnberger
Waren. — Mathey, Gregor, mit Cur-
rentwaren. — Mangesius, Karl, mit
Manufaktur-, Mode- und Galanteriewa-
ren. — Nendwich, Paul, mit Eisen-,
Geschmeide- und Nürnbergerwaren. Kom-
mission, Spedition und Incasso, daselbst
befindet sich die Hauptniederlage der Or-
laier, Oberkerzer k. k. landespriv. mech.
Papierfabrik, und die Hauptagentschaft
für Siebenbürgen, der k. k. pr. Assicura-
zioni Generali in Triest. — Nuridsan,
Gebrüder, mit Manufaktur-, Mode- und
Galanteriewaren. Die Firma führen
beide Brüder Josef und Anton Nuridsan.
Popp, J. A., mit Manufaktur-, Mode-
und Galanteriewaren. — Poppowitz,
Demeter, verm. Waren. — Poppowitz,
Joh., mit Spezerei-, Colonial-, Farb- u.
Lederwaren. — Pfingstgräff, F., mit
Schnitt- und Modewaren. — Reissenber-
ger, W., mit Eisen- und Nürnbergerwa-
ren. — Reschner, Ludwig, Manufaktur,
Spezerei- und Colonialwaren. — Roth,
Jos., Spezerei-, Material- und Farbwa-
ren. — Schön, Daniel, mit gemischten
Waren. — Stoffel, Adolf, mit Spezerei-,
Farb- und Nürnbergerwaren. — Schopf,
Anton, mit gemischten Waren. — Stei-
ner, A., mit Manufaktur-, Mode- und
Galanteriewaren. — Steinhaussen, Theo-
dor, Buch-, Kunst- und Musikalienhand-
lung, Leihbibliothek und Buchdruckerei. —
Schneider, J. F., mit Porzellan-, Glas-,
Nürnberger- und Galanteriewaren. —
Stoss, Josef, mit Leinwandwaren, k. k.
Tobakgroßverschleiß. — Scholtis, Emil,
mit Currentwaren. — Terschak, Franz,
Glashdlung und Porzellan. — Ta-
tartzi, Kirra, mit gemischten Waren. —
Törrök, Andreas, mit Eisen-, Geschmeid
und Nürnbergerwaren. — Thallmayer,
J., mit Material-, Spezerei- und Farb-
waren, Kommissions-, Speditions- und
Incassogeschäften. Die Procura führt,

deſſen Sohn J. F. Thallmayer. —
Thallmayer, J. F., mit Spezerei= und
Farbwaren. Hauptagent für Siebenbür=
gen der I. öſterr. priv. Verſicherungsge=
ſellſchaft. Pr. Procura zeichnet auch Fr.
Müller. — Untchj, Samuel, mit Eiſen
und Geſchmeidwaren und Nürnberger W.
Wlad, Georg, mit gemiſchten Waren. —
Wlad, Joh. G., vermiſchte Waren. —
Zacharia, Georg, desgl. — Zerbes,
Karl, mit Manufaktur= und Modewaren;
auch Kommiſſions= und Incaſſogeſchäft.
Zöhrer, J. Franz, Parfümerie und Kurz=
waren. — Zürner & Matthias, Spez.
Mat.= Farbwaren, Kommiſſ. Spedit,
Niederlage b. k. k. priv. Papierfabrik in
Petersdorf und Eigenthümer der Schöpf=
papierfabrik in Zrel (Siebenbürgen).

Abvokaten: Capesius. — Aug. — Guist,
Karl Dr. — Kiss, Karl. — Kováts,
Johann. — Lehrmann, Moriz. — Mös,
Mich. — Morscher, Karl. — Ohnitz,
Johann. — Pecha, J. — Poleschensky,
Johann. — Rott, Joſ. Dr.

Apotheker: Teutsch, Auguſt. — Müller,
Karl. — Molnar, Karl. — Jikeli, Joſ.
Kaiser, Dr. Guſtav Adolf.

Buchdrucker: Filtsch, Samuel. — Clo-
sius, v. Georg. — Steinhaussen, Theodor. — Drottleff, Josef. — Biſchöfliche
Diöceſan=Buchdruckerei.

Lithographiſche Anſtalt: Krabs, F.
A. Robert.

Maler: Glatz, Theodor, akadem. Maler
und Zeichenlehrer. — Agotho, Johann.

Fabriken: Runkelrüben=Zuckerfabrik
(in Bau) Eigenth. Thallmayer, Johann.
Erſte Siebenbürger Stearinkerzen=
fabrik, (Verwalter Stähler, Benj. Direktor Conrad, Karl). — Schwefel=
ſäurefabrik, (Direktor Brem, Leop.).

Buchbinder: Jahn, Auguſt. — Mitt-
nacht, Friedrich. — Haidecker, Leopold.
sen. — Haidecker, Leopold jun. —
Haidecker, Samuel. — Fanderlik, Alois.
Wohlgemuth's Witwe. — Booss, Eliſe.

Büchsenmacher: Schuster, Daniel. —
Mois, Johann.

Drechsler: Greger, Johann Georg. —
Niedermaier's Witwe. — Graisbeck,
Johann. — Klusch, Samuel. — Hahn,
Unterautter's Witwe. — Theis, Stefan.

Binder, Johann. — Gerger, J. G. —
Meissner, Michael. — Wagner, Andr.
Werder, Andreas. — Klein, Johann.
Files, Karl. — Messe, Karl. — Wag-
ner, Johann.

Feilenh.: Theil, Daniel.

Gold= und Silberarbeiter: Henrich,
J. G. — Schwabe, Frieb. — Schwabe,
Karl. — Lüdeke, Hugo. — Finta, Joſ.
Stantzl, Joſ. — Mainth'a, J. G. Wtw.

Handschuhmacher und Weißgärber:
Hammer, Karl. — Gucker, Karl. —
Diedel, Joh. — Uher, Leopold. —
Hinkel's Witwe. — Hauf's Witwe. —
Huffnagel's Ww. — Gucker's Ww.

Hutmacher: Kessler, J. G. — Reinhardt,
Michael. — Niedlich, Andr. — Engel,
Wilh. — Onjerth, Joh. — Balbirer,
Sam. — Conerth, Georg. — Karp,
Adolf. — Duldner, Michael. — Schie-
mert, Sam. — Wardecker, Franz. —
Reissenberger, Karl. — Schemel, Joh.

Kammacher: Rosenthal, G. — Nied-
lich, Mich. — Nussbächer, Gottf. —
Knall, Joh. — Leistinger, Joh. —
Knall, Fried.

Vereinigte Klempner, Glocken=, Gelb= und
Zinngießer.

Klempner: Ruck, Joh. — Krämer,
Daniel. — Zeidner, Joh. — Scherz,
Thom. — Henke, Conrad. — Mosel.
Pitzel, Peter. — Böttcher, Wilhelm. —
Leopold's, Agnes Ww. — Rossnovaki's,
Anna Ww.

Zinngießer: Dambach, Franz. — Kovats, Mich.

Glockengießer: Gräf, J. G. — Gräf,
Joſef.

Gelbgießer: Krüger, Karl.

Gürtler: Schuller, Karl. — Leitschaft.

Kupferschmiede: Herbert, Michael. —
Möss, Joh. sen. — Bock, Georg. —
Herbert, Joh. Mich. jun. — Binder,
Mich. — Fabritius, Joh. — Möserth,
Georg. — Fabritius, Mich. — Orendt,
Sam. — Möss, Joſ. — Henrich, Joſ.
Frank, Joſ.

Kürschner: Göbbel, Andr. — Zandner,
Georg. — Texter, Mich. — Schuster,
Sam. — 'Schieb, Stefan. — Schütz,
Daniel. — Goll, Joh. — Grau, Joh.
Fink, Frieb. — Wolf, Michael. — Roth,
Michael. — Sontag, Joh. — Zay, Mich.
Theiss, G. — Reichhardt, Johann. —

Prudner, Andr. — Kaiser, Georg. — Balmen, Georg. — Wolf, Michael. — Sontag, Gg. — Gotschling, Michael.— Bell, Sam. — Sander, Frb. — Schieb, Jof. — Koch, Jof. — Koch, Mich.— Schemel, Martin. — Möss, Josef. — Schemel, Georg. — Göbbel, Andr. — Koch, Josef. — Schemel, Daniel. — Zaudner, Frieb. — Zink, Michael. — Schuster, Samuel. — Koch, Sam. — Wilk. Paul. — Möss, Sam. — Schwarz, Karl. — Roth, G. — Schuster, Daniel. Prinossil, Wenzel. — Duhl, Andr. — Saida, Jef. — Onjerth, Georg. — Hermann, Joh. — Krauss, Sam. — Bell's Elise Witwe. — Schmidt's, Elise Ww.

Müller: Phillipi, Karl. — Reinth, Mich. Burprich, Andr. — Weber, Johann.— Guist, Daniel. — Fredel, Georg. — Feldmaier, Andr. — Roth, Georg. — Uhl, Jakob. — Pilger, Johann.

Riemer: Zinz, Joh. — Hochmeister, G. Zacharias, Jof. — Hirling, Georg. — Wachsmann, Frieb. — Zacharias, Joh. Lebmann, Karl. — Schluckwerder, Wilh. — Orendt, Mich. — Sander, Sam. Haas, Sam. — Binder, Joh. — Drottleff, Joh. — Hochmeister, Andreas. — Schembra, Adolf. — Janosdi, Nikol. — Fülep, Aler. — Orendt, G. — Rusch, Lud. — Schwarz, Karl. — Schuster, Karl. — Feyri, Frieb. — Reissenberger.

Rothgärber: Wolf, Frieb. — Buchholzer, Joh. — Reinert, Sam. — Wittemberger. Martin. — Mühlsteffen, J. sen. — Werner, Mich. — Tartler, M. Weindel, Frieb. — Conradt, Joh. — Fleischer, Joh. — Mühlsteffen, Ab. jun. — Conradt, J. — Schnell, K. — Conerth, Karl. — Wolf, Fr. jun. — Better, J. — Bordan, J. — Krempels, Karl. — Mühlsteffen's, Anna Maria Witwe. — Mathias, Susanna Ww. — Reker's, Anna Maria Ww. — Pheleps, Maria Ww. — Conradts, Elisabeth Ww. — Pfeps, Anna Maria Ww. — Reinerth's, Elisab. Ww. — Möferth's, Regina Ww. — Krempels, Anna Maria Wtw.

Sattler: Bohaczek, Wenzel. — Lindner, Mich. — Hahn, Jof. — Böhnig, Lud. Zimmermann, Joh.

Vereinigte Schlosser, Büchsenmacher und Zeugschmiede.
Thodt, Jof. — Ziegler, Mich. — Setzer, Jak. — Bruckner, Andr. — May, Karl. Haas, Sam. — Göllner, Jof. — Klein, Karl. — Mailath, Karl. — Hess, Jof. Hess, Leop.

Seifensieder: Platz, Peter. — Melzer, Daniel sen. — Hemper, Karl. — Zekelius, Karl. — Platz, Joh. — Gunnesch, Mich. — Melzer, Daniel jun.— Arz, Karl. — Hoch, Frieb. — Schnell, Andr. — Henrich, Daniel. — Melzer, Andr. — Zekelius, Daniel. — Hertel, J. G. — Platz, Karl.

Seiler: Zink, Mich. — Fleischer, Mich. Connerth, G. sen. — Schelles, Joh.— Engber, Michael. — Platz, Josef. — Mai, Joh. — Zink, Mich. — Schnell, Joh. — Müller, Joh. — Setz, Andr. Fleischer, Joh. — Conerth, G. — Zink, Jof. — Zink, Karl. — Zink, Fribr. — Binder, Jakob. — Fay, G. Zink, Mich. — Engber, Jof. — Onjerth, Joh. — Schnell's, Regina Wtw. Setz's, Regina. — Texter's, Regina. — Onjerth's, Catharina Ww.

Strumpfstricker: Schüller's, Susanna Witwe.

Zeugschmiede: Schneider, Joh. — Hess, Lbg. — Kuker, Josef.

Bierbrauer: Seiler, Joh. — Habermann, Joh.

Blumen-Fabrikant: Baynotzi, Joh.

Branntwein-Erzeuger: Arnold, Catharina. — Binder, Michael. — Schembra & Taub. — Hinz, Jof. — Reschner, Ludwig.

Conditoren: Berger, Johann. — Gaudenz, Nikolaus. — Wohlgemuth, Alois. -Gromes, August.

Färber: Binder, Karl. — Hoppe, Johanna Witwe.

Glaser: Egerth, Lww., besitzt auch eine Glas- und Spielwarenhandlung. — Terschack, Franz, hat eine Glas- u. Porzelanhandlung. — Schnell, Johann. — Fischer, Joh. — Fackler, Andr.

Graveur: Reiss, Moritz.

Instrumentenmacher: Steger, Frz.— Gollint, Jof.

Lebzelter u. Wachszieher: Lentschaft, Gottlieb. — Utsalot, Josef. — Utsalot, Franz. — Vass, Em.

Messerschmied: Bubeniczek, Josef.
Maschinenbauer: Frank, Jos., k. sächs. priv. Ingenieur der Maschinenbaukunde.
Neubel=Niederlagen: Jickeli, Jos. — Göbbel, Karl. —Ickrich, Jos. — Tischler=zunft.
Posamentierer: Baumann, Johann.
Sonn= und Regenschirm=Fabrikant: Ballogh, Joh.
Uhrmacher: Fritsch, Daniel. — März, Stef. — Figi, Ant. — Kurzer, Anton. Zesewitz, Joh. — Brunner, Rud.
Bergolder: Hoppe, Karl. — Simon, Franz. — Meierhofer, Franz.
Wattemacher: Bähr, Alexander.
Marchand de Modes: Prudner, Cathar. Wenzel, Anna. — Friesenhengst, Reg. Szabo, Catharina. — Steinwill, Elisab. Fritsch, Maria. — Beer, Anna. — Böbel, Johanna. — Steiner, Anna. — Oecsi, Rosalia. — Reissenberger, Reg. Hoch, Elise. — Mogend, Elise. — Schüller's Witwe. — Schüller, Cathar.
Gast= und Einkehrhäuser: i. b. Stadt. Zum römischen Kaiser, Gastwirth Nessich, Ludwig. — Der Mediascher Hof, Gastw. Labonz, Simon. — Zur ungarischen Krone, Gastw. Prokopp, Sebastian.
In den Vorstädten.
Zum goldenen Lamm, Gastw. Eder, Joh. Zum Neumüller, Gastw. Kaltupner, Joh. Zur Stadt Wien, Gastw. Hössler, Frz. Zum weißen Löwen, Gastw. Kappel, Gottl. Gastw. König, Michael. — Zu den drei Herzen, Gastw. Kastner, Joh. — Zum Papagei, Gastw. Halmagy, Sigmund.
Gast=, Kaffee= und Billardhäuser: Barath, v. Sigmund. — Biemel, Mich., zur Kaiserin Elisabeth. — Sonnenberg, Karl. — Spät, Josef, zum blauen Ab=ler. — Römer, Johann, zu Stadt Paris. Hammer, Norberth, zum Kronprinzen. — Wolf, Anton. — Gaal, Franz, zum hölzernen Löffel. — Helm, Heinrich. — Szöts, Anna, im Bürger=Cassino. — Frz. Slava'sche Bierhalle. — Marschal, Stefan, Josefstadt. — Georg Hemper'sche Bierhalle.

Hetmeny, Dorf an der Waag, beträchtliches Pferdegestute.

Hidveg und Arapatak, Sauerbrunnen. Siebenbürgen. Weißenburger Komitat.

Hlinik. Dorf, Trentschiner Komitat in Ungarn. Mühlsteinbruch.
Gärber: Petrovsyky, Jos. — Strba, Johann.
Gastwirthe: Neumann, Wilhelm. — Popper, Joachim.
Vermischtwarenhändler: Lord, Moritz.
Holzhändler: Fischer, Jak. — Flachs, Jakob. — Holzmann. Josef. — Horn, Chaim. — Horn, Josef & Ignaz. — Lord, Samuel. — Neuberger, Felix. — Neumann, Adolf. — Novak, Moritz.
Rosoglio= und Essigfabrik: Neumann, Jakob.

Hollós. 4000 Einw. Marktflecken a. d. Morawa, Oberneutraer Komitat in Ungarn.
Apotheker: Mühlbauer, Rudolf.
Eisenhändler: Hecht, Enoch. — Tausky, Israel.
Essigsieder: Tausky, Hermann.
Früchtenhändler: Berger, Joachim. — Kurz, Lazar. — Mandl, Salomon. —
Gold= und Silberarbeiter: Wechsler, Josef.
Lederhändler: Frankel, Emanuel.
Seifensieder: Blitz, Israel. — Popper, Franz.
Schnittwarenhändler: Frankl, Moritz. — Singer, Enoch. — Tausky, Betty. — Tausky, Gabriel. — Tausky, Jakob. — Tausky, Leopold. — Tausky, Wilhelm.
Spezereiwarenhändler: Fanto, Marl. Frankel, Isak. — Frankel, Salomon. Frankel, Seligmann. — Petrovan, Joh. Popper, Samuel. — Rotter, Israel.
Spitzenhändler: Abeles, Israel.
Uhrmacher: Hartmann, Joh. — Kastner, Franz. — Körmendy, Josef.
Weinhändler: Popper, David.

Högyés. Tolnaer Komitat, Ungarn.
Kauss, Stefan Witwe & Sohn, Eisen, Spezerei=, Farb=, Papier= und Nürnbergerwarenhändler, en gros & en detail.

5 *

Gollóháza, (Post Dizsоly) Steingutfabrik. Ober-Ungarn.

Hosszu-Szigeth, Mineralbad. Marmaroscher Komitat.

Hrabek. Dorf Unter-Neutraer Komitat in
Ungarn.
Papiermühle: Heidrich, Karl.

Hrinyowa. Dorf (Sohler Komitat) Ungarn.
Glasfabrikant: Szartory, Ant.

Hüttwich bei Maros Vásárhely. Siebenbürgen.
Spiritusbrenner: Thornofsky.

Hugyaj. Szabolcser Komitat in Ungarn.
Spiritusfabrikant: Donis, Josef.

Huszth an der Theis, (Marmaroscher Komitat) 4000 Einw. Bergkastell, Hansbau.

Huttya (oder Gabel). Dorf, Trentschiner
Komitat in Ungarn.
Glasfabrikant: Willimek, Johann.

Jako. Szabolczer Komitat in Ungarn.
Spiritusfabrik: Grossmann, Salomon.

Jaraba, Sohler Komitat, Berghandlung,
(d. i. von Bergleuten bewohnte Ortschaft),
am Fuße der Teufelshochzeit, Kupferbau.

Jaschau oder Jászó (Jósz), Marktflecken,
Prämonstratenser-Kloster mit Bibliothek,
Marmorbrüche, Eisengruben und Stein-
metzwarenverfertigung.

Jasz-Apáti, mit 6500 E. Weizen- und
Weinbau. Marktflecken. Banat.

Jászberény. Marktflecken am Flusse Zagyra,
6 Posten von Ofen, mit 18,000' Einw.

Iglo. (Neudorf) Königl. Kron- und
Bergstadt in der Zipser-Gespanschaft in
Oberungarn. 3 Jahrm. 6000 Einw. am
Fluß Hernath oder Kundert, Sitz der königl.
Administration, des Bergamts und der Berg-
gerichtssubstitution, luth. Grammatikalschu-
len, kathol. Hauptschule, Kupfer- und Ei-
senbergwerke und Hütten. Flachsbau, Lein-
wand- und Papierfabrik.
Advokat: Fest, Emerich.
Apotheker: Kallmar, Bartholomäus. —
Tirscher. Gustav.
Bräuer: Rosenkranz, Heinrich.
Buchbinder: Andreszky, Julius. —
Theil, Ludwig.
Drechsler: Dirner, Alex. — Dirner,
Samuel.
Einkehrgasthof: Emericzy, Elias, zur
blauen Kugel.
Färber: Csatlas. — Fodor, Jakob. —
Hamaridesz, Ludwig. — Lingsch, Sam.
Nosz. Johann. — Thern, Samuel.
Fabriken: Georgi, Kupferschmelzh.
Johannisstollner. Kupferschmelzh. —
Palzmann, Gebrüder, Inhaber einer Ei-
senhütte in Guß- und Stangeneisen.
Papierfabrik städtische, Pächter: Kolba,
Michael. — Pribradny, Ernst Inhaber
zweier Kupferhämmer u. einer Blau-
vitriolfabrik. — Probstner, Manich u.
Klug, Inhab. eines Zeugschmiedhammers.
Steingutfabrik priv., einer Aktien-Ge-
sellschaft gehörig.
Oelfabrik auf Aktien, Direktor Windt.
Igloer, Dampfmühle.
Gelbgießer: Fromhold, Samuel. —
Manich, Ludwig.
Glashändler: Jäger, Mathias.
Goldarbeiter: Javillak, Ignaz. —
Kniszner, Andr. Emil.
Kauf- und Handelsleute: Benigny,
Ludwig. — Jacz. Peter. — Langsfeld.
Eduard. — Langsfeld, Rudolf & Kobelt.
Lechner, Samuel. — Pribradny, Aug.
auch Commiss. und Spedit. — Pollak.
Pototsnik, K. — Stanjek. — Schwarz,
Alex. Lud. — Sóltz, E. T. — Windt,
Ludwig.
Kürschner: Bartholy, Stef. — Fidler,
Sam. — Grünwald, Mart. — Nadler,
Andr. — Poluisch, Joh. — Riczinger,
Andr.
Kleiderhändler: Jochmann, K.
Knopfstricker: Danielisz, Michael. —

Kottlar, Josef. — Mahr, Ludwig. —
Progner, Joh. — Thern, Martin.
Kupferschmiede: Fertsek, A. — Fert-
sek, Lub. — Neubauer, Sam. — Polz,
Joh. — Roth, Joh.
Lederer und Gärber: Fleischer, Franz.
Gärtner, Joh. — Galladay, Franz. —
Krempaszky, Lub. — Thern, Gustav.
Robistinnen: Audreszky, Retti. —
Marczy, Elisabeth. — Ochsz, Appolonia.
Scholtz, Valerie.
Müller: Petrustsak, M. — Repko, J.
Sarnik, A. — Sarnik, J. — Zubal, J.
Riemer: Bartsch, Th. — Fabry, L. —
Marcsinko, M. — Windt, Andr. —
Windt, L.
Sattler: Kertscher, Christof. — Kert-
scher, Michael.
Sauerwasser-Verleger: Thern, Karl,
Mineralwasserversendung der berühmten
Szullner- , Lublauer- und Szlatvisser-
brunnen.
Schlosser: Bartsch, S. — Lehoczky,
M. — Mikulik, J. — Szlawkowszky,
Eb. — Ulbrich, Ah. — Ulbrich, S.
Seifensieder: Jautner, Sam. — Ker-
nats, G. — Weber, Karl. — Engel,
Ludwig.
Seiler: Fabry, Joh. — Fabry, Martin.
Fabry, Rich. — Fabry, S. Witwe. —
Fabry, T.
Tapezierer: Alex, J. — Alex, Karl.
Alex, L.
Tischler: Bartsch, L. — Gally, Eb. —
Gura, J. — Hermann, L. — Huszko,
K. — Kniszner, F. — Ujhazy, L.
Tuchmacher: Beck, Lub. — Hanjszko,
Sam. — Nowak, Franz. — Schimko,
Joh. — Schimko, Sam. — Sommer,
Alois. — Sommer, Josef. — Sommer,
Sam. — Szabó, Josef sen. — Szabó,
Josef jun.
Uhrmacher: Banjevits, L. — Bielopo-
toczky, Sam. — Stelle, Joh.
Wagner: Bartsch, D. — Bartsch, J.—
Mikulazky, J. Witwe. — Urbany, A.
Weber: Babits Jos. — Juhazy, Math.
Köhler, Martin. — Kovalszky, Laur.—
Pollak, Johann.
Weinhändler: Fabry, Joh. — Marczy,
Ludwig.
Zuckerbäcker: Lukasievits, F. J.

Jllava. Marktflecken, Trentschiner Kom.
in Ungarn.
Advokaten: Burian, Emerich. — Kob-
záu, Ladislaus.
Apotheker, Bossányi, Johann.
Bräuer: Snuter, Franz.
Färber: Friedrichowszky, Stefan.
Gärber: Ragin, Johann. — Bagin, M.
Bagin, Paul. — Bednarik, Johann &
Stefan. — Bistritzky, Josef & Georg.
Dudacsek, Paul.
Gastwirth: Frisch, Franz.
Seifensieder: Knöpfelmacher, Gerson.
Schnittwarenhändl.: Nagel, Emanuel.
Vermischtwarenhändler: Dolinszky,
Anton & Comp. — Weiss & Marmor-
stein.
Zimmermeister: Kozáry, Josef.

Innocenzthal. Barser Komitat. Ungarn.
Glasfabrik: Langhammer, Ignaz.

Johannihütte (Post Kaschau). Ober-Ungarn.
Eisenwerk: Johannihütte.

Jpoly-Ságh. Marktflecken, Honther Ko-
mitat, in Ungarn. 3 Posten von Weizen,
5 Posten von Ofen.
Advokaten: Hedorváry, Anton — He-
gedüs, Joh. — Kalmár, Ludwig v. —
Nedeczky, Karl. — Pajor, Stefan. —
Regaly, Joh. v. — Sarnóczay, Joh. v.
Eisenhändler: Lestyánszky, Johann. —
Mikulási, Theodor.
Färber: Trautwein, Daniel.
Kupferschmied: Schlapak, Ignaz.
Lederer: Juház, Josef. — Kralik, Joh.
Tucsek, Emerich.
Seifensieder: Kultsár, Josef.
Uhrmacher: Fuchs, Georg.
Vermischtwarenhändler: Bercelier,
Martin. — Sarpi, Georg. — Sarpi,
Joh. — Weissberger, B. — Winter,
Johann.

Jreg, Marktflecken am Fuß des karlovitzer
Gebirgs, mit 5000 Einw. Weinbau.
(Sirmier Komitat).

Iſerapony, Dorf, Goldbergwerk. (Marmaroſcher Komitat).

Ivanovopolje. Poʒeger Komitat, Beʒ. Darwar in Slavonien. Glasfabrik: Müller, Jakob.

Kaſſa-Hámor (Poſt Kaſchau) ein Eiſenwerk und Hochofen, eine Maſchinen-, Nagel-, Eiſendrahl- und Nietenfabrik.

Kapnik, Dorf, Berggerichtsſubſtitution, Bergamt, Gold- und Silberbau (Sʒathmarer Komitat).

Kapnik-Bánya, Dorf, (Kővárer Diſtrikt) Gold- und Silberbergwerk. Siebenbürgen.

Karanſebes an der Temeſch, mit 2300 E. Stab des wallachiſch-illyr. Regiments, Normalſchule, Goldwäſcherei, große Niederlage für die nach Siebenbürgen gehenden türkiſchen Waren. Banatiſche Militärgrenʒe.

Kardßag-Uj-Száláš. Süd-Biharer Komitat in Ungarn Markt am Fluſſe Hortobágy, der einen Arm der Theiß bildet, 3 Poſten von Debreʒin, mit 14,000 Einw. Melonen gedeihen hier in Menge, und in den nahen Gewäſſern findet man viele Schildkröten. Großwardeiner k.k., Biſtthum: Bierbrauerei. – Ziehi, Anton, Branntweinfabriksbeſitʒer.

Karlobago. Kroatiſche Militärgrenʒe. Stadt am Meer, mit 2000 Einw. Sanitätsmagiſtrat. Hafen, Handel.

Karlowitʒ, ſlavoniſche Militärgrenʒe, Stadt an der Donau, mit 6800 Einw., kath. Hauptſchule; Weinbau.

Karlsburg mit Feſtung, in Siebenbürgen, an der Maroſch, mit cir. 12000 Einw. Kirchen aller Confeſſionen, Münʒe und Sternwarte.
Advokat: Batʒ, Joh. – Borsos, Sam. Szebeni, Franʒ. – Weſt, Edmund.
Notar: Nicola, Math.

Apotheker: Mihellyes, Sigmund. – Zangerl, Karl. – Sander, Rudolf.
Glashdl.: Dergaǹ, Joſef.
Dermiſcht: Fürth, Hermann mit Schnittwaren. – Löwy, Salomon mit Schnittwaren. – Matherny, Emil mit Eiſen-, Speʒerei-, Nürnberger Waren, Spedition, Kommiſſ. und Inkaſſo. – Megay, C. M. mit Material-, Speʒ.-, Eiſen-, Nürnberger Waren, Porʒellan, Spedit. u. Commiſſion. – Kleblatt, Aler. mit Eiſen-, Farb- und Materialwaren, Commiſſ. Spedit. – Publig's, Joſ. Witwe Speʒerei.— Oberth. C. E. mit Schnittwaren in der Feſtung. – Riedl, Joſef mit Speʒerei. – Rusʒ, Joh. mit Speʒ. u. Eiſen, Spedition, Commiſſ. und Inkaſſo. – Simonis, Auguſt.
Schnitt- u. Kurʒwaren: Elias, Kohn.
Lederhdl.: Löwy, Iſrael.
Buchhdl.: Wagner, Joſef.
Buchhdl. u. Buchbinder: Klager, Moſes.
Branntwein und Roſolifabrik: k. k. landesbefugte Mendl, Joſef.
Seifenſieder: Hennel. – Lobstein.

Karpfen. 4000 Einw. Königl. Freiſtadt, Honther Komitat, Ungarn. 3 M. ſ. v. Altſohl.
Advokaten: Lendvay, Gabriel. – Pajor, Joh.
Apotheker: Eisert, Paul.
Bräuer: Baumerth, Johann.
Färber: Kossina, Karl. – Launer, K. Pirovsky, Samuel.
Gärber: Benko, Joh. – Bohus, Joh. Chugyik, Joh. – Debnarik, Joh. – Debnarik, Stefan. – Drottner, Joh. Harmann, Joh. – Harmann, Paul. Manitʒ, Joh. – Mito, Gg. – Ujhazi, Samuel.
Kupferſchmiede: Bajkowsky, Michael. Gottwald, Samuel.
Seifenſieder: Schlapak, Joſef.
Uhrmacher: Vegel, Bernhard.
Speʒereiwarenhändler: Albert, Rich. Huber, Joſef.

Kaſchau. 17000 Einw. Stadt in Ober-Ungarn. 5 Jahrm. 2 Wochenm. Station der privil. Theißbahn. Am Hernathfluſſe,

71 M. von Wien, 85 M. von Ofen. Ober=
Kriegs=Commissariat, Banal= und Salzamt,
Bischof, Dom=Capitel, königl. Akademie, Ur=
chlgymnasium, Seminarium. Steingutfabrik,
Tabakfabrik. Der Boden ist sehr fruchtbar,
und da die berühmten, unter dem Namen
Hegyallya bekannten Weingebirge des Zem=
pliner Komitats nur 6 Meilen entfernt sind,
und viele Einwohner dort Weingarten be=
sitzen, so ist hier der Vereinigungspunkt des
Handels für mehrere Gespanschaften mit
Wein, Feldfrüchten, Knoppern, Canthariden,
Salz, Antimonium ic. Spedition für Polen
aus der untern Gegend.

Großhändler, k. k. priv.: Moll, Josef
v. jun., unter der protok. Firma: Moll,
Joh. Wolfgang.

Schnitt=, Tuch=, Spezerei= u. Ver=
mischtwarenhändler: Biedermann,
E., Tuchhdlung. — Bredeczky, Moritz,
Schnittwarenhdl. — Brody, Großhandl.
vormals Pollak, Joh. — Demszky, Joh.
unter der Firma: Demszky Johann &
Laszgallner, August, Tuch=, Spezerei=,
Nürnberger= und Galanteriewarenhändler.
Haben die Niederlage der k. k. priv. Graf
Harrach'schen Leinenfabrik, befassen sich
auch mit Wollen en gros und Speditions=
geschäften, zugleich Commandite der mit
der ersten österreichischen Sparkasse ver=
einigten allgem. Versorgungsanstalt. K.
k. Tabakgroßtrafikanten, als auch die Nie=
derlage der k. k. pr. Gasser Tuchfabrik.—
Diener, Jaques, Produktenhändler, auch
Commiss. u. Speditionsgeschäft. — Drössz=
ler & Gedeon, Eisengeschmeide, Nürnber=
ger W. und Werkzeugwaren, auch Com=
mission u. Spedition, Inlasso. — Flach=
bart, Sam., Schnitt= u. Kurzw. — Flei=
scher & Megay, Eisenhdl. en gros und
Speditionsgeschäft und Kurzwaren. —
Flachbart, Sam., deßgl. — Germ, Joh.
Ernst, Vermischwarenhdl. — Glevitzky,
Alex., Samenhdl. u. Agenz. d. ersten ung.
Assekuranz. — Grünwald, Herm., Hut=
und Modewarenhdl. — Haader, Math.
& Co., Tuch=, Modes=, Leinen=, Spezerei=
und Vermischwarenhändler. Eigenthümer
ist Tschida, Michael. — Herschkovits,
Spez. und Kurzw. — Hösler, Albert,
Steingut, Glas, Geschirr und Spezerei.—
Kempner, Philipp, Spez., Nürnberger W.
u. Kurzwaren. — Klein, Bernh. Schnitt=

u. Kurzw. — Koch, Ludwig, Schnitt=
warenhändler. — Kompoti, Joh., Ver=
mischtwarenhändler.— Lößler, Lud., Spez.
u. Schnittw. — Mihalik, Adalb., Schnitt=
und Modewarenhändler und Spezerei=
warenhbl. — Neumann, Heinrich, Ge=
mischt. — Novelly, Karl, Spezerei, Ma=
terial u. Wein. — Novelly, Alex., Spe=
zerei=, Material= und Farbwarenhändler,
auch mit Weinen. — Pe.rich, Konstant.,
Vermischt. Schnitt= u. Modewarenhändler.
Picker & Glasner. Produkt., Assekuranz=
Straßenbauunternehmung, Commiss. und
Spedition und Inkasso. — Relay, Ant.,
Gemischtwaren. — Schambach, F., Spe=
zerei. — Spielmann, C., Firma Spiel=
mann, Josef, Spez.=Matfarbwaren=Unter=
nehmer des Eilwagens zwischen Kaschau
und Eperies Spedition nach allen Gegen=
den des Inn= und Auslandes. — Stark,
Joh., Spezereiwarenhändler. — Stein=
misch, Vermischtwarenhändler. — Szaszi,
Emil, Spez.= und Schnittw. — Szent=
Istvány, Friedrich, unter der Firma:
Szent-Istványi, Nürnberger=, Leder=, Spe=
zerei= und Farbwarenhändler, hat die Nie=
derlage der k. k. priv. Kaschauer=Leder=
fabrik. — Wechsler, Lazar, Schnittw. —
Weiss, Markus, Gemischt. — Wögerer's
Erben, Schnittwarenhändler. — Zemányi,
Rudolf, Schnitt= und Modewarenhänd=
ler. — Zinner, Moritz, Schnittw.

Eisen=, Nürnberger= u. Galanterie=
warenhändler: Baszel's, K. Witwe,
zugleich Lederhandlung. — Bernovits,
Gustav, Hutfepperwarenh. — Ronchard,
Edw., Spez.=Matfarbw. — Dendely, K.,
auch Spezereiwarenh. — Eschwig, Ed.,
Nürnberger= und Galanteriewarenhändler,
verbunden mit Porzellan. — Friedmann,
Sam., Spezerei. — Inhos, Joh., Jul.
in Produkten. — Krauss, Em., Ge=
mischt. Demszky & Laszgallner, be=
faßt sich mit Wollgeschäften; ist auch Wein=
u. Produktenhändler. — Lehrner, L. H.,
Schnittw. — Lencz, Brüder, Schnitt=,
Tuch=, Modew., Leinen= und Seidenwhl.
Munk & Karpeles, Schnittw. en gros &
en detail, Commiss. u. Spedition. —
Pollak, Gustav, Leder= und Nürnberger=
warenhändler. — Quirsfeld, Karl, Nürn=
berger= und Galanteriewarenhändler. —

Stark, Joh., Spezereiw., Niederlage von Porzellan und Steingut und Kunstmehl.
Schäfer, Josef, auch Schnitt-, Tuch- und Modew., Leinen- und Seidenhdl. — Schirger & Weber, Oberungarische Eisenwarenvertschleiß, Spedit.- und Commissionsgeschäft. — Schönhoffer, Karl, unter der Firma: Schönhoffer, Joh. Jat., Eisen- und Vermischtwarenhändler, zugleich Hauptagent der k. k. pr. Azienda Afficuratrice in Triest. — Völk, Ludw., Nürnb. und Galanteriew.

Incorporirte Mitglied. ohne offene Handlungen.

Grosznowitzer, Wilh., Inhaber der ersten oberung. Feineisenzeuge u. Walzendrahtfabrik, verbunden mit einer Kattunf. im Thale Stellenfeisen bei Göllnitz, betheilt mit der Goldmedaille, k. k. pr. Fabriksteigenthümer. — Kosch, Ladislaus.— Laszgallner, A. G., oberung. Hauptagent der k. k. pr. ersten österreichischen Versicherungsgesellschaft, zugleich Wein- und Produktenhändler. — Roth, Josef, Pfeifenhändler u. pro. k. k. Tabaktrafikant.

Fabriken.

Kaschauer Runkelrüben-Zuckerfabriksgesellschaft. — Kaschauer Maschinen-Nägelfabriksgesellschaft.— Grosz, Jakob, Lederfabrik. — Haltenberger, Pet., für die Kaschauer Tuchfabrik. — Wirkner, Brüder Ludwig u. Karl, für die k. k. priv. Lederfabrik. Unger, L. & J., Spirit. Preßgerm und Essigf.

Musikalienhändler: Wiedermann, M. auch mit musikalischen Instrumenten.

Detailhändler: Adler, Josef, Gold, Silber und Juwelen. — Barkan, Jakob, Woll- und Dampfmehlverschleiß. — Neumann, Salomon, Schnittwarenhändler. Schäffer, Ferd., desgleichen. — Haas, Jakob, Weinhändler — Haas, Moritz, desgl. — Horovitz, Hermann, desgl. — Mann, Jakob, Branntweinhändler.

Advokaten: Brosz, Joh. — Csorba, K. Czito, Dan. — Demeczky, Stef. — Eder, Franz. — Frantsek, Jos. — Gazsik, Franz. — Gloss, Emil. — Gönczy, Gab. — Kanizsay, Jos. — Kéler, Jos. — Klestinszky, Lad. — Komjathy, Lor. — Kriebl, Th. — Mihalyi, Karl. — Papp, Sam. — Saad, Simon, L. — Simonics, Jos. — Sper-

novics, Jos. — Steller, Szentleleky, Jul. — Torök, Josef. — Ujházy, Alex.

Apotheker: Koregtko, Anton. — Maléter, Wilhelm. — Steer, Karl.

Bräuer: Meyer, Joh., städtische. — Kostelaner, Bierbrauerei bei Kaschau auf Aktien.

Buchbinder: Bosnyak, G. — Drabek, Hartig, Gust. — Hepke, Barth. — Toperzer, L.

Buchdrucker: Ellinger, Stef. — Werfer, Karl.

Buchhändler: Hartig, Gust. — Toperczer, Lbg. — Werfer & Haymann.

Drechsler: Horwath, Daniel. — Kraszler, Jos. — Schopper, Paul. — Stadler, Georg — Vannyorcg, Wenzel. — Wilfinger, Katalin.

Färber: Kunst's, Johann Witwe. — Pothorszky, Karl. — Quirsfeldt's, Wm. Stefanovics, Josef.

Glaser: Schiller, Franz. — Paus, Paul. Hndy, Jos.

Gelbgießer: Ehrlich, Jakob.

Gasthöfe: Hauszer, Ignaz. — Löderer, Andr. — Schalkhaz, Leopold. — Schifbeck, Jos. — Zelann, Johann.

Gold- und Silberarbeiter: Burger, Jakob. — Fröhlich, Karl. — Gerhard, Johann. — Horak, Mathias. — Illés, Ludwig. — Roth, Hermann. — Saidan, Anton.

Kaffeehäuser: Löderer, Andreas. — Schalkhaz, Leopold. — Schifbeck, Jos.

Kleiderhändler: Fröhlich & Freiberg. Guthmann, G. — Kovacs, Andreas. — Matyas, Friedr. — Mandel, Moses. Rosenberg. — Weiss, Jos.

Kupferschmiede: Ehrlich, Ignaz. — Hauszer, Anton. — Leganyi, Karl. — Leganyi, Friedrich. — Miller, Philipp.

Lohgärber: Bogady, Sam. & Sohn.— Czitto, Samuel. — Lehrner, Johann.— Mateg, Johann. — Molitor, Josef. — Muntschko, Josef. — Siehert, Sam. — Siehert, Karl.

Lithograf: Werfer, Karl. — Zapatsky.

Modistinnen: Ellinger, Elisabeth. — Lojanek, Marie. — Schindler, Magbalena. — Schmidt, Rosa. — Thurnusz, Magdalena.

Möbelhändler: Schiller, Josef. — Schönfeld, Josef.

Seifensieder: Gerster, Nikolaus. —
Haydu, Daniel. — Koczanyi, Ludwig.
Kullmann, Franz. — Kullmann, Ignaz.
Pocsatko, Karl.
Uhrmacher: Bakos, Joh. — Bednarik,
Andreas. — Holländer, Ignaz. — Lehr-
ner, Johann. — Mihaly, Stefan. —
Portner, Eduard. — Sandi, Karl.
Vergolder: Kavetzky, Andreas.
Weinhändler: Adler. — Csorba, Jos.
Fried, Jos. — Friedmann, Hermann.
Haas, Jakob. — Hegedüs, Stefan. —
Horovitz, Hermann. — Rothmann, Jak.
Weinberger, David.
Zuckerbäcker: Ardüser, Karl. — Zuan.

Kekese. Szabolcser Komitat in Ungarn.
Vay, Aloisius Freiherr von, Spiritusfabrik.

Kerresztut. Szabolcser Komitat in Ungarn.
Mandl. Albert, Spiritusfabrik. — Sicher-
man, Emilie, desgl.

Kesmark (Kaisersmarkt). Königl. Freistadt,
Zipser Gespanschaft in Ungarn. Eine Stunde
von den höchsten karpatischen Gebirgen,
Grenzstadt von Galizien, mit 7000 Einw.
Bedeutender Handel mit ächten Tokayer
Weinen, Landesprodukten, Leinwand, Eisen,
Honig, Potasche und Leder; Lachsfang. In
der Umgebung befinden sich Mineralquellen,
unter denen die von Lublau und Szul-
lin als die vorzüglichsten in die entferntesten Gegenden verführt werden können.

Demiany, Julius A., mit Eisen-, Spezerei-
und Nürnbergerwaaren. — Hensch, Joh.
Gust., mit Spezerei-, Schnitt- und Modewaaren. — Kamitaka, E. J., mit Spe-
zerei-, Farbwaaren und Mineralwaaren. —
Kamitaka, Samuel, mit Schnitt- und
Modewaaren. — Kless, Josef, mit Spezereiwaaren. — Raisz, Samuel, mit Landesprodukten. — Szopko, Joh. Lat., mit
Spezerei- und Farbwaaren. — Szopko,
Karl R., mit gemischten Waaren, Glas
und Eisen. — Weisz, Wilhelm, mit
Schnitt- und Modewaaren.

Umgebung von Kesmark.
In Altendorf.
Polatsek, J. A., Vermischtwarenhdlr.

In Bela.
Bóldoghy, A., Vermischtwarenhändler.
Kaltstein, Ed., desgl. — Schütz, Jul.,
desgl.
In Hundsdorf.
Janovis, J. A., Vermischtwarenhändler. —
Markovics, S., desgl.
In Leibnitz.
Heyal, A., Vermischtwarenhändler.
In Menhard.
Topperzer, Eduard, Vermischtwarenhändler.

Abvokaten: Hanzély, Otto. — Herzogh,
D. — Mihalyk, Nik. — Schwarz, Karl
Szontagh, Karl.
Apotheker: Genersich, Alex. — Ju-
retzky, Joh.
Brauerei: Bürgerliches Bräuhaus.
Buchbinder: Berg, A. — Nováky, Joh.
Schweiger, A.
Drechsler: Gottwald, S.
Einkehrgasthöfe: Zur Krone. — Zum
Erzherzog Karl.
Färber: Führer, D. — Lindtner, Theo-
phil, auch Leinwandhändler im Großen.
Stenzel, J. — Veszter, Paul.
Gärber: Farkas, Eb. — Fischer, Sa-
muel. — Kostensky, Karl.
Gold- und Silberarbeiter: Guhr,
J. D. — Topperzer, Ladislaus.
Gürtler: König, J. — Pfeifer, Jakob.
Modistinnen: Mauks, R. — Schweiger,
R. — Ujlaky, Katharina.
Seifensieder: Beck, Eb. — Guhr,
Samuel. — Guhr, Samuel. — Po-
lntsek, M. — Prekopy, Karl.
Schlosser: Cziriak, Johann. — Kasner,
Paul. — Steiner, Johann.
Tabak-Großverschleiß: Spitz, Ignaz.
Tapezierer: Fabry, Joh. — Forberger,
Dan. — Polz, Rudolf. — Scholz, To-
bias.
Uhrmacher: Kirner, Jakob.
Wein- und Produktenhändler:
Führer, Alexander. — Goldberger, L.
Keler, S. — Lam, Karl, vorzüglich
Rauhwaaren. — Sponer's, E. Witwe.
Zuckerbäcker: Salis, Johann.

Keßthely. Markt am Plattensee, mit 6300
Einw. Schönes Schloß und Garten des
Grundherrn Grafen Zesetics, dem die Stadt
fast alle ihre öffentlichen, meist sehr ausge-

zeichneten Anstalten zu banken hat, königl.
kathol. Gymnasium, kathol. Hauptschule,
Musikschule, Schule der Gestüt und Reit-
kunde, warmes Schwefelbad und kaltes See-
bad des Grafen Festetics. Handel mit den
Plattenseeweinen, 2 Stunden von der Sta-
tion der priv. Südbahn. Während der
Badesaison geht ein Dampfboot nach Füred.
G a st h.: Zur Amazone. — Zum Dampf-
schiff.
A b v o k a t e n: Csaho. — Loky, Anton.
A p o t h e k e: herrschaftlich.
B r a n n t w e i n b.: Hoffmann.
E i s e n h b l.: Kohn, J. — Stieder, Stef.
F ä r b e t: Lazar, M. — Solay, Frz. —
Regensberger.
G l a s h b l.: Pollak, J. — Prager, Wolf.
L e d e r h b l.: Lazar, J. — Weiss, Alex.
M e h l h ä n d l e r: Fleischer, Jos. — La-
zar, Michael. — Manovill, Jakob. —
Neumann, Hermann· — Openheimer,
Ignaz. — Perl, Randl. — Stern, Mi-
chael.
T u c h- u n d S c h n i t t w a r e n h ä n d l e r:
Berger, Jos. — Klein, Leop. — Lazar,
Leopold. — Lazar, Leopold 2. — Neu-
mark, Jos. — Prager, Samuel. —
Weltner, Jakob.
B e r m i s c h w a r e n h ä n d l e r: Breyer, Ju-
lius. — Osmann's Witwe. — Schleifer,
M. — Stampfel, M. — Singer, Mo-
ritz. — Weisensell & Bater. — Weiss,
Albert. — Weiss, Michael. — Wünsch,
Franz.
S e i f e n s.: Hoffmann, M. 2.
W e i n p r o d u z e n t e n u n d H ä n d l e r:
Baron, Ignaz. — Lazar, Ignaz. —
Loschkoy, Frz., auch Baumeister. —
Weiss, Mich. — Weiss, Alex. —
Wünsch, Frz.

Keiskemet an der Eisenbahn, größter Markt
Ungarns, auf der ausgedehnten Keiskemeter
Haide, die von Pesth bis Szegedin reicht,
48 Meilen von Wien, 12 M. von Pesth,
mit 40,000 Einw. Evangel. Gymnasium,
Piaristen-Gymnasium, Normal- und Zeich-
nungsschule, helvetisches Hauptcollegium.
Bedeutender Handel mit Wein, Feldfrüchten, Wolle, Fellen, Speck, Kräutern, Blü-
then und Wurzeln, vorzüglich Radix alcana
(von letzter jährlich über 5000 Centner).
B u c h h ä n d l e r: Gallia, Philipp.

E i s e n h ä n d l e r: Adler, Karl. — Czollner,
Franz. — Gyenes, Alex., auch Spezerei-
händler. — Lehoczky, Julius, desgl. —
Mezei, Aloisius, desgl. — Viast, Anton,
desgl.
L e d e r h ä n d l e r: Boros, Paul. — Papp,
Georg. — Schwarz, Josef.
S c h n i t t- u n d M o d e w a r e n h ä n d l e r:
Csanadi. Ladislaus & Sohn, Tuch- und
Schnittwaren. — Dragolovits, Dem, des-
gleichen. — Fleischer, Bernhard. —
Fuchs, Peter. — Hacker, Adolf, Mode-
und Tuchwaren. — Juhasz, Johann &
Paul, Tuchwaren. — Pacsu, Gregor,
auch Tuch. — Rothfeld, Salomon. —
Schwarz, Lipos & Mano. — Spiller,
Ignaz.
S p e z e r e i w a r e n h ä n d l e r: Fischer, Ja-
kob. — Papp. Michael. — Polak &
Spitzer, auch Galanteriew. — Popper,
Ignaz. — Schwarz & Reiner.
B e r m i s c h w a r e n h ä n d l e r: Auspitz,
Isak. — Anspitz, Josef. — Bobis, Gre-
gor. — Bruller, Bernard. — Franko,
Konstantin. — Fuchs, Adam. — Gross,
Alexander. — Gyengyi, Paul. — Hadzsi,
Stefan. — Hoffmann, Simon. — Ke-
resztes, Peregrin. — Kiriak, Emanuel.
Kohn, Abraham. — Kohn, Alexander.
Kohn, Ludwig. — Kohn, Moses. —
Kraus, Rudolf. — Lichtner, David. —
Margo, Demetrius. — Marcovits, Grg.
Majtner, Mayer. — Pacsu, Abon. —
Scheibner, Franz. — Schwarz, David.
Schwarz, Hermann. — Schwarz, Lorenz.
Schwarz, Moritz. — Schwarz, Farkas
& Comp. — Schwarz, Josef. — Schrei-
ber, Adolf. — Spiller, Jos. — Spitzer,
Hermann. — Steiner, Lazar. — Zilzer,
Ignaz.
A b v o k a t e n: Agy, Ladislaus. — Aladi,
Wilhelm. — Bagi, Ladislaus. — Bene,
Alexander. — Csanyi, Johann. — Dö-
mötör, Ludw. — Elszaut, Franz. —
Farkas, Gregor. — Gaspár, Ludwig. —
Gyenes, Franz. — Hangyasi, Emer. —
Kemenifi, Paul. — Kiss, Georg. —
Muraközi, Josef. — Nagy, Paul. —
Turcsanyi, Josef.
A p o t h e k e r: Dömötör, Stefan. — Han-
tel, Karl. — Machleid, Aloisius.
B u c h b i n d e r: Erdelyi, Franz. — Sala-
mon, Anton. — Szeles, Alex.
B u c h d r u c k e r: Zsiladi, Karl.

Dampfmühlenbesitzer: Pokai, Joh. & Comp.

Drechsler: Majer, Andreas. — Mehes, Sigmund. — Salai, Alexander. — Sigmond, Josef.

Einkehrgasthöfe: Beretvas, Paul. — Somodi, Johann.

Färber: Firtling, Anton. — Firtling's, Josef Witwe.

Gelbgießer: Majler, Johann.

Glashändler: Valter, Georg. — Vielnberger, Karl.

Gärber: Antal, Gg. — Bobis, Joh. — Bugyi, Mich. — Buzas, Fr. — Csoo, And. jun. — Csoo, And. sen. — Deák, Rich. — Delbany, Gab. — Dóssa, Lad. Elefanti, Lud. — Erdeli, Em. — Erdelyi, Gg. — Farkas, Em. sen. — Farkas, Em. jun. — Farkas, Franz.— Fazekas, Lad. — Fodor, Jof. — Gaspar, Joh. — Haukowsky, Alex. — Haukowsky, Ludw. jun. — Horwath, Joh. — Kalan, Jof. — Kincses, Alex. Kincses, Andr. — Kiss, Ladib. — Kolozsi, Ludwig. — Könives, Andreas. — Laczi, Aler. — Loos, Em. — Mate, Stef. — Nagy, Aler. D. — Nagy, Ludw. — Nagy, Rich. — Nagy, Stef. Nyrodi, Sigmund. — Papai, Michael. Pinrok, Stefan. — Rigo, Stefan sen. Rigo, Stefan jun. — Sandor, Ludwig. Szurmay, Paul. — Szabó, Johann. — Szabó, Paul. — Szalontai, Michael. — Voitik, Joh.

Gold- und Silberarbeiter: Ausländer, David. — Klein, Jakob. — Tychi, Lorenz.

Kaffeehäuser: Beretvas, Paul. — Brucker's, Johann Witwe. — Tomasko, Jakob.

Repernelschneider: Bobis, Franz. — Cseh, Sigmund. — Dukai, Georg. — Dukai, Martin. — Kovacs, Stefan. — Szabo, Paul. — Varga, Michael.

Kupferschmiede: Cseh, Georg. — Horvath, Paul.

Kürschner: Aug, Joh. — Bansky, Joh. Bansky, Paul. — Bansky, Stefan. — Baracsi, Josef. — Bencsik, Ladislaus. Biro, Josef. — Böddi, Johann. — Böddi, Ludwig. — Bodocs, Alexander. Bodogh, Michael. — Bona, Michael. Budai, Blasius. — Cseh, Emerich. — Csorsean. — Danko, Ludwig. — Dekany, Alexander. — Dekany, Ladislaus. Domokos, Peter. — Dömötör, Georg. Farago, Alexander. — Farago, Emerich. Farago, Johann. — Farago, Michael. Fatta, Emerich. — Fazekas, Michael. — Fekete, Johann. — Fodor, Emerich. — Fodor, Franz. — Fodor, Georg. — Fodor, Ladislaus. — Fodor, Stefan. — Fuchs, Paul. — Hajagos, Elef. — Halasi, Josef. — Horniak, Alexander. Horwath, Josef. — Horwath, Paul. — Kailai, Johann. — Karsai, Ladislaus. Kerekes, Johann. — Kerekes, Ladislaus. — Kiss, Michael. — Kiss, Paul, Kiss, Peter. — Kiss, Michael sen. — Klatik, Joh. — Kovacs, Emerich. — Kovacs, Franz sen. — Kovacs, Franz. jun. — Kovacs, Jof. sen. — Kovacs, Jof. jun. — Kovacs, Ladislaus. — Kovacs, Michael. — Lavasz, Paul. — Madi, Paul. — Mester, Alexander. — Molitorisz, Karl jun. — Molitorisz, Karl sen. — Nagy. Alexander jun. — Nagy, Alexander sen. — Nagy, Paul. Nagy, Stefan. — Papai, Paul. — Parvas, Joh. — Pesti, Stefan. — Polonyi, Paul. — Sallai, Andreas. — Sandor, Emerich. — Sarkadi, Ladislaus. — Sautha, Alexander. — Sautha, Ladislaus. — Sebok, Michael. — Suto, Michael. — Sziladi, Michael. — Szucs, Joh. — Szucs, Michael. — Tar, Michael. — Toth, Franz. — Toth, Joh. Toth, Martin. — Varga, Michael. — Varadi, Joh. — Vari, Alexander. — Volfard, Franz.

Robistin: Fantós, Lipot Witwe.

Produktenhändler: Polaczek, Martin. Schweiger, Josef. — Steiner, Martin.

Schnürmacher: Hornik, Alexander. — Szabo, Franz. — Toth, Alexander. — Verosta, Franz.

Seifensieder: Dragolovics, Alexander. Grober, Johann. — Kubynyi, Konrad. Mayer, Johann.

Lövöi-Vásárhely oder Neumarkt, Marktflecken, wo der Stab, unweit der Flüsse Rajon und Feketrägg, mit 5000 Einw. reform. Gymnasium; in der Nähe der Bübös-Regy oder Stinkberg, der aus verschiedenen Löchern einen starken Schwefel-

6 *

geruch verbreitet, und dessen gespaltene Felsen mit einer Schwefelrinde überzogen sind. (Siebenbürgen).
Abvokat: Bertalan, Josef.
Eisen-, Spezerei- und Farbwarenhändler: Császar, Michael. — Jáncso, Josef & Sohn. — Jáncso, Moses. — Molnár, Josias.
Glashändler: Nagy, Dani.
Spezereiwarenhändler: Kováts, Kr. Kristof, György. — Kristof, Miklós.
Spezerei- und Vermischtwarenhändler: Balogh, Sándor. — Hanko, Ladislaus. — Szöts, Daniel. — Szöts, Jos.
Vermischtwarenhändler: Bogdán, Stefan. — Császár, Lukáts. — Czifra, Anton & Gregor. — Dávid, Jánes. — Dávid, István. — Dobál's, Christ. Wwr. Fejér, Lukáts & Gergely. — Frank, Johann. — Jakob, Ferencz. — Joanovits, György. — Robert, Anton. — Szabo, Samuel. — Vertán, Johann & Bruder. — Zacharias, Gebrüder. — Zacharias, Gregor. — Zacharias, Lukáts.

Kirchdorf, mit 3000 Einw. Hospital der barmherzigen Brüder. Färber. (Zipser Komitat).

Kisbárda. Szabolcser Komitat in Ungarn.
Bandwarenhändler: Friedmann, Dav.
Eisenhändler: Gross, Bernhard. — Gross, Franz. — Klein, Ignaz.
Geschirrhändler: Balkányi, Lázár.
Lederwarenhändler: Stuhlberger, Moriz, auch Spezereiwarenhändler. — Stuhlberger, Nathan, auch Spezereiwarenhändler.
Schnittwarenhändler: Einczig, Bernhard. — Falep, Aron. — Klein, Jos. — Spiecz, Alexander. — Stuhlberger, Abraham.
Vermischtwarenhändler: Balkányi, Wolf. — Braun, Hermann. — Brodi, Abraham. — Frisch, Anton. — Klein, Michael. — Lichtschein, Mayer. — Rosenfeld, L. M. — Schwarz, Samuel. Spiecz, Leopold. — Spiecz, Jakob. — Sztanaczky, Johann. — Wagner, Ferdinand. — Wagner, Josef.
Apotheker: Somogyi, Rudolf.

Buchbinder: Maixler, Moses.
Einkehrgasthöfe: Berkin, Daniel. — Klein, Samson.
Essigfabrikant: Steiner, Selig.
Gelbgießer: Freund, Jakob.
Glaser und Glashändler: Colonya's, Georg, Witwe. — Weinberger, Ignaz.
Goldarbeiter: Lebovits, Benjamin.
Modistinnen: Mittelmann, Geschwister. Weinberger, Josefa.
Produktenhändler: Braun, Hermann. Fried, Ignaz. — Gross, Jos. — Guttmann, David. — Spiecz, Pinkas.
Sattler: Kobner, Samuel.
Seifensieder: Markin, Abraham. — Markin, Bernh.
Spiritusfabrik: Berkó, Daniel, Eigenthümer.
Zuckerbäcker: Klein, Samuel.

Kis-Varsány. Szabolcser Komitat in Ungarn.
Beszterczey, Josef v., Spiritusfabrik.

Kis-Zell (Klein Maria-Zell). Eisenburger Komitat. Ungarn.
Abvokat: Fukals, Mich. — Saplo, Wobes. — Sandor, Josef.
Apotheker: Scheffer, Lbw.
Spez. Kürnb. sammt Wohlfart-Artikel: Bruner, G.
Eisen, Spez. Kürnb, sammt Wohlfart-Artikel: Poppel, Joh.
Spez. und Seifensieder: Pick, Gebr.
Schnitt- und Spezereiw.: Rosenberger, Hch.
Lederhandlung: Kraus, Samuel.

Kittsee, am neustädter See, mit 2500 E. Esterhazysches Schloß und Gärten.

Klaf (bei Neuhaj). Barser Komitat in Ungarn.
Glashütte: Heiligen Kreuzer Herrschaft. Pächter Lendler, Josef.

Klausenburg. 20,000 Einw. 4 Jahr- und 2 Wochenmärkte. Königl. Frei- und Hauptstadt der Ungarn in Siebenbürgen,

mit einem befestigten Schloffe an der Szamos, Landesgubernium, Lyceum mit Bibliothek, adeliges Convict, Gymnasium, 2
Collegien für die Reformirten und Unitarier.
Siß des Komitats. Starker Handel mit
Wein, Branntwein nach Polen, Landesprodukten, Getreide, Honig, Wachs, Knoppern
und spanischer Wolle. Besuchter Pferde-
Markt.

Abvokaten: Csulak, Daniel. — Fejer,
Martin. — Grois, Ferdinand. — Hein-
rich, Rudolf, Dr. — Istvánffy, Andr.
Kollát, Alexander. — Nemes, Josef. —
Pataki, Josef. — Rottensteiner, A., Dr.
Rueska, Joh. — Szentivanyi, Franz.—
Tamási, Anton. — Varady, Johann. —
Vajna, A.

Apotheker: Ritter's. Traugott Wittwe.—
Slaby's Erben. — Kuthy, J. — Wolff,
Johann.

Baumeister: Böhm. — Kirmayer. —
Kagerpauer, Karl. — Hirschfeld, Gg.

Bräuer: Städtisches Bräuhaus.

Buchbinder: Ajtai, Aler. — Czerny. —
Haus, Michael jun.

Buchdrucker und Lithographen:
Röm.-kath. Lyceal-Buchdruckerei, Direktor,
Szentpéteri, Joh. — Ev.-ref. Colleg.-
Buchdruckerei, Pächter, Stein, Joh.

**Buch-, Kunst- und Musikalienhänd-
ler:** Stein, Joh., auch Buchdruckerei und
lith. Anstalt. — Demjen, Labsl.

Bürstenbinder: Offner, Joh.

Drechsler: Kovács, Peter. — Dietrich.

Einkehrgasthof: Biasini Erben. — Na-
tional-Hotel.

Eilfahrts-Anstalt, k. k. priv.: Biasini
Domini, zwischen Großwardein u. Kronstadt.

Eisenhändler: Dietrich, Sam. en gros.
Folly, Michael, Spedition u. Inkasso. —
Kottner, Adolf. — Kremer, Samuel.—
Remenyik, Mathias.

Esstgf.: Mauthner. — Staschitzky.

Färber: Schön, Wenzel.

Glaser: Frankis, J. — Liska, J. —
Peter, Josef.

Handschuhmacher: Dalchna, Friedrich.
Walter, J. — Pfitzner, Eduard.

Hutmacher: Nemcssányi, Franz.

Juweliere: Szathmáry, Gg. — Reich-
barg, Lorenz. — Deutsch & Com.

Kaffeehäuser: Szaliga, Jos. —National-
Hotel. — Szombathelyi, Gustav, zugleich Badhausinhaber.

Kleiderhandlungen: Kremer und Rál.
Klatrobetz, Johann.

Kupferschmiede: Andrásofsky, Samuel.
Binder, Joh. — Bertleß, Johann. —
Moritz, Joh. — Rotarides, Michael. —
Weisbach, Moriz.

Kürschner: Baláz>. Josef. — Faik, Martin. — Prohaczky, Johann, aus Lon-
don, Sammlung der schönsten und seltensten Thierfelle.

Lakirer: Stadler, Franz.

**Lebzelter und Wachskerzen-Erzeu-
ger:** Fröhlich, Fried. — Fröhlich, Max.

Lederer und Gärber: Göts, Andreas,
jun. — Lászloczky, Sam. — Sintzky,
Lobislaus. — Varga, Daniel.

**Maschinen-Geist-, Branntwein- und
Rosoglio-Fabrikant:** Zsigmond, k.
k. lbsbef.

Mechaniker: Rajka, Peter.

Modistinnen: Hirschfeld, Elise. — Ret-
tinger, Katharine. — Wokal, Therese.

Mühlen: Komunalmühlen zwei. — Mühle
der Bäckerzunft. — Mühle des Kager-
bauer, Anton. — Dampfmühle des Zsigmond, Alexius.

**Niederlage von Modewaren, Spitzen
und Bändern:** Bogdán, Stefan. —
Wokal, Johann, auch Papier.

**Nürnberger- und Galanteriewaren-
händler:** Godina, Stefan. — Csapo,
J. — Banyay, C., hat auch Porzellan-
Niederlage, auch Schreibrequisite u. Spezereiwaren. — Szenkovits, Martin, hat
eine Porzellan-Niederlage.

Oelerzeuger: Kiss, Brüder, k. k. lbsbef.

Salamimacher: Megyesy, Ignaz.

Sattler: Hilberth, Christof.

Schlosser: Haray, Anton. — Kele, Ist.
Veress, G.

Schnittwarenhändler: Abrahám, Ant.
Akoncz, Johann. — Akoncz, Josef.
Akoncz, Stefan. — Bulbuk, R. Ema-
nuel. — Csiki, Josef. — Gál, Johann.
Tutsek, J. — Gal, Dominik. — Kor-
buy, Geg. — Korbuy, Gergely. — Mar-
kovits, Gebrüder. — Megyesi & Tordoff.
Merza & Com. — Merza Gebrüder. —
Mesko, Anton. — Mesko & Csiki.
Nalaeri, Farkas. — Papp, Christof.
Tamusi, T. — Todorffy. Bogdan. —
Werzár & Gajzágó. — Zakarias, Ant.

Seifensieder: Czirják & Stark. — Boér v. & Kohn, Sparkerzenf. und Seifenfabrik. — Kecsemeti, Johann.

Silberarbeiter: Budai, Karl. — Erdödi, Aler. — Szathmari.

Spezerei-, Material-Farbwaren: Banyai, Karl, auch Porzellan, Galant. Nürnberger W. — Barabás Witwe. — Horvath, Nikol., auch Leberhöl. — Karvaxy, Josef. — Kovacs, J. auch Probukten und Weine. — Kozak, Eduard. Mobl, Josef. — Mobl, Nikolaus. Panezel, Friebr. — Papp, Janos. — Popini & Huttles, auch Hauptniederlage der Klausenburger Dampfmühle. — Schwarzel & Com., auch Litör und Wichsefabrik. — Szigethi & Ferenczy, auch Leberhöl. — Tauffer, Franz. — Tauffer, Josef jun. — Tauffer, Karl.

Spedition und Inkasso: Grün, J. — Dietrich, S. — Folly, M. — Karvasy, J. — Kovacs, J., auch Landesprob. und Weine. — Kohn, A.

Spiritusbrenner: Fischer, Hersch. — Reisch, Michael. — Weiss Witwe. — Weissbach, Jonas.

Rosoli und Essigf.: Liebner, Simon.

Tabak-Großverschleiß: Himmelstein, Moriz u. Spezereiwaren.

Tapezierer: Tauffer, Ed. — Böckell, Fr. — Schuller, Friedrich.

Tischler: Aranyos, Mich. — Kallay, Ludwig. — Tordai, J.

Uhrmacher: Friedmann, Jul. — Maysai, Stefan. — Metzner, Julius. — Prsibilowsky, Kasimir. — Wieder. — Zurowzky, Anton.

Vermischtwarenhändler: Weiss, Samuel.

Zeitungs-Redaktionen: Dorsa, Daniel, Redakteur des Kolosvári Közlöny.

Zuckerbäcker: Stampa, Gebrüder. — Tauffer, Josef. — Ulrich, Josef.

Zündhölzchenfabrikant: Hafner & Comp.

Kobola-Polyana, Eisenwerke, jährlich 2—3000 Ctr. Eisenhammer, Gesundbrunnen. (Marmaroscher Komitat).

Kokelburg, Marktflecken an der unteren kleinen Kokel, Schloß mit Gärten, Sauerbrunnen. Im gleichnamigen Komitat. (Siebenbürgen).

Kolocza. (Pester Distrikt). Stadt, unweit der Donau, mit 7400 Einw. Sitz eines Erzbischofs mit einem Seminar, Piaristencollegium, kathol. Hauptschule, Fischfang.

Königsberg a. d. Gran. Königl. Freistadt, Barser Komitat in Ungarn. 6 M. f. w. von Kremniz. 4500 Einw.

Apotheker: Steindl, Leopold.

Färber: Mixa, Johann.

Gärber: Czibulka, Michael. — Ernst, Franz. — Fabjan, Andreas. — Holecska, Mathias. — Mixa, Johann. — Skultety, Johann. — Ujheli, Georg.

Kupferschmiede: Bacsnyakovszky, Hippolith. — Manouszky, Johann.

Schnittwarenhändler: Mauksch, Eugen.

Seifensieder: Debnarik, Franz. — Poltz, Josef.

Spezereiwarenhändler: Haffner's Witwe. — Rongyik's Witwe. — Wagner, Rudolf.

Vermischtwarenhändler: Szekerka, Johann.

Körmend. Stadt, Eisenburger Komitat in Ungarn.

Christen:

Horváth, Josef. — Spezerei- und Eisenhändler. — Hutter, Johann, Leberhändler. — Krautsack, J. Georg, Spezerei-, Material- und Farbwarenhändler. — Mittli, Johann, Spezerei- und Kurzwarenhändler. — Rátz, Johann, Spezerei- und Nürmbergerwarenhandlung, Tabak- und Stempel-Großverschleiß.

Israeliten:

Eissler, David, Spezerei. — Eissler, Filipp, Spezereihändler. — Graner, Michael, Spezerei- und Schnittwarenhändler, zugleich Produktenhändler. — Kauders, Wilhelm, Spezerei-, Schnittwaren- und Produktenhändler. — Rechnitzer, Jakob, Spezerei- und Schnittwarenhändler. — Spieler & Schwarz, Spezerei- und Schnittwarenhändler.

zerei= u. Schnittwarenhändler. — Stolczer,
Max, drsgl. — Wiener, Franz, Spe=
zerei= und Lederhandlung und Rü=
böl=Raffinerie. — Pressburger, Leo=
pold & Sohn, Spezerei=, Nürnber=
ger=, Eisen=, Glas=, Porzellan= u.
Weinhändler.
Advokaten: Dienes, Ludwig von. —
Horváth, Balthasar von. — Hegedüs,
Johann von. — Szijjártó, Franz. —
Tevely, Josef von. — Vörös, Ant.
Apotheker: Jency, Josef.
Bräuer: Waszner, Paul.
Buchbinder und Buchhändler: Ud=
vary, Franz.
Drechsler: Süld, Johann.
Einkehrgasthöfe: Hatz, Jos., zum grü=
nen Baum. — Prey, Joh., zur Krone.
Essigfabrik: Rechnitzer, Aler., auch
Probukt= und Weinhdl.
Färber: Eissler, Alexander. — Szukits,
Josef.
Glas= und Porzellanhändler: Spie=
ler, Johann.
Kaffeesieder: Boegan, Josef.
Lederfabrik: Aglar, Lazar.
Lederer: Hafner, Josef. — Hafner, Mo=
ritz. — Hafner, Selig.
Modistinnen: Lendvai's, Joh., Gattin.
Ritscher's, Sig. Gattin.
Produkten= und Weinhändler: Aglar,
Ben. — Baron, H. — Deutsch, Max. —
Deutsch, Filipp. — Fischer. — Sam.
Groyer, Elise. — Jany, Michael. —
Kauders, Karl. — Kauders, Hermann.
Kauders, Michael & Sohn. — Kohn,
Abraham. — Kohn, Hermann. — Lit=
tich, Johann. — Mittli, Franz. —
Pichler, Albert. — Pichler, Moritz. —
Prager, Bernhard. — Rechnitzer, Jg=
naz. — Sáska, Daniel. — Schönmann,
Friedrich. — Schwarz, Gebrüder.
Seifensieder: Katafai, Josef. — Rech=
nitzer, Moritz, zugleich Griesler.
Uhrmacher: Kopfmahler, Franz. —
Schrabak, Karl.
Zuckerbäcker: Zawadsky, Adolf.

Körös=Bánya, (Zaranber Gespanschaft).
Siebenbürgen. Marktflecken am weißen Kö=
rösch. Goldbergwerke.

Körös=Ladány. Bekes=Csanaber Komitat
in Ungarn.
Wenkheim's, Baron Familie, Bierbräuerei.

Komorn. Königl. Freistadt mit Festung
Komorner Komitat in Ungarn. 20,000
Einwohner, 6 Posten von Ofen, 3 von
Raab, 12½ von Wien. Die Waag=Do=
nau nimmt eine halbe Meile oberhalb bei
Landor den Fluß Nyitra, und drei Meilen
davon bei Gutta die Waag auf. In die
große Donau ergießt sich die früher mit den
Flüssen Rába und Rábcza vereinigte soge=
nannte Raaber Donau, vier Meilen ober=
halb Komorn; kathol. Gymnasium, reform.
Gymnasium; Hausenfang; Handel mit Holz,
Honig, Wein, Getreibe.
Advokaten: Bakay, Em. — Beöthy,
Sig. v. — Domonkos, Jos. v. — Hor=
vath, Jos. — Kovazsy, J. v. — Los=
sonczy, St. v. — Mihola, Johann. —
Nagy, Aler. v. Bodvár. — Nagy, A. v.
Slader, Eug. — Szalay, Mich. — Vö=
rös, Benj.
Apotheker: Grötschl, Samuel. — Nagy,
Moritz. — Schmidthauer, Anton.
Bauholzhändler: Amtmann & Moritz.
Balaho, Joh. — Beliczay & Sohn. —
Budai & Bucz. — Csetkes Witwe. —
Csirke, Josef. — Dely, Sigmund. —
Keö & Lammer. — Stenczinger, Jg.
Stettka, Josef. — Szakij & Söhne. —
Takacs Johann & Comp.
Bauunternehmer: Kometter, Bernh. —
Lafranconi & Comp.
Branntweinhändler: Grünfeld, Gab.
Kohlmann's, Franz Witwe. — Kohn,
Isak.
Buchbinder: Czike, Dionisius.
Buchdrucker: Sziegler, Anton, zugleich
Buchbinder und Buchhändler.
Drechsler: Kranert's, Elisabeth Witwe.
Roza, Sigmund.
Eisenwarenhändler: Diosay, Anton. —
Hoffer, Franz. — Payer, Mathias. —
Weisz, Abraham.
Essigsieder: Salczer, Kaspar.
Fruchthändler: Borbély, Ludwig. —
Schönwald, Kol.
Gasthöfe: Jellenik, Martin. — Szabó,
Josef.
Gelbgießer: Ozittloff, Friedrich.

Gemischtwarenhändler: Bloch, Jos. —
Goday, Michael. — Mihalovits, Joh.—
Stosanovits, Alexander.
Gold- und Silberarbeiter: Kiraly,
Josef. — Uveges, Eduard.
Gürtler: Stettner, Michael.
Kaffesieder: Grünblatt, Hermann. —
Ipovits, Josef. — Neuhrirer, Franz. —
Rudolf. Johann. — Steiner, Ignaz.
Kupferschmiede: Steinmayer, Alexander.
Tögl, Georg.
Lederer: Banfy, Leopold. — Heuffel,
Michael. — Jani, Wilhelm. — Mittel-
mann, Jakob. — Pfiff, Samuel.
Lederhändler: Feichtmayer, Joh. —
Weisz, Leopold.
Leihbibliothek: Kobn, Moriz.

Komoró. Szabolcer Komitat in Ungarn.
Spiritusfabrikant: Kovacs, Franz.

Kompáth. Marktflecken, Unter- Neutraer
Komitat Ungarn.
Färber: Schuszta, Franz.
Kurschmiede: Schmidt, Jak. — Schnei-
der, Josef.
Spezereiwarenhändler: Freiwirth,
Abraham.
Vermischtwarenhändler: Missak, Ja-
kob. — Schenk, Philipp.

Konszka. Trenchiner Komitat in Ungarn.
Bad Rajetz.

Kostiwjarka. Sohler Komitat in Ungarn.
Papiermühle: Kluttentreter, Christian.

Koszna und Tergove. Eisenwerke. Kroatische Militärgrenze.

Kostainicza. (Kroatische Militärgrenze).
Stadt mit dem Schloß Plasko, 2½ Posten
von Karlstadt, 7 Posten von Agram, an
der Unna. Sitz des Bischofs von Karlstadt, mit 4000 Einw. Contumaz.

Kralowa. Sohler Komitat in Ungarn.
Pulvermühle: Petrikowits, Johann.

Kraszna. Kronstädter Kreis in Sieben-
bürgen.
Glasfabrik Margarethen, k. k. priv.:
Mikes Graf, Benedikt.

Kraszna-Horka-Varalya bei Rosenau
in Oberungarn.
Bierbrauer: Zichardt, Jul.

Kreuz, cir. 4500 Einw. Freistadt. Wa-
rasdiner Gespanschaft, in Kroatien, in der
Nähe ein Sauerbrunnen.
Christen.
Bosnjak, Theodor, Spezerei -, Eisen - und
Glashändler. — Detoni, Peter, Spezerei-
warenhändler. — Detoni, Wilhelm, Spe-
zereiwaren - und Eisenhändler.
Krämer: Bratoglic, Anton. — Rempß,
Franz. — Wujasinowic, Andreas.
Israeliten.
Lakenbacher, Ludwig, Schnitt- und Spe-
zereiwarenhändler. — Pscherhof: Ver-
mischtwarenhändler. — Pscherhof,
Max, Spezerei - und Eisenwarenhandlung.
Krämer: Breyer, Jakob. — Deutsch,
Samuel.
Advokaten: Matacic, Stef. — Ubernik,
Andreas. — Vuscic, Josef.
Apotheker: Brolski, Ludwig.
Buchbinder: Neuberg, Ernst.
Drechsler: Zabeic, Stefan.
Einkehrgasthöfe: Klein, Josef. —
Omersa, Josef. — Prezi, Josef.
Kupferschmied: Penel, Josef.
Müller (Wasser-): Cornec, Josef. — Lu-
kavecki, Andreas. — Mesko, Josef. —
Sveicer, Josef.
Seifensieder: Massig, Filipp. — Schu-
sterschits, Franz.
Tabak-Großverschleiß: Deutsch, Sa-
muel.
Uhrmacher: Zaneti, Jakob.

Kremnitz. Königl. Bergstadt, Barser Komitat. Ungarn. In einem tiefen Thale.
10 M. n. von Pest. 7000 Einw. Gymnasium. Papier - und Steingutfabriken.
Gold- und Silberbergwerke, die schon seit dem
Jahre 770 in Betrieb sind.
Burian, L. A. & Janosi, Tuch -, Schnitt -,
Nürnberger -, Parfümeriewaren. Niederlage des Pester Walzmühlmehles.

Höher, Anton, Spezerei-, Material- und Nürnbergerwaren. — Moesz, Wilhelm, Tuch-, Seiden-, Schnitt-, Nürnberger- u. Materialwaren. — Perczel, J. N., Eisen- und Geschmeidewaren. — Ploy, K., Spezerei-, Material- und Nürnbergerwaren. — Ritter, Joh., Spezerei-, Nürnbergerwaren, Eisengeschmeidewaren, k. k. Tabak- und Stempelgroßtrafikant, Agent der ersten ungarischen Feuer- und Hagelschadenversicherungs-Gesellschaft. — Skultety, Franz, Tuch-, Schnitt-, Galanterie- und Nürnbergerwaren.

Fabriken.

K. k. b. Maschinenpapierfabrik: Direktor Mayer, Josef. — Tranous, Jos. von, Steingutfabrik. — Nowotny, Anna, Schöpfpapierfabrik. — Rottmann's Ww. Jeanette, Pfeifenfabrik.

Gold- und Silbergewerke.

Karoli-Gewerkschaft, unter der Leitung des k. k. Bergschaffers und Markscheiders: Länger, Jos. — Sigismund-Georgi-Gewerkschaft, unter der Leitung des Bergschaffers: Pehatschek, Alois. — Stadt- und Rosaische Gewerkschaft, unter der Leitung des k. k. Schichtmeisters Hrentschik.
Advokat: Schindler, Josef von.
Apotheker: Draskoczy, Johann. — Nemtschek, J. D.
Buchbinder und Buchhändler: Demiani, L. — Szriteczky, Franz.
Büchsenmacher: Bastarz, Karl.
Drechsler: Monse, J.
Einkehrhäuser: Kastner, Samuel, zum goldenen Hirschen. — Draskoczy, Joh. zur ungarischen Krone.
Färber: Kastner, Johann. — Koschina, Andreas. — Paulini, Susanna.
Gelbgießer und Gürtler: Czerven, Ambros. — Fleschko, Jos. — Schluch, Franz.
Glaser und Glashändler: Retzbach, Josef.
Gold- und Silberarbeiter: Alleram, Math. — Frey, Joh. — Horvath. Jos.
Kleiderhandlungen: Harko, Joh.
Kupferschmied: Thürmenstein, Andr.
Kürschner: Wagner, Daniel. — Wagner, Johann.
Lederer und Gärber: Karner, Magdalena. — Kransz, Ludwig. — Nikolay,

Nikol. — Schnabl. David. — Schnabl, Georg. — Zsilinsky, Alois.
Putzmacherin: Urbani, Th.
Sattler und Tapezierer: Herrmann, Johann.
Schlosser: Bellak, Franz. — Galanta, Josef.
Seifensieder: Longino, Sebastian.
Uhrmacher: Wagner, Rikañus.
Zeugschmied: Daubner, Franz.
Zuckerbäcker: Zeuch, Peter.

Umgebung vom Kremnitz.

Koszta, Stefan, Gemischt zu Heiligenkreuz.
Ritter, Leopold, Gemischt in Zsarnovitz.

Kroiszbach, Marktflecken, Steinbruch. Oedenburger Gespanschaft.

Krompach. (Post Wallendorf). Zipser Land.
Trangous, Ludwig von, Verlassenschaft und Comp., Eisengießerei und Walzwerk.

Kronstadt, gleichnamigen Kreises in Siebenbürgen. Königl. Freistadt an der äußersten Grenze der österreich. Staaten gegen die Wallachei, 2 St. vom Aluta, 125 M. von Wien, luth. Gymnasium, Bibliothek. Tuchmacher ic. Wichtiger Handel aus und nach der Türkei. Eingeführt werden: Wachs, Honig, Wein, Baumwolle, rohe Schafwolle, gesalzene Karpfen, Hausenblase, Caviar, Spek, Seife, Rind- und Schafhäute, Schaffelle, Unschlitt, Corduan, Reis, Droguerie-, Manufaktur- und Eisengeschmeidewaren, Colonial-, Material- und Spezereiwaren aus Wien, Triest und Fiume; Vieh aus der Türkei. Ausgeführt werden: Grobe und feine Tücher, Moltons, Rasche, Bett- und Pferdedecken, Hüte, Riemerarbeit, Baumwolle, Hanf- und Flachsleinwand, blaue Katune, Tischlerwaren und Reubeln, wollene Schnüre, Spenglerarbeit, Strik- und Schiffstaue, Papier, hölzerne Flaschen, Baumwollgarn, Eisen, Flachs, Borsten, Hornspitzen, Talg- und Wachskerzen, Glas und Potasche u. a. m. Der Paß Bulkan führt in die Walachei, dabei ist Contumazamt. Von hier gehen priv. Eilwägen über Focaras, Hermannstadt nach Klausenburg und Großwardein, ebenso nach Bukarest, sowie von Karlsburg über Lugos, Temesvar nach Arad.

Gasthäuser: Goldene Krone Wekel. — Hotel Nr. 1 Ludwig, Franz. — Grüner Baum Dück, Martin. — Brauner Hirsch Körner, Franz. — Goldne Sonne Giesel, Peter.

Handels- und Gewerbekammer: Maager, Karl, Präsident. — Gött, Joh. Vicepräsident.

Buch- Kunst- und Musikalienhdl.: Haberl & Sindel. — Vayna, Joh. v.— Pava u. Galanteriewaren.

Eisen- und Nürnberger Warenhdl.: Bömches, Adolf, und Geschmeide. — Germany, Joh. — Gross, Rich. und Geschmeide auch Commiss. und Spedit. — Günther & Münich. — Jekelius, Karl, auch Commiss. und Spedit., Agentie d. k. k. priv. allgem. Assek. in Triest. — Kamner, Eduard, Commiss., Spedit., besorgt Einkauf v. Siebenbürger Kotzen.

Kronstädter Bergbau und Hütten-Actien-Vereins-Niederlage: Schneider, Friedr. u. Geschmeide-Schlosser- und Gußwarenhandlung en gros & en detail, auch Commiss., Spedit. und Inkasso-Geschäft. — Schneider, Fridr. sen. Zeidner, Josef.

Wollhändler, Commiss. u. Spedit.: Alexi, Johann.

Kolonialfarbw., Manufaktur-Fabrikaten u. Produktenhdl en gros: Juga, Georg & Söhne, Commiss. und Spedition.

Tuch-, Kurrent und Schnittwhdl.: Bogdan, Joh., auch Commiss. und Spedition.

Galanterie- und Nürnbergerw.: Bömches, Joh. Friedr., auch Glasw. — Cloos, August. — Filtsch, Josef, auch Glasw. — Orgidan, Christof, Glas und Porzellanw. — Weiss, Adolf, u. Kurzwaren. — Werrar, G. u. Kurzw.

Großhdl. Kommanbite: Weiss, Ad.

Mat.-, Spezereifarbwarenhdl.: Bogdan, Joh. — Duschoui. — Gredinar, G. D. — Gyertyanffy, Jos. & Söhne, auch Sped. u. Commiss., Produkt, Manufakt. en gros. — Johann's, G. Söhne in- und ausländische Produkt. u. Manufakt. en gros & en detail, Commiss. und Spedit. und Inkasso. — Müller, Karl, Spedit. und Kommiss. — Orgidan, Gg.

Commiss., Spedit. u. Inkass. — Schmidt, Albert, Commiss. u. Spedit. — Siegmund & Pilch, Spedit. u. Commiss. — Szabady, Josef. Materialw. — Weiss, Ad.

Schnittwaren: Gaspar, Ladislaus. — Laszlo & Kindler. — Marienburg, Rudolf. — Wagner, Fr. Tr.

Schnitt- u. Modew.: Clompe, P. T.— Fabricius, Friedrich. — Gust, Ferd. — Ualmen & Laszlo. — Juga, Georg & Söhne. — Nussbächer, Friedrich. — Száva, Gregor. — Temesvari, Joh. — Spitzer, J. S., Landesprodukthdl., auch Spedit. und Commiss. u. Inkasso. Siehe spec. Abresstarte.

Glas-, Porz.-, Nürnb.-Galantw.: Bömches, Karl. — Personi, Joh.

Spezereiwarenhändler: Birth, Nikolai. — Eremias, Demet. — Florian, Johann. — Genovitz, G. Heggy. — Gyantzu, Georg R. — Hesshaimer, J. L. u. A., Gemüse und Oekonomie-Sämereien, Commiss. und Spedit. Beständiges Lager von kalzinirter Pottasche und Borzfeler Sauerwasser, auch Inhaber der Kronstädter Maschienen- und Papier- und Rollgerstenfabrik. — Müller, Karl. — Navrea, J. A. — Orgidan, Gg., in- u. ausländische Produkten, in- und ausländische Manufaktur- und Fabrikatenhändler. — Poppaszu, Konstantin J. — Radovita, Radu. — Sfetya Opria, P., Nürnbergerw., Glas und Porzellan. — Stafoveann, Joh., Commiss. u. Spedition. Stefanovits, Georg. — Teclo, Johann & Sohn.

Tuch-, Schnitt- u. Modew.: Bömches, Ludwig. — Fabritius, Karl & Söhne, Fronius, J. D. & Comp. — Gyertyanffy, Johann & Sohn. — Remenyik & Sohn. Stenner, Friedr. — Temesvari, Lukas.

Vermischtwhdl.: Aronsohn, Löbel. — Gyertyanffy, Ludwig, auch Lederhdl. — Löbel, Aron. — Wrats & Hallas.

Fabriken.

Oelf.: Joan, Konst., Kronstädter Rollgerstenfabrik, Firmanten Maager, Karl & Hesshaimer, Karl und Graf Alberti.

Chlindet Kunstbeutelmühle: Szabó Thierry & Comp.

Schönfärbefabrik: Wallnger, Frz. C.

Emailfabrit auf Aktien, geleitet von Haintz, Anton.

Zündrequisitenfabrik: v. Zell, Josef.
Erste k. k. priv. Siebenbürger Vergolder-warenfabrik u. artistisches Atelier von Fritsch, Eduard.
Dampfmühle, Bier- u. Spiritusf.: von Jekel, Joh. P. in Heßfulu bei Kronstadt.
Baumwollspinnf.: Josnovits Const. in Zerneft.
Mechanische Papierf: in Zerneft, Direktor Bein.
Glasfabrik: v. Mikes, Graf Benedikt in Margarethen.
Spiritusf.: Schmidt, Franz in Heldsdorf.
Branntweinf.: Türk, Rich. in Tartlau.
Vereinte Kronstädter, Tartlauer Papierfabrik.
Spiritus-, Branntwein- u. Rosogliofabrik: von Alexi & Aronsohn. — Czell & Arzt.
Apotheker: Hornung, Carl. — Jekel, Fr. — Jekelius, Ferd. — Gressing, Franz v. — Müller, Jos. v. — Stenner, & Schnell.
Advokaten: Jako, Franz. — Langer, Thomas. — Mayer, Josef. — Pap, Eustachius. — Porr, Michael. — Stintz, Johann. — Trauschenfels, Franz v. — Veres, Georg. — Warton, Jakob Dr. —
Bäcker: Reinert, Gg. — Weiss, Georg.
Bierbräuer: städtischer Pächter Eisler. — Prohaska. — Schmidt.
Buchdrucker: Römer & Kamner. — Gött, Joh.
Bürstenbinder: Siegel, Anton.
Essigsieder: Arzt, Karl. — Benedek, Jos., auch Spirit. und Rosogliof. — David, Martin. — Heldsdörfer, Gg. — Krämer, Jakob. — Miess, Joh. — Moringer, Jos. — Vodadi, Franz.
Gold- und Silberarbeiter: Resch, Karl.
Grundstücks-Gesellschaft, Rothgärber u. Wollweber.
Handschuhmacher: Gubich. — Hattmüller. — Riedl. — Schakovsky und Leimsieder.
Hutmacher: Herfurth, Franz. — Szendj, Franz.
Lederer: Schadt, Paul — Thor, Fr.
Likör- u. Rosogliof.: Lisskai, Karl. Kupferstich, Lazar. — Teutsch, A. P.
Rothgärber: Schadt, Joh. & Petersberger, Joachim.

Seiler: Adler, Samuel. — Arzt, Rich.
Seifensieder: Eitel, Dan. — Eitel, Eduard. — Gref, Ab. — Orenty, Joh. Scherg, Fr. — Schmidt, Karl.
Uhrmacher: Servatius, Frieb.
Wachsbleiche: Nikolaus, G. Sim. — Villera, Konst.
Tuchmacher: Günther, Math. — Henning, Joh. — Klein, Tobias. — Krafft, Friedr. — Langer, Joh. — Lang, M. Lang, Karl. — Porr, Chr. — Porr, Georg. — Pauly, Gottfr. — Scherg, Rich. — Schreiber, Friedr. — Tardler, Rich. — Thomas, Karl. — Wagner, Johann.
Produkten- und Manufakturwaren-händler: Alecu, Georgio, en gros. — Alexi, Johann Kommissionsgeschäfte. — Arszeniu, Diamanti G. — Bányai, Bogdan en gros. — Blebea, Stan. — Csenescu, Barbu en gros. — Csurku, Gebr., in- u. ausl. Manufaktur, Fabrikate, Kolonial-, Spezerei-, Nürnberger- und Farbwarenhändler. — Csurka, Joh. H. G. — Felter, A., Spedifions- und Kommissionsgeschäfte. — Geitenar, Nik., Spezereiwarenhdlr. — Jankovits, Nikol., Schafwollhändler en gros, auch Kommissionsgesch. — Joannies, Georg, en gros. Jordatye, David, en gros. — Karakassi, Demeter Th., Kolonialwarenhändler, en gros. — Karpovits, Gavrille. — Kretzvesku, D. u. Minku, P., en gros. — Leka, Joh. — Leka, Johann Reuß. Leka, Georg R. — Mandl, David. — Mantsu, Sotir, in- und ausländische Kolonialwarenhändler en gros, Kommissions-, Spedifions- und Wechselgeschäfte. Manole, Joan. — Manuel, Konstantin. Marinovits, Johann, en gros. — Matsuka, Nikol., en gros. — Pasku, Radu, en gros. — Petku, Th. — Popp, A. & M. Burbea, prot. Firma, Kommissions-, Spedifions- und Inkasso-geschäft. Firmaführer sind: Apostol, E. Popp und Manolle, E. Burbea, haben auch offene Handlung in Bukarest. — Popovits, Antrea A., en gros. — Popovits, E. A., en gros. — Poppazn, Konstantin, in- und ausl., en gros. — Poppovits, Joh, L., Kommissions- und Spedifionsgeschäfte. — Safranu, Anastas. Schmidt, Karl & Albert, Wechselgeschäfte u. Produkten. — Sotir, Stefan,

7 *

en gros, Wechselgeschäfte. — Storia Konstantin u. Produkt. Wechselgeschäft.—Teclo, Nikolaus & Comp., in = und ausländische Fabrikate, Spezerei= und Farbwarenhändler. — Wladimir, Alexandresko. — Wojnesku, Nik., Farbwarenhändler en gros. — Zippa, Johann, in= und ausländ. en gros, Spebitionsgeschäfte.

Kubsir. Brooser Kreis in Siebenbürgen. Kubsir: k. k. Eisenhütten= und Hammerwerk.

Kun Szt. Miklos. Klein=Rumanien in Ungarn. Marktflecken mit cir. 5000 E.
Kaufleute.
Bauer's, Abraham Wittwe. — Bauer, Elias. — Bauer, Ignaz. — Bauer, Mathias. — Bauer, Michael. — Csappo, Georg. — Deutsch's, Inaz Witwe. — Leschitz, Mathias. — Reiss, David.
Abvokaten: Horváth, Joh. — Kováts, Sigismund. — Magay, Karl. — Varga, Gedeon.
Apotheker: Toth, Sigismund.
Buchbinder: Horváth, Stefan. — Völgyl, Johann.
Drechsler: Szorádi, Valentin.
Einkehrgasthaus: Fuszt, Konrad, auch Kaffeesieder.
Färber: Glosz, Hermann.
Gold= u. Juwelenarbeiter: Böhni, Adolf.
Kupferschmiede: Holermann, Franz.
Lederer: Szikszay, Paul.
Modistin und Putzmacherin: Schnabel, Julia.
Mühlen (Wind= und Pferde=): Atzel, Ludwig. — Baky, Franz. — Berta, Johann. — Csabay, Johann. — Gálus, Emerich. — Hajdu, Emerich. — Hakker, Rudolf. — Horváth, Lobislaus. — Kis, Franz. — Kováts, Lukas. — Kováts, Sigismund. — Nemes, Peter. — Pordán, Johann. — Pordán, Ludwig. — Stabt=Gemeinde. — Toth, Stefan. Vegh, Stefan. — Zay, Anton.
Produktenhändler: Bauer, Elias. — Bauer, Ignaz. — Bauer, Mathias. — Bauer, Michael. — Deutsch's, Ignaz Witwe. — Reiss, David.
Tabak=Großverschleißer: Csappo, G.

Laanschitz. Marktflecken mit einem gräfl. esterhazyschen Lustschloß. In der Nähe von Wartberg der große Wald Martony. Preßburger Komitat.

Lacaháza. Stabt Kun=Szent=Miklofer Bezirk in Ungarn.
Handelsleute.
Balázsfi, Gedeon, unter der Firma Balázsfi & Horvath. — Blayer, David. — Fuchs, Lobislaus. — Hirsch, Jakob. — Horvath, Franz, unter der Firma Balázsfi & Horvath. — Strauss, Isak. — Szödi, Mathias.

Lapos=Bánya, Dorf, Golb= und Arsenik= bergwerk. Szathmarer Komitat.

Lehotta (Király). Liptauer Komitat in Ungarn.
Gastwirth: Lux, Hermann.
Holzhändler: Lehoczky, Anton von. — Lehoczky, Anton sen. von. — Lehoczky, Eugen von. — Stotka, Martin.
Vermischtwarenhändler: Grünstein, David. — Weisz, Sigmund.

Lehotta (Neu=). Neutraer Komitat in Ungarn.
Glasfabrik: Steiner, Franz.

Leveng (Leva). Marktflecken, Barser Komitat in Ungarn. 4000 Einw. Gymnasium. Sauerbrunnen.
Abvokaten: Banáss, Johann. — Besse, David v. — Gaál, Nikolaus. — Littassy, Ludwig. — Molnár, Josef. — Stupiczky, Ludwig. — Szabó, Joh. — Várady, Joh. — Veres, Ludwig.
Apotheker: Bolemann, Franz.
Bauholzhändler: Szalay, Gabriel.
Bräuer und Branntweinbrenner: Ehrenfeld, Benjamin.
Buchbinder: Gaál, Franz. — Lovas, Johann.
Drechsler: Witlinger, Johann.
Eisenwarenhändler: Heissenberger, J. M. — Kucsera, Josef. — Kaveggia, Johann. — Unger, J.

Färber: Banyász, Stef. — Kowalowszky, Samuel.

Fruchthändler: Bélik, Gg. — Ehrenfeld, Jakob. — Holub, Stefan. — Neumann, Moritz. — Spiczer, Samuel.

Gold- und Silberarbeiter: Akossi, Ludwig. — Kern, Josef.

Habernhändler: Löwi, Heinrich.

Kupferschmiede: Gertler, Anton. — Juhász, Andreas.

Lederhändler: Blum, Ignaz. — Spiczer, Ignaz. — Stern, Philipp. — Weisz, Ignaz.

Maurermeister: Jaczko, Jos. — Priklir, Wenzel. — Zavorszky, Josef.

Nürnbergerwarenhändler: Frommer, Samuel. — Tippel, Rudolf.

Produktenhändler: Back, Wilhelm. — Friedmann, Jsidor. — Horák, Wenzel. Weinberger, Jonas.

Schnittwarenhändler: Bader, Markus. Bakó, Franz. — Fischer, Gebrüder. — Friedmann, Mayer. — Gutmann, Abraham. — Weisz, Jakob.

Seifensieder: Mikloska, Paul. — Zsitnán, Johann.

Uhrmacher: Dillenberger, Ludwig. — Dillenberger, Theophil.

Vermischtwarenhändler: Ehrenfeld, Josef & David. — Kaszanyeky, Joh. — Klein, Josef. — Koncsek, Ignaz. — Missik, Johann.

Wollhändler: Mangold, Philipp.

Zimmermeister: Bumberle, Anton.

Zuckerbäcker: Sillinger, August.

Leopoldstadt, Festung in sumpfiger Gegend an der Waag, 2 M. östl. von Tyrnau. Invalidenhaus. Neutraer Komitat.

Leschkirch. Siebenbürgen. Czammerer, Josef, Vermischtwarenhändler.

Lesina, (Dalmatien) 2000 Einw. Weinbau, Marmor, Sardellenfang.

Leutschau. (Löcse). Königl. Freistadt, Zipser Gespanschaft, Ungarn. 7600 Einw. Gymnasium, 4 Jahrm., Hopfenbau, Schafzucht.

Bartsch, Alexander, erster Vorsteher, Handelsbeisitzer, Direktor der Zipser Sparkasse, mit Tuch-, Schnitt- und Mode-, Galanterie-, Nürnberger-, Spezerei- und Farbwaren. — Fuchs, Samuel, mit Spezerei-, Nürnberger- und Farbwaren. — Herrmann, A. L., zweiter Vorsteher, mit Spezerei-, Material-, Farb-, Leder-, Porzellan- und Nürnbergerwaren. — Herrmann, Gustav S., mit Spezerei-, Farb-, Nürnberger,, Galanterie- und Lederwaren. Werkzeuge. — Juretzky, A. M. mit Vermischtwaren. — Krausz, Sam., mit Schnitt-, Spezerei-, Farb-, Nürnberger-, Eisen-, Galanterie- und Lederwaren, auch Agent der Assekuranz Generali Austo Italiche, in Triest. — Dapsy, Jul., Schnitt-, Spezerei- u. Nürnbergerwaren. — Genersich, Julius, Gemischt. — Kubatschka's, G., Witwe, Spezerei-, Nürnberger- und Eisenwaren, Leder, Glas und Papier. Agentschaft der k. k. priv. ersten österr. Versicherungs-Gesellschaft in Wien. — Steinhaus, Ludwig, Handelsbeisitzer, mit Schnitt-, Mode-, Spezerei-, Farb- und Nürnbergerwaren, Porzellan, Steingut u. Glas. — Stubenfoll, Leop., mit Schnitt-, Nürnberger-, Galanterie- und Spezereiwaren.

Buchdruck: Werthmüller, Johann & Sohn.

Buchhändler: Seeliger, Karl. Fabrik.

Fuchs, Friedrich, Eisendraht- und Kettenfabrik.

Apotheker: Bartosch, Joh. — Rochlitz, Stefan.

Advokaten: Czebányi, Georg. — Ederskuty, Konstantin. — Fest, Emerich. — Keczkés, Leo. — Lingsch, Eugen. — Nagy, Hugo. — Schmiedt, Robert. — Sváby, Ferdinand. — Szontagh, Wilhelm. — Werszter, Paul.

Bräuer: Bürgerliche Bräu-Gesellschaft.

Buchbinder: Böhmisch, Paul. — Schablik, Joh. — Werthmüller, August.

Drechsler: Hoffmann, Georg. — Paltso, Johann.

Einkehrgasthöfe: Zum grünen Baum. — Zum Reichsadler. — Zur Rose.

Färber: Fuchs, Eduard. — Lumnitzer, Ludwig.

Gelbgießer: Binder, Samuel. — Papp, Stefan.

Gold-, Silber- u. Juwelenarbeiter: Bartsch, Alex. Paul. — Kovacsik, Jos. Umlauf, Anton.
Kaffeehaus: Zum Reichsadler.
Kupferschmiede: Klein, Michael. — Spengel, Joh. Georg.
Lederer: Graff, Adolf. — Graff, Joh. — Herrmann, Samuel. — Klein, Karl. — Rombauer, Karl. — Sennovitz, Mich. — Sennovitz, Wilhelm. — S.anik, Em. — Stanik, Joh. — Szeredei, Johaan. — Wichmann, Johann. — Wichmann, Samuel.
Modistinnen und Putzmacherinnen: Demek, Antonie. — Keppler, Karoline. Klug, Karoline. — Stamminger, Aurelie. Wolfgang, Julie.
Produktenhändler: Bachler, Joh.
Seifensieder: Haas, Eduard. — Justus, Viktor u. Gustav, auch Spezereiwaren. — Lányi, Karl — Pfaff, Viktor. — Schlakofsky.
Tabak-Großverschleiß: Spitz, Brüder.
Tapezierer: Marincsak, Jos. — Rachler, Karl.
Uhrmacher: Malitsky, Anton. — Spirasch, Samuel. — Zahor, Josef.
Zuckerbäcker: Walser, Martin. — Ruffner.

Lichtenthal bei Miskolcz, (Borsoder Komitat).
Glashütte: (Pächter) Loog & Schuschelka.

Liebeten. Königl. freie Bergstadt, Sohler Komitat in Ungarn. 2000 Einw. Kupfer- und Eisenwerk.
Färber: Czochius, Josef.
Gärber: Filadelfy, Andreas. — Jamriaska, Paul — Laczko, Johann. — Palkowitz, Emerich.
Kupferschmied: Filadelfy, Johan.
Messerschmied: Kralovjanszky, Sam.
Vermischtwarenhändler: Czochius, Josef.

Lipika, Dorf, warme Bäder. (Slavonien).

Lipcse (Deutsch-). Marktflecken, Liptauer Komitat in Ungarn. 3000 Einw.

Färber: Benjacs, Andreas. — Benjacs, Josef. — Melegh, Anbr. — Mudrony, Michael.
Gärber: Barthanns, Daniel. — Rhumann, Georg.
Hammerschmied: Oberzjan, Johann.
Holzhändler: Schlesinger, Hermann. — Schönstein, Josef.
Kupferschmiede: Hendl, Samuel. — Hlavas, Thomas. — Kohuth, Kaspar.
Spezereiwarenhändler: Jureczki, J. Roth, Salamon. — Schönstein, Sam. Vogehuth, Alois.
Tuchmacher: Priechodsky, Andreas.
Wagner: Kruno, Johann.

Lipcse (Sohler). Marktflecken, Sohler Komitat in Ungarn.
Färber: Kussy, Andr. — Technowszky, Johann.
Gärber: Czambel, Samuel. — Filipcsa, Samuel. — Filipica, Michael. — Holeczi, Johann. — Holeczi, Mathias. — Holeczi, Samuel. — Jamriska, Emerich. — Institoris, Stefan. — Kmet, Johann. — Markussowszky, Samuel. — Mikouszky, Daniel. — Oranszky, Joh. Oranszky, Mathias. — Oranszky, Samuel. — Palkovics, Daniel. — Palkovics, Emerich. — Palkovics, Josef. — Palkovics, Samuel. — Szikora, Joh.
Messerschmiede: Blatniczky, Mich. — Brubacs, Joh. — Brubacs, Math. — Czambel, Andr. — Czambel, Mich. — Czambel, Nikol. — Czambel, Paul. — Czambel, Samuel. — Drako, Daniel. — Fabrici, — Gazo, Andr. — Oranszky, Emer. — Petela, Daniel. — Petela, Samuel. — Sisjak, Emerich. — Sisjak, Michael. — Terren, Mathias.
Seifensieder: Schacha, Alois.
Vermischtwarenhändler: Czochius, Gabriel Witwe. — Mastalirz, Joh. — Steiner, Josef.

Lippa, (Temeser Gespanschaft), Marktflecken an der Marosch, mit 8000 Einw. 3 Posten von Temesvar. Sitz eines Protopopen; Maisbau, Bienenzucht, Steinbrüche, Sauerbrunnen.

Litta (Deutsch-). Barser Komitat in Ungarn.
Thonpfeifenfabrik: Sztiaszny, Elias.

Losoncz. Stadt im Neograder Komitat in Ungarn. 36 M. von Wien, 16 M. n. ö. von Pesth, mit 6000 Einw.; eine kathol. Normal-, eine evangel. Humanitäts-Schule und ein helvetisch-reformirtes Lyceum. Fünf Jahrmärkte. In der Umgegend befinden sich mehrere Glashütten, Papiermühlen, Eisenhämmer. Töpfergeschirr wird viel verfertigt.

Body, J. C., mit Galanterie- und Spezereiwaren, Tabakgroßverschleiß. — Baronkay, Karl, mit Schnitt-, Spezerei-, Farb- und Galanteriewaren, Agent der Riunione Adriat. di Sicurta Triest. — Busbak, U. H., mit Eisen-, Eisengeschmeide-, Metall-, Nürnberger-, Spezerei-, Material- und Farbwaren, Agent der ersten ungarischen allgemeinen Versicherungsgesellschaft in Pest. — Czóbel, Friedrich Witwe, Spezerei und Landesprodukte. — Gimser, J. M., mit Mode-, Schnitt- und Spezereiwaren, Agent der wechselseitigen Feuer- und Hagelversicherungsgesellschaft in Siebenbürgen. — Grimm, Ludwig, auch Niederlage der k. k. priv. Klattauer landesbef. Wäschwarenfabrik. — Kunst, Joh., mit Spezerei- und Farbwaren. — Maaks, Anton, mit Spezerei-, Kurz- und Schnittwaren. — Murgasch, Alois, mit Mode-, Schnitt- u. Spezereiw., Niederlage der ersten ungarischen Salzverlagsgesellschaft. Agent des Pesther Kunstvereins. — Ramberger, Paul, Vermischtwaren. — Rósa's, Michael, Witwe, mit Spezerei-, Farb- und Kurzwaren. — Schmiedl, Albert, mit Manufaktur-, Spezerei- und Galanteriewaren, Agent der assecurat. Generali in Triest. — Szlávy, Ludwig, mit Spezerei-, Farb- und Vermischtwaren. — Turnay, Paul, mit Spezerei und Landesprodukte. — Unger, Alexander, mit Eisen-, Geschmeide- und Nürnbergerwaren.

Fabriken.

Adler, Karl, Baumaterial-, Möbel- und Fournierschneidefabrik und Dampfmühle. — Schöller, Alexander, Kobalt u. Nikkel-zeug. — Karkalits, Demeter, Essig Mötfabrik u. Gemischtwarenhdl. Kaufleute u. Fabriken der Umgebung.

Fischer, Bernhard, mit Spezereiwaren, in Bács. — Kossuch, Joh., Glasfabrik in Catharinenthal. — Popovics, Michael, mit Kurrentwaren, in Fülek. — Záhn, J. J., Glasfabrik in Zlatno.

Advokaten: Dienes, Samuel. — Farkas, Karl jun. — Orossy, Josef. — Petyko, Emerich. — Szentpétery, Josef. Szigyártó, Samuel.

Apotheker: Geduly, Albert. — Pokorny, Eduard.

Bräuer und Essigfabrikant: Wohl, Hermann.

Buchbinder: Fekete, Benjam. — Rakottyai, Georg.

Einkehrgasthöfe: Grüner Baum. — Ungarische Krone. — Phönix.

Färber (Lein-): Bukofsky, Johann. — Kovács, Karl. — Rebák, Josef. Reinhardt, Johann.

Gärber: Balizó, D. — Barna, Sam. — Cibulka, Mich. — Dada, Joh. — Fabik, Stef. — Hellebrant, Samuel. — Hrtyánsky, Jos. — Hrtyánsky, Joh. — Hrtyánsky, Stef. — Kalmár, Sam. — Kemenyik, Sam. — Matulay's Witwe. Siska, Gg. — Szudor, Joh. — Tamasy, Mich. — Tomesik, Joh.

Gelb- und Glockengießer: Gonda, Michael, Gelbgießer. — Haidenberger, Jos. Glockengießer.

Glashändler: Schwarz, Joh.

Gold-, Silber- und Juwelenarbeiter: Keller, Samuel.

Kupferschmiede: Bukofsky, Samuel. — Hackenberger, Samuel. — Keller, Ludw., für Maschinerien und Apparate. — Stolár, Samuel, desgl.

Lederer: Andrasofsky, Joh. — Fischer, Jos. — Fuchs, Ab. — Hackenberger, Sam. — Jeszenszky, Karl. — Kalmár, Mich. — Keller, Dan. — Mráz, Stef. — Schnabel, L. — Serly, Ant. — Stolár, Gab. — Stolár, Karl.

Modistinnen: Kölbel, Anna. — Nyerges, Sus. und Maria. — Paraszkay, Susanna.

Produktenhändler: Balofsky, J. — David, Sam. — Frecska, Mich. — Galgoczy, Ant. — Kacsányi, Joh. — Káposztás, Joh. — Kemény, Karl.

Khon, Ab. — Klamárik, P. — Schleicher, Jos. — Skokan, Jos. — Skolnik, Joh. — Poloretzky, Joh. — Urban, Stefan.
Seifensieder: Klökner, F. — Secskői, Franz.
Tapezierer: Bory, Nikolaus. — Ondrus, Paul. — Schreiber, Joh. — Seiffert, Daniel.
Uhrmacher: Csaplovics, Joh. — Kovácsik, Joh.
Weinhändler: Grittner, Johann. — Stern, Heinrich.
Zuckerbäcker: Pench, Bartholomäus.

Lőre-Ponor-Remecz. Süd-Biharer Komitat in Ungarn.
Sägemühlenbesitzer: Zichi, Dominik und Edmund Grafen v.

Lövő. Szabolczer Komitat in Ungarn.
Spiritusfabrik: Szathmárer, Bistums.

Luckenhausen, (Eisenburger Komitat) Marktflecken. Flachsbau.

Ludesch, Dorf mit Sauerbrunnen (Thurozzer Gespanschaft).

Lugos. Stadt Lugoser Kreis im Temeser Banat, 7000 Einw. Weinbau. Wallachen, Deutsche u. Serben.
Buch-, Kunst- und Antiquarhandl.: Zsörner, C. W.
Eisen- und Geschmeidehbl.: Bayer, Donat. —Eckhart, Math. & Comp., u. Spezerei. — Gergely, Frz. — Licker, Joh., Spezerei-, Colonialw. und Porzellan. — Orawetz, Stefan.
Lederhandlung: Klein, Moritz.
Schnitt- und Modewaren: Blau, H.— Deuts, Gerson Söhne u. Produkten. — Deuts, Löbl & Söhne. — Deuts, M. H. Söhne u. Produkten. — Weis, H.
Vermischtwarenhbl.: Arnold & Hammer. — Blau, Josef. — Catrusca, Peter. — Deuts, Bernh. & Comp. — Ditrichstein, Sig. — Gerstl, Adolf. — Kondaly, Joh. — Perlfassater, S. —

Popowitz, Jowa. — Popowitze, Dem. Schatales, Markus. — Schieszler, Ant. Schieszler, Robert, u. Hulftepper u. Mosbewatenhbl. — Schnitzer, Adolf. — Udrja, Konst. — Weis, Brüder. — Weisser, Moritz. — Zunft, J. U.
Advokaten: Dalnoky, Adalbert v. — Faner, Johann v. — Makay, Alex. v. Petko, Lubw. v. — Podraizky, Anb. v. Wlad, Alois.
Apotheker: Kroneter, Franz.
Buchdrucker: Trauenfelner, Wenzeli, Redakteur des Lugoser Anzeiger.
Buchb. und Galant.: Kehrer, Eb. — Zündaich.
Drechsler: Kulatsek, Paul, verfertigt besonders schöne Röhre aus Steinkirschenholz. — Patri, Johann. — Szerkuly, Johann.
Einkehrgasthöfe und Kaffeehäuser: Amigo, J., Pächter, zum goldenen Hut. Emor, Peter, zum Pfau. — Geilert, J. Pächter, zur goldenen Krone. — Liska, Johann, Pächter, Franz Georg, zum schwarzen Adler. — Neumann's Witwe, Pächter, Hausenstädter Karl, zum Jägerhorn. — Tham, Franz, zur Spieluhr. Vögelein, J., Pächter, zu den drei Rosen.
Färber: Duldner, Jak. — Franz, K.— Müller, Alexander. — Pank.
Glashändler: Liebich, Franz. — Bernhard. — Parvy, Josef.
Goldarbeiter: Blum, Jakob. — Steiner. Benedikt.
Kupferschmied: Kammergruber, Joh.
Möbelhändler und Tischler: Höcher, Franz, hat besonders schöne Möbelvorräthe. — Haberer & Lang.

Mühlen.

Kunstmühle: spanische, auf Aktien gegründet, zu Lugos am Temesflusse, durch deren mechanische Einrichtung mittelst 2 Tourbinen 12 Mühlsteine in Bewegung gesetzt werden.
Schlosser: Farkas, Andreas, Schlosserei. Papp, Ferdinand, desgl. — Gärtner, Johann.
Uhrmacher: Höffler, Sch., auch Uhrenhändler. — Kustermann, Joh.
Seifensieder: Wachtel, Simon.
Zuckerbäcker: Palko, Karl. — Schneider, Johann.

Umgebung von Lugos.
Aktiengesellschaft des Eisenwerks auf Bstvovar an der Nadrag.
Bergwerks-Gesellschaft: erste Banater-Siebenbürger, in Ruszberg. Fürstenberg Fürst zu, und Haber L. v., Eisenwerke auf Istvanhegy, dann Eisen- und Bleigewerke zu Ferdinandsberg, Ruszberg und Ruszitza.
Hazi, Nikolaus, Bierbräuerei zu Szakul. Pächter, Ruszo, A. — Regitzky, Paul v., Bierbräuerei und Spiritusbrennerei zu Szgribesty.
Staats-Eisenbahn-Gesellschaft: k. k. privil. österr., im Besitze der Gold-, Silber-, Eisen-, Kupfer- und Steinkohlenwerke zu Szaska, Moldawa, Franzdorf, Gerlisztye und Damanh. Die Direktion befindet sich in Wien und Drawitza.

Lutska, Dorf, warmes Eisenbad. (Liptauer Komitat).

Magyarad, Dorf, Sauerbrunnen. (Honther Komitat).

Magyar Pécska. Araber Komitat in Ungarn.
Gutman, Moritz. — Mahler, Anton. — Szalbek, Georg.

Mako. Csanader Gespanschaft. Marktflecken a. d. Maros. 16000 Einw. Handelsleute.
Deutsch, Adolf, Schnittw. — Ehrenfeld & Spitz, Spezereiw. — Duka, Georg. Spezerei und Eisen. — Forstinger, Ant. jun. Spezerei-, Eisen- und Nürnbergerw. Graner, Ignaz & Comp. — Gyenes, Stefan, Eisen- und Spezereiwarenhändler. — Krauss, Rosalie, Weißwaren und Robistin. — Olsovsky, Samuel, Eisen- und Spezereiwarenhändler. — Ott, Karl, Vermischwarenhändler. — Paschkesz, Lazar, Nürnbergerwarenhändler. — Pulitzer, Max, Schnittwarenhändler. — Pulitzer, Simon, Spezereiwarenhändler. — Radován, Georg, desgl. — Rosenberg, Rudolf, Galanterie- und Nürnbergerwarenhändler. — Schümeghi, Rudolf, Spezereiwarenhändler. — Vober, Salomon, Schnittwarenhändler. — Weil, Spezereiwarenhändler und Tabak-Verschleiß.
Advokaten: Farkas, Mich. — Gluzek, Ludwig. — Kazay, Daniel. — Nagy, Elek. — Simon, Alexand.
Apotheker, Gábor, Josef. — Gyuritza, Alexander.
Bräuer: Danner, Alois. — Schnabel, Hermann.
Buchbinder: Beszédes, R. — Kis, Sa. Molnar, Mich.
Drechsler: Becker, Ignaz. — Gyöngyösi, Labislaus.
Einkehrhaus: Gescheider, Franz zur ung. Krone.
Färber: Maisterowits, Anton.
Gelbgießer: David, Nik.
Glashändler: Daniel, Franz. — Herrman, Friedrich. — Kirschner, Isak.
Goldarbeiter: Belak, S. — Bomstein, R. — David, A. — Kohn, A. — Zorger, S.
Kupferschmied: Serafin, Franz.
Lederer: Asztalos, Stefan. — Csala, Johann. — Csala, Josef. — Gyurase, Josef. — Kovats, Martin. — Lazar, Leontin. — Letvai, Stefan. — Rafai, Johann. — Rafai, Samuel. — Streba, Stefan. — Szemes, Emrich. — Szüts, Peter.
Modewarenhändler: Adler, Joh. — Pulitzer, Salom.
Produktenhändler: Leipnik, Hermann. Löwenstein, Lazar. — Paschkesz, Ignaz. — Polak, Abraham. — Polak, Selig. — Pulitzer, Salomon. — Schnabel, Abraham. — Stern, Jakob. — Stern, Moritz. — Stern, N. L. — Stern, Paul. Stern, Samuel. — Stern, Simon.
Seifensieder: Bleyer, Mathias. — Ilesch, Abraham. — Nagy, Franz. — Rosenberg, Ignaz.
Tapezierer: Natarkan, Thomas.
Uhrmacher: Bauer, Jos. — Zirner, M.
Vergolder: Sikora, Karl, auch Maler.
Zuckerbäcker: Horvath, Franz. — Paritsch, Josef.

Malaczka. Marktflecken, Preßburger Komitat in Ungarn.
Advokaten: Borcsányi, Joh. v. — Csaplovits, Ferdinand v. — Olle, Ludw. v. Tóth, Albert v.

Apotheker: Röhrich, Johann.
Bräuer und Branntweinbrenner: Spitzer, Isak.
Buchbinder: Weszely, Anton.
Färber: Hirschler, Simon.
Gastwirthe: Ehler, Franz. — Schalek, Josef.
Lederhändler: Freund, Mayer.
Maurermeister: Kummer, August.
Produktenhändler: Freund, Jakob. — Spitzer, Simon.
Schnittwarenhändl.: Piszk, Moriz.
Seifensieder: Spitzer, Simon.
Vermischtwarenhändler: Mayer, Jos. Piszk, Michael. — Spitzer, Samuel. — Zabreczky, Heinrich. — Zabreczky, Kaspar.
Uhrmacher: Szedlmayer, Josef.
Viehhändler: Spitzer, Leop. — Weisz, Leopold.
Weißgärber: Grünhuth, Ignaz.

Mándok. Szabolczer Komitat in Ungarn.
Spiritusfabrikant: Rochlicz, Salom.

Margita. Süd Biharer Komitat in Ungarn.
Grundherrschaftliche Bierbräuerei und Spiritusfabrik.

Maria-Theresiopel. Königl. Freistadt der serb. Woiwodschaft, in der Nähe des Palicier-Sees und des Ludascher Morastes, in einer sandigen Gegend, mit berühmter katholischer Pfarrkirche, uralter Franziskaner-Kirche sammt Kloster, Gymnasium. Handel mit Hornvieh, jungen Pferden, Schafen und Viehhäuten.
Eisenhändler: Demeratz, Adelbert, auch Nürnbergerwaren und Agent der k. k. priv. ersten österreichischen Versicherungs-Gesellschaft. — Lyubibratitseh, Johann, auch Nürnbergerwaren. — Valitsek, Bela, auch Nürnbergerwaren. — Valitsek, Anton.
Schnittwarenhändler; Berger, Armin. Demetrovits, Ignaz. — Eisenstädter. Armin & Comp. — Jacobtsits, Jos. — Klein, Isak. — Koch, Salomon. — Kollarits, Isidor. — Landauer, Martin. Manojlovits, Georg. — Manojlovits,

Alexander. — Novakovits, Emanuel. — Radisits, Joachim. — Radits, Thimotheus. — Schäffer, Babette. — Schöffer, Leop. — Schmirl, Valentin. — Schnür, Georg. — Singer, Philipp. — Sonenberg, Josef. — Valetits, Simon. — Zárits, Alexander. — Zárits, Demeter. Zárits, Paul Witwe.
Spezereiwarenhändler: Bederlitza, Steph. — Farkas, Jos. — Georgevits, Peter. — Karanovits, Georg. — Kanyovits, Johann. — Kronzlein, Andr. Manojlovits, Milovan. — Meiszner, A. S. — Simony, Josef, auch Groß-Traktant. — Stojkovits, Demeter. — Stojkovits, L. — Stojkovits, Sabbas. Uvolits, Alexander. — Zárits, Joh.
Vermischtwarenhändler: Lukits, Demeter. — Lukits, Georg. — Prakoptsány, Althanos. — Roth, Salomon. Volitsek, Josef. — Volitsek, Georg.
Advokaten: Arodsky, Euthim. — Birkás, August. — Csorda, Felix. — Dobok, Paul. — Dedinsky, Dines. — Hideg, Ignaz. — Jankovits, Michael. — Karvazy, Sigmund. — Kavatsits, Aug. Ludvits, Demeter. — Martzekita, Elias. Manojlovits, Emil. — Pinkovits, Frz. Pafkovits, Georg. — Simony, Rich. — Stojkovits, Lazar. — Zombartsevits, Franz.
Apotheker: Brener, Jos. — Hofbaner, Ignaz. — Ivó, Ignaz.
Buchdrucker: Bittermann, Karl.
Buchhändler: Oblath, Leo.
Einkehr-, Gast- und Kaffeehäuser: Goldener Hirsch. — Goldenes Lamm. — Stadt Pesth.
Glashändler: Jacobtsits, Emerich. Ivantsits, J. — Malakofsky, Math. — Szudarovits, Joh. — Speiser, Franz.

Maros-Vásárhely. 10,000 E. Hauptstadt des gleichnamigen Kreises in Siebenbürgen. 5 Jahrmärkte.
Advokaten: Bartha, Dan. — Csongvai, Karl. — Dobay, Gg. — Fekete, Frz. Jakob, Joh. — Koncz, K. — Kozma, Andr. — Nagy, Sig. — Nagy, Stef. Scheitz, Ant. — Székely, Lbg. — Szentmiklosi, Karl. — Zacharias, Sg. Apotheker: Benkö's, Alex. Witwe. — Csiki's, Franz Witwe. — Görög, Jos.

Buchbinder: Löcsei, Aler. — Szath-
mary, Joh.
Buchdruckerei: des evang. ref. Colle-
giums.
Buch-, Kunst- und Musikalienhdl.:
Wittich, Josef.
Drechsler: Hahn, Christian.
Eisen- und Nürnbergerwarenhänd-
ler: Patrubán, Nikolaus.
Eisen- und Spezereihändler: Ro-
singer, Josef.
Gold- und Silberarbeiter: Bábos,
Anton. — Darko, Samuel jun. —
Oroszlány, Alexander.
Lederer: Bocz, Daniel. — Csatt, Joh. —
Csatt, Elias. — Gussat, Joh. — Ja-
kob, Joh. jun. — Moldován, Joh. —
Solyom, Franz. — Szebeni, Michael.
Mühlen: Städtische Mühle. — Ev. Ref.
Kirche Baruch, Julius.
Schnittwarenhändler: Bardosi, Joh.
Csikí, Gregor. — Csiki, Stefan. —
Moldován & Crerbesz u. Modewaren.
Spezerei-, Material- u. Farbwaren-
händler: Algya, Daniel. — Baruch &
Richtzeit, Schnitt- u. Nürnbergerw. —
Bucher, Mar., Spez.-, Mat.- u. Farb-
warenhdl., auch Handelsvorstand.
Czebe, Emerich, Commissionär des Kron-
städter Bergbau- und Hütten-Aktienvereins
u. d. Papiertapetenfabrik von Spoerlin
und Zimmermann in Wien. — Czecz,
Nik. — Fogarasi, J. Demeter, auch Co-
lonial- und Droguengeschäft, Niederl. d.
mech. Papierfabrik in Orlath u. Ober-
letz, Spedition.
Spiritusb. und Bierbrauer: Seibri-
ger & Roth.
Spiritusbr.: Wolf, Gerson. — Nemes,
Daniel.
Spir.-, Kos.- u. Branntweinf.: Baruch, Jeremias.
Spir.-, Kos.- u. Essigf.: Fischer, Julius.

Martinsberg, unter dem Berge Sacer
mons Pannoniae, mit 1600 Einw. Weinbau. Raaber Komitat.

Mátészalka. Szathmarer Komitat in Un-
garn.
Spiritusfabrikanten: Kaskovits, Jos.
Schwarcz, Moritz. — Ujfalusi, Sg.

Matra-Berkely. Neograber Komitat in
Ungarn.
Dampfmühle: Almasy, Gedeon v., un-
ter der Firma „Zirebeser Dampfmühle.“

Mathildenhütte (Post Glünitz) in Ober-
Ungarn.
Eisenwerk: Mathildenhütte.

Mediasch. Stadt. Herrmannstädter
Kreis. Bedeutender Weinbau, Webereí,
am großen Kokelfluß. Siebenbürgen.
Gasthäuser: Zur goldnen Traube, Binder.
Zur Stadt Mediasch, Flegel.
Apotheker: Folbert, Friedr. — Balthis,
Martin. — Schuster, Mich.
Advokaten: Schabesch. — Schuster,
Rudolf.
Branntweinb.: Baruch, Jeremias. —
Galg, Wilh. — Schmidt, Michael und
Daniel.
Drechsler: Kessler.
Essigf.: Gräser.
Färber: Schimmer, Dan. — Bandl,
Sam. — Grässer, Dan.
Gärber (Roth-): Dietrich. — Drodluff,
Friedr. — Mallmer, Martin. — Roth,
Johann.
Seifensieder: Ansel, Samuel. — Grä-
ser, Joh. sen. — Gräser, Joh. jun. —
Orendy, Samuel. — Orendy, Karl. —
Roth, Michael. — Tschaky, Sam. —
Wolf, Joh.
Tuchmacher: Nikesch.
Zuckerbäcker: Walther, Schweizer.
Eisenhändler: Gräser, N. G. & Sohn
auch k. k. Bayda-Hunyader Eisenwer-
schleiß, Waffen. — Obrth, Gebrüder.—
Schlosser, Franz, auch Nürnberger W.
Brandsch, Friedr., dsgl.
Materialwarenhdl.: Brokner, Karl, Co-
lonial, Spezereí-Farbw. — Draser, Karl.
Spezer.-Farbw. und Droguer. — Gug-
genberger, F. Jos., Colonial, Spezereí,
Farb-, Glas- und Porzellanhandl. Ein-
und Verkauf von Staatsobligationen n.
Spedition. — Wandori, Franz, auch
Gemischthdl.
Schnitt-, Tuch- und Modewarenhdl.:
Caspari, Karl, auch Gemischt. — Hen-
ter, F. & Fleischer, Karl. — Rideli,

8 *

Jof. — Schuller, Mart. — Rosenauer,
R. G.
Dermifcht: Buresch, J. — Hersch, A.
Herrmann, E., auch Tabakverschleiß und
Nürnberger W. — Brandsch, J. F. —
Jekely, Karl. — Kapp, Frz. — Orendy,
Friedr. — Rosenauer, Fr. — Wolf. —
Zirbid, Anton.
Lederhdl.: Mallmer, Martin.
Lederhdl. und Schuhwaren: Ipsen,
Karl.

Mehadia, Dorf an der Krajowa, mit
1500 Einw. Warme berühmte Herkulesbä-
der in 8 Quellen 28—48° Wärme; Schwe-
fel-Quellen. (Banatische Militärgrenze).

Mönes, Dorf, Weinbau; der mönescher
Wein, nach dem tokayer der süßeste und
geistigste rothe Sektwein, wächst auf der
ganzen anstoßenden Gebirgskette. (Arader
Komitat).

Metzenseifen, 7 St. westlich v. Kaschau,
4000 Einw., meist Sachsen. (Abany Tor-
naer Komitat).
Eisenwarenerzeugniß: Böhm, Si-
mon. — Caspar Gedeon Gaebl & Comp.
Gedeon Partl & Comp. — Heidl &
Comp. — Kosch, A. & Böhm. —
Schärger & Schmotzer.

Mezö-Berenu, mit 9600 Einw. Luther.
Gymnasium, Weinbau, Biehzucht, Oelmüh-
len. (Bekeser Komitat).

Mezö-Köveßd, mit 5700 Einw. (Borsoder Komitat).

Mezö-Telegd, Süd Biharer Komitat in
Ungarn.
Spiritusfabrik: Haller, Alex. Graf v.

Mezö-Tür, Marktflecken mit 4000 Einw.
Töpferei. (Hevefer Komitat).

Miava. Marktflecken, Ober Neutraer Ko-
mitat in Ungarn. 9000 Einw.
Abvokaten: Cservinka, Abg. — Hoszú,
Johann.
Beuteltuchhbl. u. Beuteltuchmacher:
Babatsek, Paul. — Csernek, Mich. —
Galik, Paul & Daniel. — Jurenka,
Paul. — Kocsvara, Joh. — Krisko,
Paul. — Kubicza, Paul. — Malarik,
Daniel. — Manatsek, Samuel & Joh.
Pakan, Joh. — Pakan, Paul. — Pa-
kan, Stefan. — Pull, Joh. — Sulecz,
Johann. — Szadlon, Joh. — Wrbicz,
Samuel.
Bräuer: Bohaty, Josef.
Buchbinder: Wagner, Herschl.
Eisenhändler: Fixl, Moses.
Gärber: Deván, Paul. — Riegl, Joh.
Getreidehändler: Haberfeld, Sig. —
Mandl, Gabriel.
Lederhändler: Rosenzweig, Jakob.
Schnittwarenhändler: Grünbuth, Her-
mann.
Seifensieder: Haberfeld, Sigmund.
Spiritusfabrik: Jurenka, Johann.
Vermischtwarenhdl.: Fixl, Moriz.
Wollhändler: Werner, Jakob.

Mihálydi. Szabolczer Komitat in Ungarn.
Spirituß.: Kandel, Simon. — Sztre-
liczky, Emerich.

Milova, Dorf, Kupferbergwerk. (Arader
Komitat).

Miskolcz. Markt, Borsoder Gespanschaft
in Ungarn. Station der königl. kais. privil.
Theißbahn. 30,000 Einw., an der Szinwa,
worunter Juden, Türken und Zigeuner; reform. und kathol. Gymnasium, Hauptschule,
walach. Schule, Weinbau. Fünf Jahrmärkte,
besonders bedeutend in Früchten, Wein,
Branntwein ꝛc., noch mehr belebt aber dadurch, daß alle Hauptstraßen von Ober-Ungarn hier durchführen. Die Gegend ist
reich an Wolle, Knoppern, nahen Eisenwer-
ken, Papiermühlen, Glashütten, Bädern,
Mineralquellen.
Buchhandlung: Fränkel, Bernh.

Glas- u. Porzellanhdl., auch Blech-
holzhdl.: Koos, Martin.
Großhändler Pollak, Jakob & Söhne.
Schnittwarenhändler: Bard, Sim.—
Diamant, Meyer. — Didrichstein, Sa-
lomon. — Friedländer, Ernst & Comp.
Greger, M. — Gretsch, Emanuel. —
Ixel, Kaspar. — Kurncz, Thomas. —
Raab, Bernhard. — Stern, Jos. & Sohn.
Spezerei-, Nürnberger- und Kurz-
warenhändler: Baum, Salomon sel.
Witwe. — Braun. — Burger, Jak. —
Furman, Friedrich, auch Porzellan en
gros u. Hutstepperwhbl. — Hertz, Ab.—
Klein, Leopold. — Kohn, Lazar. —
Kohn, Salomon. — Königstein, Jg. —
Lövinger, Ignaz. — Müller, Karl. —
Nagy, Paul. — Padits, Ant. — Raz-
tokay, Gustav. — Schönwald, M. —
Spitz, Heinrich. — Zauer, Josef. —
Weltner. S.
Spezerei-, Material- und Farbwa-
renhändler: Bede, Ladislaus, besitzt
auch Wattefabrik in Miskolcz. —
Debreczenyi, Daniel. — Kohary, Sa-
muel, Spez.-, Fark-, Mat.-, Papier und
Samenhandlung. — Spuller, A. Jos.—
Ujváry, Franz. — Zorkovszky, Aug.
Eisenhändler: Csatlas, Franz. — Fa-
zekas, Ladislaus. — Klir, Franz. —
Klir, Josef. — Kubatska, Stefan. —
Molnar, Pet. — Rethy, Karl.
Lederhändler: Fabian, Leopold. — La-
zar, Emanuel. — Povossky, J. —
Poerger, Moriz.
Kommission und Spedition: Forster,
Ludwig. — Lichtenstein & Füresz. —
Gross, Leon., Spedit. Büreau d. k. k.
priv. Theiß-Eisenbahn. Kommiss. und
Produktengeschäft, siehe spec. Adreßkarte.—
Fischmann, Jos. A. & Comp.
Möbelhändler: Pick, Jgn.
Rauchrequisiten: Rosenzweig, Leop.
Eisenwerke: Kameralische, in Diós-
Györ.
Fabriken: Mildner, A. F., Steingut. —
Schöller & Reich, Pächter der herzogl.
Coburg'schen Zuckerfabrik in Edelény.
Gärber: Balajthy, Karl. — Izsó, Gg.—
Katona, Jos.
Hutstepper und Kürschnerwaren:
Klein, Salomon. — Nagy, Em. jun.
Spez.-, Nürnb.-Kurzw., auch Buchver-
schleiß.

Kürschner: Bibza, Daniel. — Razar,
Samuel. — Schnaider, Michael.
Riemer: Lörinczy, Michael. — Takats,
Jos.
Schlosser: Barsony, Josef. — Orosz,
Ludwig. — Oroszfy, Andreas.
Seifensieder: Bejkor, Th. — Lesch,
Bar. — Hartmann, Jos. — Lux, Jg.—
Magdiar, Karl.
Tischler: Benisz, Jos. — Eles, Lud. —
Kemenszky, Karl.
Zuckerbäcker: Giovanni. — Schweitzer.

Miszt-Bánya, Dorf, Gold u. Silberbau. (Szathmárer Komitat).

Miszttótfalu. Szathmárer Komitat in
Ungarn.
Besenszky, Paul, Spiritusfabrikant.

Mitrowitz oder **Demetrowitza**, Marktflecken an der Save, mit 3500 Einw. Re-
gimentsstab, Kastellamt, Mädchenschule.
Handel (Armische Militärgrenze).

Mittelwald. Eisenbau. Sohler Komitat.

Modern. Königl. Freistadt, Preßburger
Gespanschaft in Ungarn. 5000 Einw., am
Fuß des karpath. Gebirge. Weinbau, Be-
rei.
Eisenhändler: Farkass, Karl.
Vermischtwarenhändler: Pauszo, Da-
niel. — Plihal, Josef. — Rátz's, Joh.
sel. Witwe. — Stalisz, Peter. — Stoy,
Vinzenz.
Advokat: Probaszka, Joh. Rep.
Apotheker: Pauer, Gottfried.
Buchbinder: Schömegh, Paul.
Einkehrgasthof: Klingl, Johann.
Färber: Grassl, Samuel. — Renners-
dorfer, Paul.
Lederer: Emresz, Johann. — Twrdon,
Samuel. — Wagner, Karl.
Müller: Brunovszky, J. — Dubowszky,
Josef. — Dubowszky, Paul. — Janko-
vits, Martin.
Seifensieder: Tamler, Samuel.
Tabak-Großverleger: Staliss, Peter.

Tuchmacher: Czizsik, Ferd. — Müllner, Josef. — Müllner, Michael. — Müllner, Samuel.
Wollspinner: Schnell, Johann.

Mogyorós. Szabolcser Komitat in Ungarn.
Rochlitz, Moritz, Spiritusfabrikant.

Mohács. Stadt, Baranyaer Komitat in Ungarn. 12000 Einw. an der Donau. Handel mit Wein und Produkten. Eisenbahn nach Fünfkirchen. Festes Schloß. Sitz eines griech. Protopopen, kathol. Gymnasium. Schlachten 1526 und 1687. Von hier bis Eszek sind auf einer Strecke von mehr als 100,000 Joch des edelsten Erdreichs die Sümpfe ausgetrocknet und die Ueberschwemmungen der Donau von mehrern 1000 Joch abgehalten worden.

Auber, Ferd. C., Nürnberger- und Galanteriewaren. — Auber, Joh., Eisen- und Spezereigeschäft, dann Tabak-Großverschleiß und Spedition. — Auber, Joh. Rep., Eisen- und Spezereiwaren. — Deichesz, Moritz & Comp., Schnitt- und Modewaren. — Fischhoff, Leopold & Comp., desgl. — Friedmann, Karl, Nürnberger- und Galanteriewaren. — Kögl, Andr., Spezereiwaren. — Miskolczy, Max, Schnittwaren. — Philipp, Franz, Eisen- und Spezereiwaren. — Roth, Leopold, Nürnberger- und Galanteriewaren. — Rall, Joh., Eisen- und Spezereiwaren. — Rummel, Joh. Baptist, Eisen- und Spezereiwaren, auch Spedition. — Steiner, Moritz, Schnitt- und Modewaren. — Witt, Josef, Eisen- und Spezereiwaren.
Advokaten: Goócs, Josef v. — Hatos, Gustav v. — Pasits, Mich. — Reder, Karl.
Apotheker: Magyarly, Jul. — Pirker, Julius.
Buchbinder: Schröder, Franz.
Dampfmühlinhaber: Wächter, Karl.
Färber: Aidenbichler, Ignaz.
Gärber: Waimann, Josef.
Kupferschmied: Radits, Franz.
Lederhändler: Füchsl, Ferdinand — Tauszik, Leopold.

Modistinnen: Schwarzmann, Babette. — Stenger, Theresia.
Möbelhändler: Wassinger, Johann.
Produkten- und Steinkohlenhändler: Fleischmann, Franz.
Schneider und Kleiderhändler: Funtal, Josef. — Weiss, Franz.
Seifensieder: Witt, Franz.
Steinkohlenhändler: Fögler, Jos. — Klombauer, Franz. — Rudanovits, Kozma.
Weinhändler: Auber, Joh. Rep.
Zuckerbäcker: Bárány, Josef.

Moldau (Sepsi), 8 St. südwestl. v. Kaschau.
Eisenwarenhdl.: Radatsy.
Gemischt: Weiss, Max. — Weiss, Jos. — Glatter, M.

Monyoró. Araber Komitat in Ungarn.
Spiritusfabrikant: Urban, Julius.

Moór. Markt im Stuhlweißenburger Komitat, 1 Post von Stuhlweißenburg, 5½ von Ofen, mit 8000 Einw.

Moffocz. Marktflecken, Arva Tureczer Komitat in Ungarn.
Apotheker: Toperczer, Ludwig.
Färber: Kohut, Samuel. — Lilge, Samuel. — Miskoczy, Johann.
Gärber: Hrivnak, Josef. — Marisek, Johann. — Rasko, Gebrüder.
Kupferschmied: Kirk, Ludwig.
Schnittwarenhändler: Miskoczy, Sg. Preisigh, Israel.
Vermischtwarenhändle: Elsatz, Jakob. — Perl, Johann. — Soltiez & Horwath. — Tauszek, Max.

Mühlbach, an dem Mühlbach, Weinbau, Hermannstädter Kreis. Siebenbürgen.
Apotheker: Binder, Friedrich.
Gasth.: Goldner Löwe. — Grammlger, Gottfried zum Tiger.
Eisen- u. Spezereihdl: Weissörtel, G. Adolf.

Materialh.: Leonhard, J., auch Spe=
zerei = u. Eisenhdl. — Simon, Gregor,
auch Vermischte, Schnitt= und Spezereiw.
Schnittwarenhdl.: Dahinten, Josef,
auch Tuch= und Modew. — Dobai, Gre=
gor jun. — Focxava, Demet. — Po=
lotzky, Anton & Sohn.
Vermischt: Besan & Ueveges. — Ohnitz,
Joh. — Kabdebo, Ant. — Paraskio,
Jgnaz.
Weber: Baumann, Friedrich.
Seifensieder: Andrée. — Pander, Gg.
Wallaka, G. Jof.
Färber: Brakner. — Freund.
Fabriken: mech. Papierf. in Petersdorf
bei Mühlbach auf Aktien. — Ziegelfabrik
auf Aktien, Direktor Binder, Friedrich.
Effigf.: Berg, Wüh.

Munkacs. Stadt und Festung, Beregher
Komitat in Ungarn. 5000 Einw., in der
Nähe die Festung auf einem Berg. Eisen=
werke.
Advokaten: Guthy, Ladislaus. — Hor=
váth, Alois. — Jászai, Anton. — Kar=
lovaki, Gustav. — Oláh, Stefan. —
Román, Franz. — Schuller, Samuel.—
Szunyogby, Ludwig. — Vári, Alex.
Apotheker: Gottier, Leopold. — Hra=
béczi, Alex.
Bräuer: Fried, Jakob. — Fried, Moritz.
Kroó, Alexander. — Lorber, Isak.
Buchbinder: Kohn, Jgnaz. — Mileaz,
Stefan.
Buchhändler: Tóth, Karl.
Drechsler: Amsl, David. — Róbel,
Franz. — Weinberger, Wilhelm.
Eisenhändler: Kestenbaum, Jakob. —
Meisels, Baruch. — Meisels, Rosel.
Einkehrgasthöfe: Halperth, Moritz. —
Weinberger, Sam.
Fabriken: Haupt, Jos., Zündrequisi=
tenfabrik. — Maurer, Gebrüder, Me=
tallwarenf. — Schönborn, gräfl.
Alaunfabrik. (Direktor Dinzerz Komla).
Färber: Nemes, Menhard. — Vimmert,
Anton.
Gelbgießer: Goldberger, Hermann. —
Rosenfeld, Rosel.
Glashändler: Taub, Josef.
Gold= und Silberarbeiter: Klein,
Jakob. — Weisz, Albert. — Zole, Ab=
raham.

Kleiderhändler: Schwarz, Albert.
Kupferschmied: Geidzsinszki, Paul.
Lederhändler: Brand, Israel, auch Ber=
mischtwarenh. — Friedmann, Jgnaz. —
Friedman, Simon, auch Eisen = und Ver=
mischtwarenhändler.
Lederer u. Gärber: Adám, Johann. —
Borkáles, Johann. — Borkáles, La=
bisl. — Breuer, Moritz. — Kovács,
Kulcsár, Franz. — Lahotai, Josef. —
Lőrinczi, Sigm. — Palotai, Joh. —
Tártzi, Johann. — Tártzi, Sigm.
Modistinnen: Adler, Josefa. — Duso=
vazki, Karolina. — Pendl, Helena. —
Weinberger, Ester.
Produktenhändler: Farbenblum, Sa=
muel. — Farbenblum, Sim. — Fried=
man, Jos. — Fülman, Wolf. — Gold,
David. — Kálus, Rosel.
Seifensieder: Kontner, Josef. — Man=
dics, Karl. — Weinberger, Salomon.
Schnitt= und Modewarenhändler:
Berger, Joel. — Kroó, Mendel. —
Meisels, N. Josef. — Meisels, Mayer
& Josef. — Meisels, Simon.
Tabak=Großverschleiß: Meisels, Mo=
ritz.
Uhrmacher: Brand, Bernhard. — Brand,
Nathan. — Klein, Hermann.
Vermischtwarenhändler: Horvicz, Sa=
muel. — Kestenbaum, Ch. Herschl.
Kestenbaum, Nathan. — Meisels, Jos.
Oestreicher, Lövi. — Tóth, Karl.

Nagy= und Kis=Almas, Dörfer, Gold=
und Silber=, Arsenik= und Antimonium=
werke; die Erze geben 90 — 340 Loth im
Ztr. Silber, das aber ⅛ Gold enthält.
Siebenbürgen.

Nagy=Bánya. Szathmarer Komitat in
Ungarn. 6000 E. Außer Kukuruz wird
hier wenig Getreide gebaut. Die Berge
sind mit guten Kastanienbäumen bewachsen.
Verfertigung irdener Gefäße. Den Mangel
an gutem Trinkwasser ersetzt bis auf andert=
halb Stunden entfernte Sauerbrunnenquelle,
von wo das Wasser in die Stadt befördert
wird.
Eisen= und Spezereihändler: Harac=
sek, Josef.
Schnittwarenhändler: Csausz, Joh.

& Comp. — Donowák, Anton. — Simai & Kerekes.

Vermischtwarenh.: Desenczky, Ant. — Haracsek, Johann Rep. — Husofszky, Paul. — Jerssabek, Peter. — Negezsány, Anton. — Ridl, Ignaz. — Seffer, Josef & Johann Witwe. — Zásslófi, Kajetan & Sohn.

Apotheker: Brenner, Joh. — Szendy, Joh.

Bierbräuerei und Spiritusfabrik: Städtisch.

Buchbinder: Kibling's, Jos. Witwe.

Gold- und Silberarbeiter: Roth, Moriz.

Gürtler: Strasser, Eduard.

Sattler: Jádl's, Karl Witwe. — Jándell, Karl. — Sroll, Ludwig.

Seifensieder: Dworák, Franz.

Nagy-Enyed. Karlsburger Kreis in Siebenbürgen. Marktflecken, nicht weit vom Marosch, mit 6000 Einw. Ungarn, Sachsen, Armenier, Griechen, Wlachen; Sitz des Obergespans und Comitatgerichts, reform. Consistorium und Collegium.

Advokaten: Mester, Karl. — Tomay, Michael — Veres, Karl. — Veres, B. Zoltán, Joh.

Apotheker: Körösy, Joh. — Olert, Jos. Scherer, Georg. — Wilversdorfer, Ant.

Eisenhändler: Ungár, M.

Schnittwarenh.: Biró, Bog. — Martoffy, Joh.

Spezereiwarenh.: Bene, Jos. auch Material- und Farbwarenhändler. — Bisstricsányi, Alexander, auch Eisen- und Farbwarenhändler. — Lukács, Georg.— Pap, Joh. — Szakoll, Stefan.

Vermischtwarenh.: Izay, Gregor. — Székelyhidi, Joh. — Winkler, Joh.

Nagy-Falu. Szabolcser Komitat in Ungarn.

Weiss, Ignaz & Löwenthal, Sam., Spirituisfabrikanten.

Nagy-Kálló. Szabolcser Komitat in Ungarn. Marktflecken 5000 Einw., in einer morastischen Gegend.

Vermischtwarenhändler: Bleuer, Jos.

Czinz, Jakob. — Deutsch, Hermann.— Deutsch, Bernhard. — Fürst, Salomon. Friedmann, Bernhard. — Grosz, Jg.— Harstein, Ignaz sen. — Löffler, Hermann. — Mandel, Jakob. — Mandel, Josef. — Mandel, Saloman. — Mandel, Simon. — Reichmann's, Isak Witwe. Rosenberg, Salomon. — Steinhensel & Hauser.

Apotheker: Kobilicz, Karl.

Bräuer: Harstein's, Franz Witwe, Eigenthümerin.

Buchbinder: Nagy, Michael.

Büchsenmacher: Somják, Karl.

Einkehrgasthöfe: Kertész, Georg. — Roth, Emanuel.

Gelbgießer: Weinberger, Bernhard.

Glaser und Glashändler: Támoczy, Johann.

Kupferschmied: Grünberger, Abraham.

Mehlhändler: Hatstein, Ignaz jun.

Sattler: Knébel, Karl. — Sümegbi, Christof.

Uhrmacher: Vojsiczky, Ignaz.

Zimmermaler: Fügefa, Bernhard.

Zuckerbäcker: Fester, Anton.

Nagy-Károlyi. Markt, Szathmarer Komitat in Ungarn. 7 M. von Debreczin, mit cir. 14,000 Einw. Piaristengymnasium, Hauptschule, Comitathaus der Gesp., große Jahrmärkte. In der Nähe der erdet Sumpf, 5 M. lang, 1½ M. breit, und mit einer Decke von Schlamm und Wurzeln überzogen; in der Mitte die Trümmer eines Schlosses, das einst als Zuflucht gegen die Tartaren diente.

Eisen- und Nürnbergerwarenhändler: Kiss & Schuster, Spezereiwaren. Posonyi, Ladislaus. — Wagner, Lud.— Witt, Karl, Spezereiwaren.

Lederhändler: Freund, Tobias. — Stern, Jonas.

Spezerei- und Materialwarenhändler: Ekker, Michael. — Schöberl, K. Großtrafil. — Schusteritsch, Lőrinz. Szécsényi, Anton. — Winterhalter, Anton.

Tuch-, Seiden- und Kattunwarenhändler: Blum, Josef. — Böhm's, Abraham Witwe. — Böhm, Jakob & Sohn. — Lutz, Joh. — Polácsek's Abraham Witwe & Sohn. — Sternberg, Abraham. — Sternberg, Jakob.

Vermischtwarenhändler: Bermann, Josef & Sohn. — Böhm, Sam. jun.— Kaufmann, Martin. — Perls, Jakob.— Polacsek, Wilhelm. — Rosenberg, Simon. — Schwartz, Isak. — Spitz, Ignaz. — Spitz, Lain. — Taub, Ignaz.— Weisz, Ignaz.

Advokaten: Ballog, Jos. — Csengeri.— Uray, Jos. — Veres, Alex. — Zanathy, Michael.

Apotheker: Jelinek, Ant. — Koritsánsky, Ladisl. — Saager, Alois.

Bierbrauerei: Karolyi, Graf.

Buchbinder u. Buchhändler: Lantos, Ladislaus.

Buchdrucker: Gonyei, Jos.

Drechsler: Tanacskovits, Josef.

Färber: Czervenyak, Josef. — Torner, Anton.

Gelbgießer: Klausz, Gustav.

Glashändler: Erber's, Jos. Witwe. — Libhauser, Jos. — Probst, Anton. —

Goldarbeiter: Taub, Ig. — Tizmann, Jakob.

Kaffeehaus: Jonás, J.

Kupferschmiede: Hanusz, Ant. — Wagner, Stef.

Produktenhändler: Berger, Abrah. — Rákosy, Friedr. — Rooz, Ezechiel.

Seifensieder: Gindele, Jos. — Witt, Josef.

Uhrmacher: Fogel, Franz. — Roth, Alois.

Vergolder und Maler: Hippe, Fiebr.

Zuckerbäcker: Glück, Karl.

Nagy-Mihály a. d. Straße von Kaschau nach Munkacs.

Apotheker: Hrionyak, D.

Spezereiw.: Wassermann, Baruch. —

Eisenwaren en gros: Lavothu, Bin. — Brennig, Franz.

Schnittw.: Brand, Pinkas. — Friedemann, S. — Klein, Ab. — Weisz, D.

Oelfabrik: gräfl. Sztaray'sche.

Nagy-Körös, Marktflecken mit 13,500 Einw. Reform. Gymnasium, schönes Stadthaus, große Jahrmärkte, Viehzucht. Feld- und Weinbau. Pesther Gespanschaft.

Nagy-Léta. Szabolcser Komitat in Ungarn.

Mandell, Rudolf, Freih. v., Spiritusfabrik.

Nagy-Musaly, (Beregher Gespanschaft), Dorf, Alaunsiederei.

Nagy-Szőllős oder **Groß-Alisch**, Marktflecken mit 2300 Einw. Weinbau.

Nagy-Tany. Komorner Komitat in Ungarn.

Schnittwarenhändler: Neuman, Mart.

Vermischtwarenhändler: Brann, Jakob. — Frankl, Josef.

Zuckerfabrik: Nagy-Tanyer k. k. priv. Rübenzuckerfabrik.

Nagy-Barsany. Szabolczer Komitat in Ungarn.

Gyulay, Graf v. Familie, Spiritusfabrik.

Nimeszto. Marktflecken, Arva Turoczer Komitat in Ungarn.

Apotheker: Medwetzky, Joh.

Färber: Gorsz, Jakob. — Kußér, Anton. Schiffer, Lazar.

Gärber: Schlesinger, Leo.

Kaffeesieder und Weinhändler: Janowitz, Joachim.

Leinenwarenhändler: Grosz, Her. — Groszfeld, Jos. — Huczik, Josef. — Kubányi, Joh. — Murin, Anton. — Schidala, Anton. — Stein, Heinrich. Stein, Ignaz. — Tandlich, Moriz.

Rosoglicfabrik: Deutsch, Ema.

Schnittwarenhändler: Groszfed, Jos.

Spezereiwarenh.: Klein, Abraham.

Vermischtwarenh.: Baum, Josef. — Goldstein, Jos. — Neumann, Nathan.— Strauss, Jakob.

Naszvad. Komorner Komitat in Ungarn.

Geschirrhändler: Weisz, Sam.

Schnittwarenh.: Levi, Wilhelm.

Spezereiwarenh.: Adler, Kaspar. — Kotka, Albert. — Roth, Ignaz.

Vermischtwarenh.: Neu, Benjamin. — Weiss, Karl. — Weiss, Leopold.

Reczpall. Arva-Turoczer Komitat in Ungarn.
Papierfabrik: Schötter, Gebrüder.

Nemes-Kotessò. Trentschiner Komitat in Ungarn.
Brauer: Millich, Bernhard.
Holzhändl.: Horn. Moritz. — Löwy, Alex. — Millich, Moritz. — Ney, Ab. Popper, Leop. — Simek, Sam. — Wittenberg, Moritz. — Zeljenka, Moritz.

Neszmely, guter Weinbau.

Neu-Arad. Marktflecken. 4 Jahrmärkte, am linken Ufer der Maros.
Apotheker: Schlanch, Eb.
Abvokaten: Födaschi, Ludwig. — Kohnar.
Gemischtw.: Kebely, Ignaz. — Ott, Leop.
Eisenhb.: Fock, Joh.
Spez., Mat.- u. Farbw.: Janoschka. Orth, A. J. — Stranky, A. G.
Schnittw.: Rorbura, Em. — Hackel, Ignaz. — Herth, Hch.
Glash.: Krämer, Alois.
Seifensieder: Liebek, Isak.
Uhrmacher: Haas, Gg.

Neuhäusel am Neitraflus. Marktflecken. Unter-Neutraer Komitat in Ungarn. 7000 Einw. Eisenbahnstation. Handel mit Wolle, Waizen u. Korn.
Abvokaten: Csizmazia, Michael. — Hamar, Paul. — Helle, Franz. — Lázár, Aler. — Nedeczky, Florian. — Sajtos, Barnabas. — Tóth, Stefan. — Turcsányi, Alexander.
Apotheker: Fogd, Gabriel, zum goldenen Löwen.
Baumeister: Spiszár, Andreas.
Drechsler: Utry, Abelbert. — Weisz, Lorenz.
Eisenhändler: Kapisztory, Franz. — Preiss, Joh. — Stallberger, Josef.

Essigsieder: Stern, Jakob.
Gärber: Federits, Emerich. — Matecz, Josef. — Oriska, Abam. — Walasek, Stefan. — Widowits, Joh.
Gastwirthe: Bittó, Anton. — Huszár, Wendelin. — Tomanóczy, Josef.
Goldarbeiter: Király, Abolf.
Kaffesieber: Geider, Johann.
Kupferschmied: Strohofer, Stefan.
Lederhändler: Löwi, Albert.
Nürnbergerwarenhändler: Latzko, Filipp.
Schnittwarenhändler: Fleischmann, Abolf. — Leuchter, Abolf. — Leuchter, Eman. — Leuchter, Leopold. — Teller, Herm. — Wix, Davit.
Seifensieder: Pinter, Joh. — Stadtrucker, Ant. — Techt, Franz.
Spezereiwarenhändler: Neumann, Simon. — Pollak, Moritz.
Uhrmacher: Hartl, Georg. — Himmelmayer, Anbreas. — Kiripolszky, Flor.
Vermischtwarenhändler: Conlegner, Ignaz. — Kappel, Josef. — Moravitz, Josef. — Roth's, Wltwe. — Tsach, Johann.
Zuderbäder: Csauder, Georg. — Pöck, Georg.

Neusatz. Königl. Freistadt der serbischen Woywodschaft und des Temeser Banats, der Festung Peterwardein gegenüber, 9 Posten von Essek, 5½ von Semlin, 20 von Ofen, mit 24,000 Einw. Eine Schiffbrücke verbindet Neusatz mit Peterwardein, an der Donau, worunter viele Raizen und Juden. Sitz des griech. Bischofs von Bács, königl. Gymnasium, serbisches Gymnasium für nicht unirte Griechen, katholische und illyrische Gymnasien, katholische Hauptschule. Von hier an nordöstlich bis zur Theis geht die Römerschanze (romani aggeres), eine altrömische Verschanzung zur Befestigung der Landspitze zwischen der Donau und Theis; hier fand man römische Anker, Waffen, Münzen, Schiffschnäbel zc. Jetzt bewohnen diese Gegend die 1200 Tschaikisten, deren Stab und Zeughaus zu Titul an der Donau ist. Die Einwohner treiben starken Handel mit Syrmier Wein, Slivowitz, Honig, Wachs, Schafwolle, Bauholz, ordin. Brodfrüchten, und vorzüglich mit Hafer, Rübsamen, Branntwein, Kohlen, Kalk. Die zwei sehr nahen Einflüsse der Theiß und der Save in die Donau bieten der Stadt mannigfaltigen Vortheil im Handel, und bilden dieselbe zu einem nicht unbedeutenden Speditionsplatz nach Ober-Ungarn, Croatien und Siebenbürgen.

Eisen- und Geschmeidewarenhändler: Kegel, Anton. — Moser, u. Spedition.

Buchhändler: Fuchs, Ignaz. — Hintz, Karl.

Baumwollgarnhändler: Marinovics, Nikolaus. — Nikolics, Stefan. — Rankovics, Georg, sel. Witwe.

Modewarenhändler: Nikolics, Stef.— Savics, Theodor.

Schnitt- und Modewarenhändler: Altwirth, Friedrich. — Koda & Dimitrievics. — Maletics, Joh. — Miodragovics, Isak. — Mirkovics, Georg. — Nikolics, Svetozar. — Novakovics, Anton. — Polith, Joh. — Radulovics, Konst. — Schotics, Nestor. — Subotics, Sabbas.

Spezerei-, Material- und Farbwarenhändler: Barako, Gab. — Busek, Joh. Ant. — Fellner, Albert u. Colonialw. — Guthan, Joh. — Kostics, Joh. F. — Mihailovics, Paul M. — Milovanovics, Nikolaus. — Raith, Joh. Widaschits, J. L.

Dermischt-, Nürnb.-, Band- u. Galanteriewarenhdl.: Kopriwicza, Nikolaus. — Schreiber, Ferdinand. — Stefanovics, Ignaz. — Slaischics, Nikolaus sel. Witwe. — Zrnics, Euftim.

Dermischt-, Nürnbergerw.- und Geschirrhdl.: Csavits, Georg. — Lukacsek, Simon. — Marinkovics, Alex. — Matoschevics, Josef. — Maximovics, Alex. — Nedics, Demeter. — Perles, Samuel. — Sterio, Joh. sel. Witwe. — Ernst, Joh.

Advokaten: Balla, Paul. — Dimitrievits, Paul. — Joikics, Trifon. — Jovschics, Gregor. — Isakovits, Const. — Kondorosy, Georg. — Matics, Johann. — Petrovics, Andreas. — Petrovics, Joh. Popovics, Const. — Radovanovics, J. Schillics, Michael. — Subotics, Joh. — Tomekovics, Joh.

Apotheker: Grosinger. — Ludvig.

Bauholzhändler: Avedig, Karl. —

Kumer, Josef. — Petrovics, Nikol. — Teschics, Basel. — Zsivanovics, Joh.

Binder: Bauer. — Ertel, Jakob. — Koswitz, Josef. — Mayer, Franz.

Bräuer: Vinkle & Hackstock.

Buchbinder: Krobsch, Valentin. — Kreschmer, Ernst.

Büchsenmacher: Kegl, Gg. — Cito.

Drechsler: Hembt, Jos. — Jausz, Jos.

Essigsieder: Gillming, Jos. u. Probulten und Hauptagentur der österr. Versicherungsgesellschaft Phönix. — Böhm, S.

Färber: Fentsch, Frz. — Herrmann. — Szevin, Peter.

Gasthäuser: Kaiserin Elisabeth, Lichtscheine, Josef. — Goldnes Lamm, Bogsan. — Jägerhorn, Kittinger, Ant. — Kranz, Miskotzy.

Glaser: Mushamer, Michael. — Novak, Michael. — Heim, D.

Goldarbeiter: Hlawacs, Karl. — Kolmaer, Josef. — Radovanovics, Euftim. Schmidt, Eb.

Instrumentenmacher (chirurgische): Köhbaum, Franz.

Kammacher: Roschits, Bonaventura. — Schuber, Josef.

Lederer: Köbl, Gebrüder. — Weis, Wilhelm.

Möbelniederlage: Frankl & Söhne. — Hochstein, Ignaz. — Bonda.

Rauchwarenhändler: Popovics, Gab.

Schnürmacher: Fogaroschy, Kaspar. Perkovics, Witwe.

Seifensieder: Panautovics, Euftim. — Petrovits, Ciril. — Geyer. — Sawits, Demet.

Seiler: Uhlischberger, Franz.

Siebmacher: Jankovics, Jos.

Spängler: Schwee, Franz. — Uhrveis, Anton.

Strumpfstricker: Cerisch, Joh. — Falb, Johann.

Tischler: Dim, Jos. — Kovats, Paul. Ludwig. — Menrath, Laur. — Sefcsek, Mart. — Slezak, Anton.

Tuchscherer: Seidl, Franz.

Uhrmacher: Blau, Robert. — Klumak, Jakob. — Mayer. — Morgoschy, Ant. Wolf, Matthäus.

Wagner: Nenadovics, Stef. — Tattics.

Weinhdl.: Trenker, Franz.

Wattamacher: Hirth, Frz.

9 *

Reusiedel, am See gl. R., mit 1800 E. Wieselburger Komitat.

Reusohl. Stadt in Ungarn. 20 M. n. von Pesth, Gymnasium, Berggericht, Seminar, Kupferbergwerk, Schmelz- und Hammerwerk, Papiermühle, Handel mit Eisenwaren und Leinwand, Blei, Glätte, Antimon, Auripigment, Berggrün, Wachs, Tuch, Leder, Käse. 2 Posten von Schemnitz, 1½ von Kremnitz, in einem niedern, von hohen Bergen eingeschlossenen Thale, am Zusammenflusse der Bistrica in den Gran-Fluß. Die Eisen- und Kupferhämmer, in welchen Kupfer- und Eisenrath gezogen wird, sind beträchtlich. Gleich hinter den Kupferhämmern sind in einem engen Thale, an einem Bache viele Pulvermühlen, und vor dem Unterthore ist eine Erzröste und k. Schmelzhütte, in welcher man das von Schemnitz heraufgeführte Silbererz und den Schlich schmelzt. Das Holz kommt aus den ungeheuren Waldungen an der Gran. Die Damascener Säbel-Klingen, welche hier verfertigt werden, sind berühmt.

Eisenwarenhändler: Puschmann, Jgnaz. — Würsching, A. B.

Vermischtwarenhändler: Damay, K. Dillnberger, L. E. — Eisert, Ant. — Eisert, Karl. — Hlavats, Peter. — Kotiers, C. A. — Lübek's, A. B. Witwe. — Mally, Joh. — Móry, Frz. Móry, Joh. — Puschmann, Josef. — Palesch, Karl. — Paudler, Josef. — Palkovits, Ludwig. — Stadler, H. G. & Comp. — Szumrak, S. E. — Szumrak's, Samuel Sohn. — Wagner, Jos. Würsching, Friedrich.

Reustadt. Kronstädter Kreis in Siebenbürgen. Zeil, Friedrich und Arzt, Paul, k. k. laubf. Spiritusfabrik.

Reustadtl an der Waag. Marktflecken, Ober-Reultraer Komitat in Ungarn. 5000 Einw., guter rother Wein.
Advokaten: Jeszenszky, Ludw. — Kruplanits, Th. v. — Nedeczky, Sig. — Thomka, Peter. — Toth, Joh.

Eisenhändler: Salvendy, Moses. — Salvendy, Jakob.
Färber: Wagacs, Emerich.
Färber: Adamiza, Paul. — Drietomszky, Johann. — Engelsmann, Moses. — Freund, Michael. — Freund, Sig. — Grosner, Leop. — Holländer, Jak. — Stir, Leopold.
Getreidehändler: Ehrenfeld, Ignaz. — Engelsmann, Maref. — Herzog, Jak. — Laczko, Joachim. — Neumann, Mor.
Glashändler: Löwinger, Leopold. — Schönfeld, B.
Gold- und Silberarbeiter: Galandauer, Jakob. — Herzl, Majer. — Wogyeraczky, Josef.
Gürtler: Porubsky, Samuel.
Holzhändler: Fuchs, Gebrüder.
Hauthändler: Bak, Abraham. — Diamant, Selig. — Fuchs, Joachim. Schwitzer, Markus.
Kupferschmiede: Blacsovsky, Stefan. Blaho, Stefan.
Produktenhändler: Bayersdorf, Leop. Figdor, Philipp. — Schlesinger, Elias. Schrötter, Markus. — Steiner, Mor.
Rosoglio-Destilateur: Schenk, Elias.
Schnittwarenhändler: Fuchs, Abr. Steinmann, J. J. — Stern, Lazar. Szegner, Jak. — Szegner, Phil.
Seifensieder: Friedler, Hermann.
Spezereiwarenhändler: Elias, Maref. Erben, Johann R. — Frankl, Jsak. Friedler, Jakob. — Kunz, Joachim. Laufer, Samuel. — Sommer, Sam. — Waller, Josef.
Spirituserzeuger: Engelsmann, Jg. — Felber, Sigmund. — Kaufmann, Herschl. Tellek, Josef.
Tuchwarenhändler: Brick, Sal.
Uhrmacher: Hlawaty, Gab.
Vermischtwarenhändler: Eisler, Samuel.
Weinhändler: Kramer, Simon. — Neugreschel, Georg.
Wollhändler: Czobel, Bern. — Elias, Joach. — Elias, Salamon. — Freund, Joachim. — Freund, Sam. — Fuchs, Jakob. — Groszner, Bernh. — Horowitz, David. — Nathan, Ignaz. — Nathan, Salomon. — Pollak, Jsak. — Schroter, Jos. — Spitzer, David. — Taub, Jos. — Wachter, Eduard.

Zimmermeister: Novak, Jos. & Georg. Marek, Anton.
Zuckerbäcker: Hadrawa, Franz.

Neustadtl an der Kiszutza. Marktflecken. Trentschiner Komitat in Ungarn.
Advokaten: Udrunszky, Peter.
Branntweinbrenner: Hohoss, Joh. — Lord, Michael.
Gärber: Kubicska, Johann. — Kubicska, Paul. — Starinszky, Joh. — Starinsky, Josef.
Leder- u. Wollhändler: Pukoss, Jos.
Salzhändler: Weil, Rudolf.
Bermischtwarenhändler: Braun, Moriz.
Weber: Filo, Anton. — Hornis, Frz.

Neutra. Bischöfl. Stadt. Unter-Neutraer Komitat in Ungarn, 10 M. östlich v. Pressburg.
Advokaten: Beznak, Emerich. — Bócz, Sig. — Bodánszky, E. Dr. — Bohunka, P. v. — Bohunka, S. v. — Bugányi, E. v. — Detrich, Etuart. — Gotthardt, P. de Bebseh. — Hohenstegh, A. Ritter. v. — Hunyady, Em. Krajcowits, J. de Panfalva. — Kubinyi, Alex. de F. Kubin. — Kubinyi, S. de F. Kubin. — Latkóczy, Johann de Cadem. — Latkóczy, Karl. — Lelkes, Franz de Bobafalfa. — Mázolay, Stef. Merey, D. de Kapos-Mére. — Nagy, A. de Feifö-Bük. — Papanek, Bul. — Szakállos, Joh. — Szentál, Georg. — Szentiványi, Paul. — Samiela, Math. — Vancsay, Paul. — Vavrovich, Ant. v.
Apotheker: Lang, Adolf. — Rippely, Franz.
Baumeister: Horvath, Anton.
Bildhauer: Fugert, Emrich.
Bräuer: Pisztl, Karl.
Buchbinder: Huleczius, Joh. — Pollak, Hermann.
Buchdrucker: Neugebauer, Josef.
Buch- und Kunsthändler: Siegler, Michael.
Drechsler: Bäuerlein, Gab. — Koch, Michael.
Eisenhändler: Kramer, Hermann. — Munels, Ignaz. — Seober, Franz. — Strehle, Josef.

Färber: Gasparik, Ant. — Winter, E.
Gärber: Ehrenfeld, Abr. — Lamos, Andreas.
Gasthöfe: Altmann, Josef, zum weißen Lamm. — Goldmann, Jak., zum golb. Schoppen. — Korn, Jos., zum goldenen Pfennig. — Streichhammer, Ant. zur goldenen Krone. — Toifel, Josef, zum golb. Hirschen. — Wilheim, Salomon.
Gemischtwarenhändler: Csernyak, Stefan. — Edinger, Salom. — Ehrenfeld, Leopold. — Gerstl, Emanuel. — Guth, Isak. — Kohn, Nathan. — Otto, Gustav. — Schwarz, Filipp. — Sommer, Jonas. — Teslery, Franz. — Waczay, Peter. — Zeisel, Michael.
Getreidehändler: Fürchtgott, Jak. — Grünfeld, Sig. — Löwinger, Herm. — Löwy, Adolf. — Löwy, Sal. — Quittner, Sam. — Schönfeld, Adolf. — Steiner, Jakob. — Stuks, Salomon. — Weiss, Josef. — Weiss, Simon.
Glashändler: Brach, Emanuel.
Golb- u. Silberarbeiter: Szodomka, Georg. — Vedródy, Franz.
Großhändler: Schönfeld, Gebrüder.
Gürtler: Reinspeck, Alois.
Holzhändler: Reichfeld, Salomon. — Schick, Isak. — Schaiczer, Adolf von Lindenstam. — Weiss, Adolf. — Weiss, Gabriel.
Kupferschmied: Blazsowszky, Lorenz. Feger, Josef.
Kurzwarenhändler: Braunsteiner, Jos. Vogelsang, Franz.
Lederer und Rauchwarenhändler: Klein, Jak. — Kohn, David. — Kohn, Jakob.
Maschinist: Lonsky, Fillpp.
Modistinnen: Kramarik, Julie. — Rosenfeld, Marie. — Vogel, Charlotte.
Nürnbergerwarenhändler: Buschmann, Ludwig. — Frank, Mathias. Gasparik, Johann.
Potaschensiederei: Singer's, Wilhelm Witwe.
Produktenhändler: Blum, Isak. — Braun, Aron. — Ehrenfeld, Herm. Hof, Mark. — Klein, Gab. — Kohn, Mark. — Kohn, Salom. — Kohn, S. Michel, Jak. — Schwarz, Salom. Strauss, Wolf. — Unger, Moses. Weinberger, Moriz. — Zilz, Abrah.
Schnitt- und Tuchwarenhändler:

Adler, Ab. — Brach, Laj. — Deutsch, Salo. — Goldstein, Anna. — Hirschler, Moritz. — Kraus, Benj. — Kraus, Bernh. — Kraus, Leop. — Lustig, N. Neumann, Abr. — Neumann, Jakob. — Neumann & Singer. — Offenberger, Offenberger Samj. — Rosenfeld, Jak. Rosenfeld, Natc. — Salvender, Isidor. Schwarz, Joach. — Silberstein, Joach. Sreher, Stefan. — Sruh, Leopold.
Seifensieder: Aitner, Alois. — Bárenfeld, Karl. — Merkader, Anton. — Merkader, Josef. — Simonovanszky, Georg. — Spitzstein, Salo.
Spediteur: Edinger, Isak.
Spezereiwarenhändler: Beutum, Jg. Ebrenfeld, Herm. — Fülberger, Rudolf. Gross, Jos. — Hirsch, Max. — Neumann, Isak. — Rottenstein, Jakob. — Sánthó, Josef. — Stein, David. — Weiss, Eduard.
Spiritus- u. Branntweinhändler: Diamant, Max. — Hartmann, Sal. — Stein, Leop. — Staks, Rich. — Weiss, Ignaz. — Wollner, Jos.
Tapezierer: Hartmann, Ab. — Kapsz, Franz.
Uhrmacher: Gabel, Georg. — Gammel, Franz. — Strauss, Adalbert.
Zuckerbäcker und Kaffeesieder: Famler's, Karl Wirwe. — Löwin, Eman. — Pascher, Franz. — Stampa, Ulrich.

Nizsna. Dorf, Árva-Lutočzer Komitat in Ungarn.
Holzhändler: Pafcsuga.
Papiermüller: Kangyera, Josef.

Roigrad (Dalmatien) an einem Meerbusen, mit 1000 Einw. Austernfang, Spuren der römischen Stadt Corinium.

Ruflar. Esseger Komitat, Bezirk Dukovar in Slavonien.
Dampfmühle: Khuen, Brüder Grafen, auch Dampfsägewerke.

Nyir-Abony. Szabolczer Kom. in Ungarn.
Karolyi, Georg Graf von.

Nyir-Báthor. Szabolczer Komitat in Ungarn.
Schnitthändler: Gross, Sam. — Rosenberg, Israel.
Vermischtwarenhändler: Kacz, Israel. Mandel, Abraham. — Mandel, Eduard. Mandel, Israel. — Rozenberg, Moritz. Sternberg, Abraham. — Weiss, Moritz. Weiskron, Josef. — Zecherman, Nathan & Sohn.

Nyir-Bakta. Szabolczer Komitat in Ungarn.
Spiritusfabriksinhaber: Degenfeld, Emrich, Graf von. — Gross, Familie.

Nyir-Csaholy. Szathmarer Komitat in Ungarn.
Spiritusfabrikanten: Berger, Abr. — Berger, Isak & Jakob. — Katz, Aron.

Nyiregyháza. Szabolczer Komitat in Ungarn, cir. 16000 Einw., luth. Gymnasium. Soda- und Salpetersiederei, a. b. priv. Theißbahn.
Eisenhändler: Fábry, Karl. — Mányik, Josef.
Porzellanwarenhändler: Ferdlicska, Joh. — Sir, Ignaz.
Schnittwarenhändler: Czincz, Sam. Stern, Emanuel.
Vermischtwarenhbl.: Czincz, Ignaz. — Czukker, Herm. — Fábry, Gabriel. — Fried, Jak. — Orbán, Karl. — Reichmann, Salomon. — Sárossy, Josef. — Strausz, Jakob. — Szamueli, Baruch & Sohn. — Vitéz, Karl.
Apotheker: Hoentsch, J. — Mathasides, Gustav.
Buchbinder: Kollár, Karl. — Reinecke, August.
Büchsenmacher: Barthe, Stef. — Ullmer, Joh.
Kurschmied: Karner, Martin.
Einkehrgasthof: Spissák, Anton.
Färber: Hibján, Daniel. — Hibján, S. Noszák, Sam. — Suták, Adam.
Kupferschmied: Velenczey, Gustav.
Lebzelter: Homolya, Sam. — Uwezda, Samuel.

Oelschläger: Máy, Adolf. — Andreas.
Sattler: Nagy, Peter. — Schadeberg, Gustav.
Seifensieder: Mär, Adolf. — Puchy, Paul. — Schatz, Wilhelm.
Zinngießer: Rokonál, Joh.
Zuckerbäcker: Gredig, Jeremia. — Szumeghy, Stefan.

Oberkerz bei Hermannstadt. Siebenbürgen. Kiessling & Com. Papierfabrik auch Glasfabrik.

Oeskow. Dorf, Ober-Reutraer Komitat in Ungarn.
Spiritusfabrik: Frankel, Sam.

Oedenburg, cir. 20,000 Einw. an der Ikva, königl. Freistadt, gleichnamiger Gespanschaft. Ungarn. Von Oedenburg geht eine Eisenbahn über Neustadt nach Wien. In einer gesunden, weinreichen Gegend, wovon ein großer Theil sich mit Weinbau nährt. Ober-Provinzials- u. Kriegs-Commissariat, Kriegskassa, Hauptdreißigst-, Salz- und Postamt, Wechselgericht, Militär-Erziehungshaus; Gymnasium der Katholiken, protestantisches Lyceum. Das in der Nähe von 1½ Stunden auf städtischem Gebiet liegende Steinkohlenbergwerk am Bremberge liefert eine große Menge Braunkohlen. Königl. k. privilegirte Zucker-Raffinerien die viele Menschen beschäftigen, Ruster Ausbruch, Potaschsiederei, Spodiumfabrik, Buchdruckerei. Starker Handel mit Wein, welcher seiner besondern Güte wegen nach den entferntesten Ländern verführt wird, Früchten, Wolle, Honig, Weinstein, Knoppern, Potasche, Slivowitz, getrocknetem Obst in Schachteln u. a. m. Viehmärkte (40,000 Stück Hornvieh, 150,000 Schweine).
Flandörffer, Ignaz, Präsident.
Advokaten: Ebergényi, Alex. v. — Frank, Martin. — Fürst, Karl. — Gaal, Alex. v. — Glozer, Franz. — Hauer, Sam. Kirschner, J. F. — Maresch, Josef. — Messáros, Gust. — Nagy, Alex. v. — Palló, And. — Papp, Karl v. — Reichenhaller, Jos. v. — Schütze, Theod. — Szeybold, Karl. — Szigéthy, Jos. v. — Tamaska, Stefan v. — Tekusch, Aug.

Tomsits, Barth. — Vitéz, Josef v. — Vnkanisch, Vict. — Wunsch, Karl.
Apotheker: Eder, Ferdinand. — Lux, Franz Xaver. — Rupprecht, Josef. — Voga, Eduard Anton.
Band- und Zwirnhändler: Deim, M. Jahn, Jos. — Klaar, Jos. — Wagner, Josef.
Bandmacher: Wagner, Franz.
Baumeister: Handler, Josef. — Hild, Ferd. — Hild, Georg. — Markel, Jos. Mechle, Franz. — Wanitzky, Franz.
Blumenmacher: Hartmayer, Louise. — Jahn, Maria. — Spah, Katharina.
Braumeister: Flandorffer, Ignaz, Besitzer des Bräuhauses in Wandorf und Pächter des Bräuhauses in Neuhof.
Buchbinder: Jentsch, And. — Lagler, Joh. — Printz, Jos. — Prosswimmer, Karl.
Buchdrucker: Reichard, Adolf. — Romwalter, Karl.
Buchhändler: Seyring, Ab. — Manitius, Franz Ludwig.
Büchsenmacher: Bergmann, Jos.
Deckenmacher: Bertl, Lud. — Bertl, Samuel.
Drechsler: Fodor, Dan. — Gebhard, And. — Gebhardt's, Kath. Witwe. — Guth, Joh. — Töpfer, Gott.
Federnhändler: Buck, Eduard.
Feuerspritzen- und Eisenbrunnen-Fabrik: Seltenhofer, Friedrich.
Gast- und Einkehrwirthshäuser: Graf, Michael, zum Schwan. — Jäger, M., zur goldenen Ente. — Landgraf, Th., zum schwarzen Adler. — Leiner, Karl, zum König von Ungarn. — Neurihrer, Anton, zum goldenen Hirschen. — Raidl, Johann, zum grünen Baum. — Schauschitz, Lor., zum weißen Rößl. — Landgraf, S., zur ungarischen Krone. — Wagner, Andreas. — Schindler, Wilh. zur weißen Rose. — Schmied, Leopold, zum Fürst Esterhazy. — Sommer, Mich. zur goldenen Sonne. — Szabó, Joh., zum goldenen Hahn. — Tschürtz, Math., zum Palatin. — Wich, Joh., zum lustigen Bauer.
Gelbgießer: Fröhlich, Stefan.
Glaser und Glashändler: Bergmann, Ludwig. — Dollmayer, Mathias. — Graber, Alois. — Schuster, Karl.
Goldarbeiter: Buck, Markus. — Buck,

Franz X. — Klein, Christian. — Koller.
Paul. — Kugler, Heinrich. — Kugler, Georg.

Gürtler: Harse, Carl. — Haupt, Jos.

Eisenhändler: Hoffmann, Gottlieb. — Kovács, Franz. — Rátz, August. — Thirring, Ferd. — Thirring, Math. — Zügn, J. G. — Zügn, Tobias.

Flachs- und Baumwollwaren-Niederlage: Eckel, Ferdinand sen. — Flandorfer, Ignaz. — Kalmar's, G. Eibam & Regenhart, J. L.

Geschirr- und Porzellanhändler: Kalmar's, G. Eibam & Regenhart, J. Wagner, Samuel.

Nürnbergerwarenhändler: Guggenberger, Joh. — Guggenberger, Paul. — Jakobi, Wilhelm. — Pachhofer, Lud. — Schafnitzel, Jos. — Tiefbrunner, M.

Schnittwarenhändler: Eckel, Ferd. — Frankl. — Gross, Jg. u. Jos. — Gorgias, S. Gottlieb. — Heuffel, Carl. — Jakobi, Fried. Ernst. — Mrazek, Frz. Pollak, Sim. — Purt. — Pseudesack, M. L. — Rosenfeld, Max. — Rosenfeld. — Schiller, G. L. — Schöll, G. Sriebaumer, A. — Walheim, Jos. Ww. Wödl, Andreas. — Zettel, C. u. Szöllösy.

Spezereihändler: Berlakowitsch. — Brandl, Anton. — Flandorffer, Ignaz, auch Weinhändler en gros, Commission-, Spedition-, Wechsel- und Inkassogeschäft. Hauptagentur d. k. k. priv. Azienda Assicuratrice in Triest, p. Procura zeichnet dessen Bruder Joh. Flandorffer u. dessen Cousin Heinr. Flandorffer. — Friedrich, L. — Horváth, St. und Zergényi. — Hillebrand, Vincenz, auch Liebr.- und Rosogliofabrik. — Lenck, Samuel, Kolonialw. und Weinhbl. en gros, Produkten, Sped.-, Com.-, Geld- u. Obligationen Verwechslung-, Inkasso- und Wechselgeschäft und Hauptagentschaft der ersten allg. ung. Assek. Gesellschaft in Pesth. — Müller, Paulin & Spedition, Hauptagentschaft der k. k. priv. Nuova Societa Commerciale d'Assicurazioni, Hauptagentschaft des Anker, Repräsentant der Donaubona. — Müller, Franz. — Pinterits. — Russ, Jos. Witwe. — Seybold, Carl. — Steiger, Jos. — Schwarz, Anton. — Schmiedl, M. — Vanisch, Alexand. — Zergenyi, Julius, auch Papierhbl. und Agentschaft der ersten ungarisch. Assekuranzgesellschaft in Pesth. — Zechmeister, Georg.

Speditionsgeschäft: Flandorffer, Jg. Isepp, Johann. — Lenck, Samuel. — Müller, P.

Tuchhändler: Szöllösy, Franz Georg. — Töppler, Carl. — Wrchovsky, Ferd.

Handschuhmacher: Dittmayer, Joh. — Lokazek, Wenzel — Mayer, Franz. — Schwarz, Martin.

Hutfabrik: Petrik, Josef.

Hutmacher: Ballhauser, Josef. — Klein, Samuel. — Schampach, Joh. — Zillig, Carl.

Instrumentenmacher: Czegka, Joh. — Fischpera, Konrad.

Kaffeesieder: Dillinger, Carl. — Dollmayer, Franz. — Krippel, Ignaz. — Lafferl, Johann. — Reisch, Carl. — Stock, C. — Waiss, Ignaz.

Kalkbrennereien: Handler, Josef. — Lenck, Ferdinand. — Schneider, Frz. — Wanitzky, Franz.

Kammmacher: Brukner, Josef. — Igler, Johann. — Hinsch, Friedrich. — Lindt, Lorenz. — Mayerhofer, Josef. — Reitter, Peter.

Kappenmacher: Braun, Jos. — Rückert, Josef. — Habich, Franz.

Käse- und Salamimacher: Gombord, Carl. — Isola, Leonhard. — Moretti, Vincenz.

Kettenschmiede: Stockinger, Carl. — Kovács, Franz.

Knopfmacher: Gruber, Grg. — Kummert, Friedrich.

Kupferschmiede: Hiernschrodt, Carl. — Hiernschrodt, Josef. — Reichel, Jul.

Kürschner: Eigner, Frz. — Kutschera, Johann. — Pfendesack, Wilhelm. — Raidl, Stefan.

Lebzelter u. Wachszieher: Dollmayer, Franz. — Eipelthauer, Josef sen. — Eipelthauer, Jos. jun. — Eipelthauer, Katharina. — Gold, Math., Wachszier.

Lederer: Kundt, Gottlieb. — Töppler, Ludwig. — Trogmayer, Samuel. — Töpler, Michael. — Trogmayer, Mich.

Lederhändler: Abeles, Wil., Erben. — Györy, Jos. Witwe. — Jauernigg, Jos. Töpler, Michael. — Spitzer, Max.

Lein- und Zeugweber: Böhm, Julius, Witwe.

Bauer, Johann, Zeugweber. — Heintz, Joh. — Halbauer, Jos. — Kaschka, Johann. — Paul, Karl, Zeugweber. — Walter, Anton, Zeugweber.

Likör- und Rosoglio-Fabriken: Hillebrand, Vincenz, k. k. privilegirt. — Lenck, Joh. — Slubeck's, Witwe. — Zettel, Josef.

Maschinenfabrik und Eisengießerei: Pohl u. Krämer, k. k. priv.

Messerschmied: Molterer, Joh.

Modistinnen: Blaschey, Theresia. — Gariboldi, Marie v. — Nageri, Mathil. — Rosenbusch, Katharina. — Tschehora, Theresia.

Müller: Brandlhofer, Ant. — Greillinger, Ferd. — Greillinger, Mich. — Hayder, Ant. — Krauss, Kath. Wwe. — Möhl, Konr. — Mühl, Sus. Wwe. — Rehm, Georg. — Schönherr, Josef.

Nadler: Kummert, Friedrich.

Opticus: Wagner, J. C.

Photograph: Skutta, Karl. — Wagner, J. C.

Produktenhändler: Flandorffer, Ignaz. Hirschler, Christian. — Horschetzky, Robert. — Rosenfeld, Jak.

Regenschirmmacher: Schmidt, Karl.

Schönfärber: Geyschläger, A. — Kluge, E. — Schätzel, Sam.

Seidenfärber: Fischer, Franz.

Seifensieder: Kummert, Karl. — Kremsaner, Michael. — Maninger, Joh. Georg. — Schmidt, Sam. — Stadler, Schilling, Karl. — Schöfberger, Albert. Ullrich, Karl.

Seiler: Dorner, Witwe. — Ulner, Karl. Oberlohr, Karl. — Schopf, Johann. — Wurm, Mathias.

Siebmacher: Brenner, Ferd. — Brenner, Gottlieb. — Gruber, Karl. — Hutter, Andreas. — Hutter, Paul.

Spaarheerd-Fabrik: Goldmann, Antons Erben, k. k. priv.

Stärkmacher: Thiering, Samuel. — Zepko, Ignaz, auch Wattamacher.

Strumpfwirker: Wunderlich, Ludw.

Tapezierer und Möbelniederlagen: Gohringer, Josef. — Haag, P. — Hörr, Rudolf. — Schremsa, Karl. — Scherer, Karl. — Zelinay, Michael.

Tuchmacher: Einbeck, M. — Einbeck, Samuel. — Hartmann, Jak. — Krauss, Samuel.

Uhrmacher: Kornauth, Aler. — Kregtzy, Johann. — Keller, Wilhelm. — Nieweit, Frz. — Rosenbusch, Leopold. — Schauer, Georg.

Bergolder: Gaál. — Jermann, Karl.

Wattamacher: Kleer, Michael. — Part, Josef. — Schindler, Anton. — Zepko, Ignaz, auch Stärkmacher.

Weinhändler: Baumann, Georg. — Flandorffer, Ignaz. — Lenck, Sam. — Müller, P.

Weißgärber: Brückner, Christian. — Selben, Karl.

Bildprethändler: Regenbogen, Karl. Szlama, Ignaz.

Zeugschmied: Fakk, Joh.

Ziegeleiinhaber: Friedrich, Stef. — Hasenauer, Aug. — Lenk, Ludw. — Oedenburger. — Pejacsevich, F. Graf. Schmidt, Sam. — Ullain, Anton.

Zuckerbäcker: Kugler, Ant. — Schwaby, Jakob.

Chocoladef.: Haidmann, Witwe.

Zuckerfabriken: Carstanjen, Gust. — Rupprecht, Joh. v. sen. (Raffinerie). — Siegendorfer'sche Zuckerfabrik nächst Oedenburg unter der Firma Patzenhofer, Corab & Baechle, J.

Ofen. Festung, an der Donau, Pesth gegenüber, mit welchem es durch eine 600 Schritt lange Kettenbrücke verbunden ist; 4 Vorstädte: (Wasser-, Raizen- und Christina-Stadt, und Neustift) ringsum, am Abhange des Berges; 10 kathol., 1 griechisch-nichtunirte Kirche, 40,000 Einw. (Ungarn, Deutsche und Raizen). Sitz eines griechisch-nichtunirten Bischofs, der königl. ungarischen Statthalterei, der königl. ungarischen Hofkammer und des General-Commandos. Ferner ist hier ein k. k. Wechselamt, ein Ober-Post- und Dreißigstamt; verschiedene Fabriken. Archi-Gymnasium, Sternwarte, mehrere Nationalschulen, Mädchenschule, städtisches Krankenhaus, Spital der barmherzigen Brüder, Spital für Frauen bei dem Elisabethinerinnen, Versorgungshaus für Bürger und Bürgerinnen, Frauenverein und Kleinkinder-Bewahranstalt; Schloß, wo die Reichskleinodien aufbewahrt werden, in dessen Kirche die rechte Hand des heil. Stephan, ersten apostolischen Königs von Ungarn sich befindet, Zeughaus, Landhaus,

Hofkammer = Gebäude. Ofen hat berühmte warme Natur- Bäder, welche von Fremden aus der weitesten Ferne besucht werden. Die Einwohner treiben vielen Weinbau, und der Ofner Wein ist nicht nur einer der stärksten und berühmtesten des Landes, sondern wird auch weit und breit verführt.

Antiquar=Buchhdl.: Burian, Anallia,— Bellosoviis, K.

Apotheker: Bakats, Alex. — Frum, Stefan. — Kirátovits, Florian. — Majláth, Rudolf v. We. — Ráth, Peter.— Scheich, Karl. — Schwarzmayer, Joh. Toth, J. — Wlassek, Eduard.

Asphalt: Pest=Ofner Asphalt=Unternehmung, Hunkler, Franz.

Bräuer: Nierenberger, G. A. O.

Branntw.=, Lit= u. Essigf.: Heimann, Jos. — Lazarsfeld, L. R.

Buchdrucker: Bago, Martin, Universitäts-buchdrucker.

Buchhändler: Schröpfer, Andreas.

Bürstenmacher: Agh, Josef. — Amann, Ant., W. — Eichberger, G., W. — Ertl, Ant. — Fuchs, Leop. — Kaesz, Jos. — Künstner, Ferd. — Liedl, Jos. Pauer, Jakob. — Roditzky, Fr. — Strobl, Joh.

In Altofen.

Billmayer, E. — Házmann, R. — Lunzer, Karl. — Schmidt, Joh. — Schimko, Mathias.

Chemische Fabrik: Jassovitz, Simon in Altofen.

Dampfmühle: Werther, Frieb. — Barbers, Söhne. — Blum, Joh.

Drechsler: Berganer, Ant. — Domlás, Stef. — Eger, Georg, W. — Geiger, J. W. — Kranz, Alois, W. — Kranz, Jos. — Leibel, Franz. — Ney, Jos.— Pall, Jak. — Schäffer, Frz. — Schäffer, Jos., W. — Schopper, Jos. R. — Schopper, Joh.

Altofen.

Jocsen, Andreas. — Lai, F., Bw. —

Eisengießerei: Ganz, A. (siehe spez. Adresskarte). — Huber, R. — Schlick, Ign. (s. spez. Adresskarte).

Blaufärber: Fischer, Franz. — Kreutz, Frz. — Müller, Jak. — Pitter, Rudolf.

Altofen.

Freund, Isak. — Pichler, Nath.

Feilhauer: Bartl, Frieb. R. — Weinberger, A.

Fischer: Bauer, Ant. W. — Berner, Joh. — Fischer, Andr. — Frum, Joh. Gratz, Ign. — Jubász, Jos.

Fourniere: Tischler, Nikol.

Gasthöfe: Dampfschiff Szolnol, Goigner, Josef. — Drei Hauer, Schlaucher, Alois. — Fortuna, Fischle, Franz. — Goldner Brezen, Meissel, Leop. — Goldner Hahn. — Goldnes Lamm, Mayer, Franz. — Goldne Sonne, Ernst, Jos.— Goldner Stern, Omasta, Joh. — Grüner Baum, Hoppinger, Ign. — Grüner Kranz, Steinbach, J. — Kettenbrücke, Biro, Lub. — Lukasbad, Heinlein, Nik. Rother Ochs, Schuster, Jos. — Sieben Kurfürsten, Pachhuber, J. — Stadt Debrezin, Heyer, W. — Weißer Wolf, Varga, Joh. — Weißes Lamm, Eckmayer, Mich.

Altofen.

Eichhorn, Blumenstock, Frz.

Glanzwichser.: Potok, R.

Glaser: Frans, Alois. — Heinisch, Ant. Krausz, Josef. — Ott, Joh. — Reichenwallner, Josef, W. — Spaczek, Vinzenz.

Außer der Innung.

Adler, Philipp. — Alker, A. — Breitner, L. in Altofen. — Diamantstein, David, L. — Epstein, Dav. L. Glassel, A. in Altofen. — Hamberger, Alois. — Leitner, Jos. — Lichtenfeld, R. — Pollak, Josef, L. — Rosenfeld, Karl. — Roth, Samuel. — Roth, Sig. Schwarz, A. L. — Steiner, Bernh. — Tausig. Markus.

Gelbgießer: Helbig, Ant. — Löw, Joh. Lab. — Müller, Joh. W. — Schäffer, Ludw. — Witke, Georg, W.

Glockengießer: Schwab, Jos.

Goldarbeiter: Schuster, Josef.

Gürtler u. Bronzearbeiter: Freuberger, St. — Walter, Frz.

Stückmeister: Gretschl, Jos. — Otho, Ludw. — Würth, Jos. — Braun, Herm. in Altofen.

Bürg. priv. Handelsstand in Ofen und Altofen.

Eisenwarenhändler: Csokes, Alois.— Franczenbach, Jos., Altofen. — Freyberger, Alois. — Fürst, Math. — Seidl, Jos. — Tiry, Joh. jun. — Wirker, Joh. W. — Wolf, J. R., W.

Geschirrhändler: Ehrlich, J. G. W.

Leinwarenhändler: Farian, Math., W. Szahán, Jos., W.

Papierhändler: Pauer, Ludw., W. — Stern, Moriz.

Produktenhändler: Brunner, Ant. — Thoma, J. F.

Schnittwarenhändler: Bauer, Max. Becker, F. A. — Crempeltz, Thomas. Guttmann, Jos. — Iványi, Ludw. — Löbl, Fried. — Löbl, Wolf. — Matyeka, Elias. — Mosánsky, Karl. — Schuller, Ignaz, Altofen. — Stöckl, J. Thein, Karl. — Thein, Leop.

Spezereihändler: Boór, K. — Bradl, Anton. — Brunner, G. F. — Ecker, Anton. — Feldhamer, Alois, Altofen.— Fellermayer, Joh. — Ferstl, Joh. — Fermer, Mathias. — Gebhardt, Jos., Altofen. — Gerhardt, Sim. — Graner, Ignaz, Altofen — Gráf, Jak. — Grosz, Ferdinand. — Hafner, Mathias, Bw. — Hauszmann, Franz. — Heintzl, Math. Altofen. — Hell, Franz. — Horváth, M. — Iványi, J. M. — Karner, E. Kemeter, Anton, Altofen. — Klein, Josef. — Kostenwein, Franz, Altofen. Kurtz, Karl, Altofen. — Lesch, Franz, Altofen. — Lieblich, Wilh. Altofen. — Lukovic, Anton. — Martin, Joh. — Mayer, Jakob. — Meidinger, Ritol. — Nicolits, Peter. — Pásztory, Kolom. — Patzer, J. C. — Pázmándy, A., Altofen. — Probaszka, Jg., Altofen. — Probaszka, Joh., Altofen. — Puczkaller, Emerich. — Raiky, Josef. — Röczer, Martin. — Ruprecht, Jos., Altofen. — Schuhmayer, Stef. & Schumayer, M. Schumlits, Joh. & Sohn. — Schuster, Joh. — Schügerl, F. X. — Stadtdrucker, Karl. — Steden, Jos. — Vörösvary, Michael, Altofen. — Ziltzer, J., Altofen.

Tuchhändler: Stojanovits, Georg.

Griechisch-nichtunirter Handelsstand.

Fitoili, Rich. — Karpus, Mark. — Mayer, Ritol. — Pantazits, Paul. — Papp, Joh. — Poppovits, Labislaus. — Savits, Demetre.

Außer dem Gremium.

Band- und Kurzwaren: Adler, Karl. Adler, Leop. — Butschofszky, A. — Büchler, Samuel. — Dentsch, Anna. — Dreer, Eva. — Diamant, Ther. — Engel, Hermann. — Engländer, Jakob.—

Epstein, E. — Fölser, Alois. — Friedrich, Jos. — Galster, J. — Grossenberger, G. — Gruber, Sig. — Grünsfeld, A. — Jankovits, Jg. — Kemfner, D. L. — Kerstenbanm, Eduard. — Kiche, Rosalie. — Kirschbaum, Julie. Kohn & Ehrenfeld. — Kohn, Eleon. — Krenner, R. — Landler, Säjilia. — Langsfeld, Ror. — Laufer, Jos. — Löwy, Jg. — Mandl, Jg. — Oberbauer, J. Ww. — Oesterreicher, W. & F. Metzger. — Opre, Frz. — Pollak, Sam. — Rausch, Maria. — Rosenzweig, A. — Ruvald, Hugo. — Sattler, Adolf. — Schaffer, G. — Schimmel, Rof. — Schönfeld, X. — Schreiber, Jos. — Spitzer, Charlotte. — Seidl, Julianna. — Staub, B. — Strohschneider, J. & Comp. — Straff, J. — Weiszmayer, Jg.

Baumwollgarn: Frizzi.

Galanterie- u. Nürnberger Waren: Concha, Ant. — Friedländer, Wilh. — Grünsfeld, S. — Holzbauer, Rud. Posch, Andreas. — Reinfeld, Sam. — Seidenmann, Heinr. — Weiss, Leop.

Gemischtwaren: Fischer, Karl. — Jonas, Benj., Altofen. — Kallmann, Dav., Altofen. — Neumann, Albert. — Schlesinger, Altofen. — Schultz, Elkan, Altofen. — Sigerist, G. F.

Geschirrhändler: Brenner, Sal, Altofen. — Breutner, Jos., Altofen. — Doppler, Adolf Ww. — Drucker, Rath. Altofen. — Gruss, Franz. — Heidinger, Josef. — Kotterle, Jos. — Kronstein, S. — Löwy, Sal. — Markovics, Aron. Meixner, Jos. — Morgenstern. — Naschitz, Em. — Neumann, Aron. Neumann, J. — Neumann, Ph. — Rosenfeld, W., Altofen. — Szerdahelyi, Babette, Altofen. — Tiefenbeck, L. — Totia, Leonore, Altofen.

Glasperlen: Weisz, Gebr.

Glaswaren: Buda, Rudolf. — Kuhinka, St. G.

Gold- und Silberplatirte Waaren-Niederlage: Couraetz, Wilh. & Corra. Forst, Karl. — Herrmann, J. — Mayerhoffer & Klinkosch.

Gold-, Silber- und Juwelenhändler: Eialer, H. — Feldmesser, G. — Granichstätten, H. A.

Grosshändler: Boscovitz, L. & Comp.,

10 *

in Manufakturwaren. — Dalnoky, Brüder. — Davidson, S. — Grünsfeld, R. & Söhne, in Landesprodukten, vorzüglich Wein. — Heinsbergs, S. 2., Erben, Landesprodukten, auch Jamaikarhum, chinesischem und russischem Thee. — Laszk, Manbl, in Manufaktur. — Lichenstern, B. & Comp., Seide-, Sammt-, Kurz- und Weißwaren. — Muraty, Konst.

Habern: Fleischbmann, Karl.

Handschuhe: Hasselmann, Karl. — Hittinger, Ferdinand. — Krellwitz, W., erste k. k. k.-priv. Leder- und Handschuhfabrik. — Niemann, Wilh.

Hanf: Birnbaum, Jak. — Flink, Gottl. Schaffner, Anton. — Wladislavlovits, Arkad.

Heu: Schwartzbauer, St.

Holzschuhstiften: Knirsch, Jos.

Hörner: Broche, F. A.

Hutwaren: Dillinger, Karl. — Ernst, Moriz. — Kron, S. 2. — Mey, Daniel. — Pinkns, C. — Weisz, D. — Wellisch, Philipp.

Hülsenfrüchtenhändler: Beck, Leop. Boschan, Kath. in Altofen. — Brachfeld, Josef. — Brachfeld, Herm. — Schinkas, Juda. — Wetzler, Jak.

Kappenzugehör: Back, Markus.

Käsehändler: Galbavi, M. — Oheroly, Georg. — Schmidtbauer, F. — Stettner, Gerson, — Trebitsch, David.

Klauenfett: Bauer, L.

Kommissionäre; Löwensohn, Ludwig, Landesprodukten. — Wellisch, Philipp, Bau- und Werkholzer.

Kommissions- und Spebitionsgeschäfte: Basdeka, Gebrüder. — Egger, Emil. — Fleischmann & Weber. — Fleischmann, Sal. — Friedenstein & Gomperz. — Goldzieher, Rich. — Hauser & Schlesinger. — Heller, M. & Comp. — Herzl, Jak. — Herzog, M. 2. & Comp. — Lederer Jgn. — Pollak, Siegfried. — Schneider & Comp.

Lebergalanteriewaren: Manschön, M. F. — Ottenreiter, 2. — Rosenthal, M.

Lederhändler: Gauster, Karl. — Grand, A. — Weiss, J.

Leinenwaren: Boer, Leop., p. F. — Berger, Jsak. — Christof, Georg. — Lindenbaum, Zbwy. — Momirovits, Anna. Münz, Roset. — Münz, Moriz. — Münz,

Sam. — Rosenzweig, Karl. — Strohmann, C. F. — Waldmann, Leopold.

Manufakturwaren: Büchler, Jakob. — Décsey, J. — Deutschländer & Cohn. — Friedmann, Jsrael. — Fuchs, Jof. — Guttmann, Max. — Grünhut, H. — Hirsch, Gustav. — Moscovits, S. & Stern. — Schönstein, Jgnaz. — Strob, Eman. — Stignitz, Ludw. & Leop. — Wachsmann, J. 2. — Wellisch, Moriz & Comp.

Metallprodukte: Rub, Emanuel. — Rokenstein, Jgn.

Mineralfarben: Schwell, M.

Nägel: Koll, A.

Oelhändler: Bär, Ther. — Boscovitz, J. Erben, L. — Faber, Ph. — Groag, Leop. — Grünauer, J. — Guttmann, M. J. — Hartmann, Jof. — Klein, L. — Mautner, W. W. — Neumann, Ph. — Schiefner, F. — Wessely, Jof.

Oelfarben u. Malerrequisiten: Bitschofszky, Jul. — Engelsberg, D. — Heyder, A. G. — Knopp, J. — Scheurer, Ludw. — Ticher, Friedr.

Papier: Engl, D. L. — Frankel, Jof. Pick, D. — Weissenberg, L.

Papiertapeten: Rustern, Georg L. — Swoboda, Johann.

Parfümerien: Mosch & Comp. — Schick, Eb.

Pferdehändler: Blum, Bernh. — Brachfeld, Adolf. — Brachfeld, Arnold. — Brachfeld, Hermann.

Porzellain u. Steingut: Portheim & Sohn. — Schenk, Antonia. — Ziegler, A.

Posamentirwaren: Fischer, Gustav. — Gruneke. — Hoffer, Anton.

Probuktenhändler: Abeles, Leopold. — Baumgarten, Ferd. — Berger, David. Berger, Lewis L. — Bergl, David & Sohn. — Biedermann, Brüder. — Blau, Ludw. — Blau, Karl. — Brachfeld, Sigm. — Dux, Leopold. — Deutsch, Anton. — Ehrenfeld, A. — Ehrenfeld, Benj. — Ehrenfeld, Max. — Ertner, Sigm. — Flesch, Sam. — Flesch, Sigm. & Comp. — Fraukel, Wilh. — Friedmann, Heinrich. — Gomperz, Math. Guttmann, Herm. — Guttmann, Max. Hahn, Joh. — Hanover, Max. — Herz, Sal. — Kemeter Jof. — Kempner & Adler. — Kepplch, Herm. — Klein,

Markus. — Klein, Morih. — Koppély, Adolf. — Kohn, Josef. — Kohn, J. — Kohn, Moriz. — Kohn, M. B. — Kransz, Mayer. — Landau, Leon. — Landauer, Jgn. — Latzkó. Adolf. — Linzer, Karl. — Maerle, Markus. — Mautner, Wilh. — Mittelmann, Nath. Nagel, Sigm. — Niertit', Brüder. — Pollak, Wilh. — Popper, Hermann. — Reick, Bernhard. — Rosenfeld, Jal. — Ruh,' Eckhardt & Sohn. — Ruhmann, Moriz. — Sänger, Philipp. — Schäfer, S. — Schwarz, Kalman. — Schwarz, Salomon. — Singer, Sal. — Spitzer, Albert. — Stern, Sal. — Strob, Max Leop. — Szalatay, Ant. — Tafler, Ab. Waldmann, Wilh. — Weiser, Samuel. Weissenstein, Alb. — Weisz, Leopold. Weisz, M. — Weisz, Sal. — Weiszmandl. — Wiener, Leopold. — Winter, Herm. — Wolf & Stark. — Wolfinger, H. — Wollner, Leop. — Wotzasek, Mayer. — Zadix, Hermann.

Rauchrequisiten: Adler, Phil. — Doleschal, Thom. — Heller, F. — Helm, Max. — Hofbauer, Leop. — Horváth, J. — Jelinek, Herm. — Kővessy, Henriette. — Martiny, F. & H. Pick, S. L. — Rettich, Andreas. Schücke, C. H. — Steiner, Sim. Urtika, Alois. — Weisz & Rothenstein. — Weisz, Karl. — Zerkovits, S.

Rauhwaren: Buxbaum, L. — Goldstein, S. E. — Heller, M. & Comp. Mandl, Jakob. — Rothberger, Jos. — Wurm, Samuel.

Roßhaare: Holländer, W. & Sohn. — Leichtmann, Jos. — Szegal, Sam.

Schnitt- u. Modewaren: Boscovitz, Julie. — Deutsch, Leop. — Fischer, Jgnaz. — Frankl, W. H. — Frörml, F. — Glückselig, P. — Kallmann, Gerf. — Klein, Wolf. — Laufer, A. — Löbl's Ww. — Mandl, A. — Mandl, Markus. — Meleghy, F. L. — Schaller, J. & Comp. — Spatz, Benj. — Spatz, Jos. — Stern, Abrah. — Taub, Sim.

Altofen.

Budaspitz, Sam. — Nagler, Peter & Comp. — Schön, Adolf. — Spatz, Ph. Wachsmann, J. — Winkler, G. H. **Spezereihändler:** Ditié, H. — Hohlfeld, Jgn. — Jassovitz, M. — Mar-

quier, Jos. — Reitszám, F. — Telegdy, Stefan. — Walden, L.

Spielwaren: Bindinger, Ant. — Derflinger, Gottlieb. — Eckl, Kath. — Krenner, L. — Pevendorfer, Franz. — Pfender, Franz & Sohn. — Probald, Franziska. — Rippel, Karl.

Staats- und Privatpapiere: Wechselstuben. Frankl, Em. — Fuchs, L. — Hosszu, Ludw. — Kraus, L. — Morgenstern, A. & Comp. — Philippar, Jos. — Schuk, Jakob.

Strohhüte: Braun, Mich. — Marenits, Sim. — Mitschdörfer, R. — Rath, F. **Südfrüchte:** Loser, Peter sen. **Tonpfeifen:** Blau, Sal. L. — Steiner, Aron.

Tuchwaren: Altmann, B. & Brüder. — Gacser, k. k. pr. Wollenzeug- u. Feintuchniederl. — Kohn, Jos. — Namiester, Fabriks-Niederl. — Popper, Gebr., k. k. pr. Brünner Tuchfabriksniederl. — Schäfer, Wilh., k. k. landespr. Tuchfabriksniederl. — Schön & Krauss, Zipser, Eb., k. k. priv. Bielitzer Tuchfabriksniederl.

Wäschwaren: Bauer, Sim. — Brachfeld, Sigm. — Braun & Tauber, Bruckmann, L. — Büchler, B. — Grünfeld, Ther. — Hotzmann, A. — Joel, A. — Mandl, R. L. — Pfendlicher, F. — Pick, Salamon. — Sandtner, Joh. — Schäffer, Anna. — Weissenberg's Ww. — Wesele, Josef.

Weinhandlungen: Grünsfeld, R. & Söhne. — Gebel, Franz. — Havas, Jos. v. — Huszarek, J. P. — Kralitz, Alois. — Molnár & Török, Zolayer.

Werkzeughändler: Banhegyi, R. — Hönig, Franz. — Wagner, Mich. Wellisch, Albert.

Zucker: Sina, Joh. Freih. v., St. Miklós- und Rossizer Fabr.-Niederl. **Handschuhmacher:** Lust, Alois. — Mayer, Jos. — Novak, Jos. — Ruhwald, Fr. — Ruhwald, B. — Wesolowsky, Adam.

Altofen.

Funk, Alois. — Hübner, J. — Kubik, Josef.

Hutfabriken: Quentzer & Sohn.

Hutmacher: Danzinger, Jgnaz. — Földerer, Karl. — Hermann, Ant., Altofen. — Jacubetz, Jos. B. — Jano-

schitz, Jof. — Lowas, Stef. — Miksitz, Karl. — Nesweibeck, J. W. — Pohl, Josef. — Reitz, Simon. — Rosenhammer, R. — Schmieder, Gtg.
Außer der Innung.
Bartholomä, J. W. — Rodiczky, J.
Altofen.
Blauhorn. — Fritz, R. — Fronek, J. Stahan, Anb. — Stumar, Thomas. — Ullrich, Joh.
Chirurgische Instrumentenmacher: Fischer, Gg. — Mokterer, Johann. — Schmid, Joh. — Weinberger, A.
Musikalische Instrumenten: Engländer, Alois. — Engländer, G., Holzblasinstrumente. — Keck, Rub., Holzinstrumente. — Peter, Karl, Orgel und Klavier. — Singer, Josef, Harmonika. — Skripszky, Albert, Blasinstrumente. — Strobl, Friedrich, Klavier.
Kartenfabrik: Eiwöck, Frz.
Korbovaner: Faulhaber, Jof. — Figns, Dan. — Jancsik, Jgn. W. — Irrgang, Joh. — Schmidt, Aug.
Cotton= u. Leinwanddruckfabriken: Finaly, Simon, in Altofen. — Goldberger, Sam. F. & Söhne, in Altofen. Spitzer, Gerson & Comp., in Altofen
Kunst= und Musikalienhandlung: Schröpfer, A.
Kupferdrucker: Fischer, Joh.
Kupferschmiede: Kern, Joh.
Altofen.
Káposztás, Joh. — Koller, A.
Kürschner: Mategka, Math. — Novotny, Jof. — Schenk, Franz. — Seidl, Stef.
Griechisch = nichtunirte.
Davidovits, Paul. — Michailovits, Konstantin.
Altofen.
Jeckl, J. — Nagy, Franz.
Lebzelter und Wachszieher: Lackner, Joh. — Ludwig, Wenz. — Mittermeyer, S. — Stegner, Josef, W.
Altofen.
Effert, Math. — Watzovsky, Franz.
Rothgerber: Egerer, Jof. — Fischer's, J., Erben. — Grundter, Johann. — Heksch, Eduard. — Lenz, Stefan. — Stuber, Joh. — Thoma, Jof. — Verderber, Jof. — Verderber, Mathias.
Außer der Innung.
Borosch, Math. — Eibehorn, R. — Quittner, Karl.

Altofen.
Weiß= und Saffiangärber: Abeles, Adolf. — Drexler, David. — Fuchs, Samuel. — Krausz, Karl. — Löwy, Samf. — Politzer, David. — Spitzer, Josef. — Stern, Jgnaz. — Sternberg, Morih. — Weiss, Jsrael. — Zentner, Jgnaz.
Rothgärber: (vereint mit den Kürschnern). Krausz, Karl. — Lenz, Franz. Lenz, Franz jun.
Lithografen: Burian, Wm. — Lencso, R.
Maschinenfabriken: Bablitschko & Szeitl. — Raisch, R. G. — Walter, Josef. — Werther, Friedrich.
Meerschaumpfeifenschneider: Steiner, J.
Möbelniederlagen: Hatschek, Morih. Mandl, D.
Mühlsteine: Blum, Johann.
Müller: Agoston, Jof. — Bauer, Joh. — Benyi, A. — Beranek, R. — Blum, J. Böhm, Jul. — Brandl, F. — Brenner, Georg. — Brunner, Ant. — Brunner, Rof. Wm. — Derletter, Ant. — Dolischak, Anna. — Eberhardt, Elise, Wm. Eberl, Franz. — Egger, Jof. — Emm, Jof. — Endresz, Barb., Wm. — Endresz, Franz. — Endresz, Michael. — Glauber, Joh. — Heinz, Jof. — Hoffmann, Jgn. — Hoffmann, Leop. R — Holzspach, Jof. — Holzspach, Jof. — Hönig, Jof. R. — Hugl, Lor., R. — Jedovazky, Karl. — Koszacsek, Stef. — Kreutzer, Franz, W. — Mandl, Franz. Hattmann, Mart., W. — Mayer, Ant. R. — Mayer, Mart. — Mayer, Math. jun. — Millacher, Emer. — Perschmann, Ant. — Petz, Jof. — Piller, Franz Xaver. — Prosz, Leop., W. — Richter, Jgn. — Rohrmann, Joh. — Schlögel, Elise, Wm. — Schuster, Joh. Seidl, Magd., Wm. — Strock, Franz Xaver. — Turner, Franz. — Waltz, Seb. — Weidinger, Mich. — Weisz, Franz R. — Wenzeis, Jof. — Werebély, Rof. Wm. — Wincze, Jof.

Mühlenbesitzer.
Breuner, Mich. — Derflinger, Abam. Grundbek, Jof. — Hartmann, Karl. Hazmann, Karl. — Hoffmann, Andr. — Juratschka, St. — Klausz, Mich. —

Lindenbach, Josef. — Lugmayer, Jgn.
Mayer, Roth. — Nawra, Michael. —
Németh, Paul. — Sedlmayer, Math. —
Seidl, Ant. R. — Seidl, Jof. R. —
Seidl, Karl R. — Steinbach, Joh. —
Steiner, Melch. — Turner, Alois. —
Waltz, Anna.

Altofen.

Balsam, Stef. — Birgel, Florian. —
Domonkos, Joh. — Donnenberger, F.
Donnenberger, J. — Eibl, Leop. —
Galauner. Stef. — Gernedl, Joh. —
Haselnuss, Joh. — Hirt, Josef. —
Holdampf, Stef. — Kecskeméti, J. —
Keller, Rich. — Kostenwein,J ob. —
Kremer, Rit. — Laubal, Ant. — Lieb,
Paul. — Madovics, Jof. — Pakor,
Anton. — Pálinkás, Jof. — Schedl,
Joh. — Schedl, Jof. — Schmidt, Joh.
Schwarz, Georg. — Seiler, Karl. —
Seiler, Leop. — Terleder. Joh. —
Turner, Urban. — Wieser, Anna, Ww.
Zinhobel, Paul.
Rabler: Kitzinger, Karl. — Kitzinger,
Mich. — Mucha, H. R.
Ragelschmiede: Rauchenecker, R, B.
Wawara, Jof. B.
Rotare: Andahazy, Lad. Dr. — Remé-
nyi, Lbg. v.
Peitschenmacher: Frankhanser, R.
Photografen: Buchetmann, Jof. —
Heidenhans, Eb. — Mayerhoffer, Karl.
Schön, Adolf.
Plattirer: Siminszky, R.
Potaschefabrik: Augenstein, B., Alt-
Ofen.
Riemer: Holik, Jof. — Lindner, K. R.
Novak, B. — Pavlovszky, Jof. B.—
Spotkovszky. — Tischler, El., Ww.—
Ujdo, B., Ww.
Sattler: Adamy, Kaspar, B. — Büch-
ner, Fr. — Horak, Fr. — Hutter, Jg.
Koller, Ferd., B. — Nemtsik, Lh., Kr.
Außer der Innung.
Aschinger, Leop., Altofen. — Müller,
Jof., R., Altofen. — Ruth, Jof., R.,
Altofen. — Weinbrenner, A., R., Alt-
Ofen.
Bereinigte Schlosser, Büchsenma-
cher, Sporer und Fellhauer: Ba-
las, Magb., Witwe. — Bartl, Fr. —
Dörflinger, Gg. — Feil, Jof. B. —
Juratska, Johann. — Juratska, Jof.—
Koller, Joh. — Molnár, Joh. — No-

votny, Stef. — Rabold, Jof., B. —
Reiter, Math. — Schmelheger, Math.
Sigmund, Jof. — Spielmann, Peter. —
Wagner, Ant. — Walluschek, Ant. —
Waltenberg, Fr. — Weinberger, Andr.
Wohlfahrt, J., B.

Altofen.

Bende, Benj. — Lipcse, Johann.
Schriftgießer: Huber, R.
Seifensieder: Balits, Julia. Ww. —
Kaesz, Mathias, B. — Mayer, Eleo-
nora, Ww. — Pemsel, Alois.

Altofen.

Koitzer, B. L.
Seifen- und Kerzen-Fabriken: Jas-
sovits, Simon. — Rigler's, Jg. Sohn.
Seiler: Enying, Anton. — Jedovszky,
Albert. — Kasztl, Ignaz. — Lazarus,
Anton. — Moro, Franz. — Mutz, Fer-
dinand, B. — Schaffner, Leopold. —
Sedlmayor, Johann. — Zimmert, Je-
fef, R.
Außer der Innung.
Flink, Gottl.

Altofen.

Fellner, Franz.
Sonn- und Regenschirmf. & Rieder-
lagen: Brückner, Jl. — Beidler, H.
Landauer, L., in Altofen. — Neumann,
Sim. — Osterweil, Peter. — Pollak,
Leop., in Altofen. — Steiner, Jakob, in
Altofen. — Singer, H.
Spengler: Breslinger, R., B. — Bür-
germeister, G., B. — Hagerer, Joh.
Hasmann, Joh. — Leschensky, Joh.—
Linbruner, R. — Seidner, Sigm. —
Theiler, Jof., R. — Tumler, Jofef. —
Wiedermann, St., B.

Altofen.

Fischer, Sim. — Frey. Gg. —Habern,
R. — Markovitz, Augustin. — Rein-
feld, Rud.
Stärkefabriken: Huber, Anton. —
Jassowits, Sim., in Altofen.
Stickerei- und Stickmuster-Druckan-
stalten: Bromer, A., in Altofen. —
Kozalek, Stef.
Uhrmacher: Geiszler, Adolf. — Hens-
ler, Joh. — Krahl. Binz. — Roskoff,
Johann.
Außer der Innung.
Bauer, Friedrich. — Birli, Ladisl. —
Hermann, Jg. — Hoser, Witt. — Ko-

vacs, Lab. — Kraszmann, Joh., B. —
Schwarzwaldel, Engelb. B.
Altofen.
Bley, Karl. — Löwy, Abrah. — Moldovanyi, Georg.
Unschlittschmelze: Rieglers, Jg. Sohn.
Bergolder: Scheffler, E. — Schwarz, Rich. — Spaczek, B. — Tummel. Johann.
Bildprethändler: Iberer, R.
Zinngießer: Flott, J. — Witke, Gottl.
Zuckerbäcker: Dalmoro, B. — Fasol, J. B. — Friedl, F. E., B. — Müller, Ant. — Spieszlchner, F.

O Fehértó. Szabolczer Komitat in Ungarn.
Spiritusfabrik: Majlath's, Ant. Gr., Witwe.

Offenburg oder Schwendburg, Bergflecken, Gold-, Silber- und Antimoniumwerke, Schmelzöfen. Siebenbürgen. Albenser Komitat.

Oláh-Toplitza bei Gyergyo-Szent-Miklos in Siebenbürgen.
Vermischtwarenhändler: Jakobi, E. — Karátson, Chr. — Kolbass, Laszlo. — Száva, Ant. — Urmanczi, Gebrüder. — Walter, Joh. — Walter, Rich.

Olcsva. Szathmarer Komitat in Ungarn.
Spiritusfabrik: Karoly's, Graf Stef., Witwe.

Ottenthal. Dorf, Ober-Neutraer Komitat.
Papierfabrik: Werdenstädter, E.

O Pályi. Szathmarer Komitat.
Spiritusfabrikanten: Bogcha, R. — Perenyi's, B. Witwe.

Drawitza, Bergflecken mit 1800 Einw. Eisenbahn nach Jaffenova. Bergdirection

und Distriktualberggericht für das Banat, Eisen-, Silber- und Kupferbergwerke, im Besitz der ersten t. t. priv. Donau Dampfschifffahrt-Gesellschaft. Kraschowaer Komitat.

Drahovica. Essegger Komitat, Bezirk Raste in Slavonien.
Kupferhammer: Herzog, Franz.

Orlath bei Herrmannstadt in Siebenbürgen.
Bierbrauer: Reichel, Leopold.
Papierfabrik (mech.): Kiessling & Com.

Droß. Szabolcser Komitat in Ungarn.
Spiritusfabrik: Fisch, Jos.

Dözada. Liptauer Komitat.
Bad Koritnitza.

O Szent-Anna. Araber Komitat.
Spiritusfabrikbesitzer: Werner, Gebrüder.

Dözlán. Marktflecken, Unter-Neutraer Komitat in Ungarn.
Advokaten: Diveky, Jos.
Färber: Nécsey, Joh.
Gärber: Chochlovits, Stef. — Ferjanecz, Joh. — Jamrich, Jos. — Kmety, Joh. — Schnirer, Joh.
Kupferschmiede: Kmety, Stef. — Szabo, Alexius.
Schnittwarenhändler: Lang, Leop. — Rosenberg, Simon.
Vermischtwarenhändler: Lang, Salomon. — Rosenberger, Jakob. — Wersegby, Stefan.

Pago auf der Insel Pago, Dalmatien, ist reich an Steinkohlen, Salz, Fische, Salinen.

Pakrátz, Posegaer Komitat in Slavonien, Marktflecken an der Pakra, mit 1400 E.

Seidenbau. Einst Stammsitz eines aus dem 7jährigen Kriege bekannten Trenk mit seinen berüchtigten Panduren.

Palt, Markt an der Donau, Tolnaer Komitat, mit 6700 Einw. Weinbau, Hausenfang.

Uj- oder **Neu-Palanka,** banatische Militärgrenze, Dorf an der Donau, befestigt. Goldwäscherei.

Palota, Marktflecken, Wesprimer Komitat, reformirtes Waisenhaus, schönes Schloß des Grafen Zichy.
Gemischtwaren: Horvath, Alex.
Spezerei-Eisenhdl.: Zobel & Gruber.

Palugya (Klein-). Liptauer Komitat.
Gärber: Lanszeszják, Jos.
Hammerschmied: Gyurkovits, Andreas.
Kunstmüller: Kux, Leopold.
Kupferschmied: Kern, Samuel.
Papiermüller: Donin, Anton.

Papp. Szabolcser Komitat in Ungarn.
Spiritusfabriksbesitzer: Horvath, G. Freiherr von.

Parad, Dorf, Alaunsiederei, Sauerbrunnen, Glasfabrik. Hevefer Komitat.

Pazmand bei Velencze, (Stuhlweissenburger Komitat.
Zuckerf. k. k. priv.: Walkhoff, Heinr.

Pancsowa. 14,000 Einw. Freie Militär-Komunität in der Banater Militärgrenze. Gränzstadt am linken Ufer des schiffbaren Flusses Temesch, eine ¼ Stunde von der Ausmündung desselben in die Donau, Landungsplatz für die k. k. priv. Dampfschiffe, 1 Post von Semlin, 1½ von Belgrad und 7 Posten von Temesvar entfernt. Sitz des Grenz-Truppen-Brigade-Commandos, der banatischen Bau-Direction des Stabes vom k. k. Deutsch-Banater Grenz-Regiment, t. k. Contumaz und ein k. k. Postamt, k. ung. Commerzial-Dreißigst- und Salzamt, Normal- und griechisch nicht unirte National-Schule, Musik-Verein, Armenhaus, Seidenspinnerei, Seidenweberei, Badeanstalt. Handel mit Getreide, Horn- und Borstenvieh, Schweinefett, Honig und Schafwolle, aus der Türkei mit Reis, trocknen Zwetschgen, Knoppern, rohen Häuten.

Eisen- und Geschmeidewarenhändler: Bachmann, Mathias, Besitzer einer Ziegel- und Kalkbrennerei. — Golub, Alois. — Herxeniak, Josef. — Knotz, Franz, Commiss., Spedition und Assekuranz. — Markovata, Peter. — Rauschan, Karl & Söhne. — Athanaszkovits, Georg. — Fetter, Adolf. — Jelalsits, K. C. — Markovits, Peter. — Nikolits, Peter & Neffe. — Popovits, Nikolaus. — Subotits, Joh. — Jankovits, Lugas.

Geschirrwaren und Möbelhändler: Barits, J. Witwe. — Barits, Neb. — Bugarsky, Th. — Fodorits, J. — Galetits, Gab. — Graff, Adolf. — Mischkovits, Alex. — Schaikovits, A.

Krämerwarenhändler: Boschkovits, A. — Boschkovits, D. — Deanovits, St. — Despotovits, G. — Jagodits, P. — Jelacsits, J. — Kresadinaz, D. Popovits, B. — Predits, E. — Ranisavljevits, A. — Schüssel, J.

Lederhändler: Kresadinaz, Gabriel.
Produktenhändler: Dragicsevits, Pet. Niksits, Marko.
Schnittwarenhändler: Berkits, B. — Constantin, Basil. — Csurcsin, Nik. — Jagodits, Konst. von. — Jagodits, Fr. J. v. — Jovanovits, Basil v. — Jovanovits, Michael. — Kostits, Paul. — Kresadinaz, Nikola. — Leovits, Sabbas, Krämer. — Pekovits, Joh. — Ristios, Brüder. — Stojakov, Paul. — Wlachovits, Rich. & Sohn.
Spezerei- und Materialwarenhändler: Alexievits, Basil. — Huber, Joh. Jowanowics, Basil J. — Jowanowics, J. B. — Johannovits, Demeter U. — Johannovits, Joh. Witwe. — Kalinov, Georg. — Krancsevits, Pet. — Kresadinaz, Maxim. — Poppovits, B. — Wasilievits, G.

Vermiſchtwarenhändler: Golubovits, Koko, Georg. — Panajot, Jeſtimie. — Partaſely, Stefan. — Stojanovits, Pet.
Advokaten: Alexita, Rit. — Maximovita, R.
Apotheker: Graff, Wilh. — Gurer, J.
Bildhauer: Noken, H. — Zimany, F.
Bräuer: Gramberg, Anton. — Weifert, Janz, k. k. lbäbf. Bierbräu-Fabrik. — Wiettmann, Binzenz Witwe.
Buchbinder: Janel, Joh.
Buchdrucker: Siebenbaar, Anton.
Buch- und Kunſthändler: Wittigschlager, Karl.
Büchſenmacher: Hart, Karl. — Mayerhofer, Franz. — Radivojevita, Emma. Sitto, Karl.
Bürſtenbinder: Haid, Heinr. — Schneider, Ferdinand.
Drechsler: Fabro, L. — Ziffermayer, J.
Einkehrgaſthöſe: Csirkovits, B., zum Eichhorn. — Dragicsevita, P., zum Trompeter. — Gymnasialfond, zum Stern. — Hof. F., zum Mondschein. — Mihailovita, R., zum Pelikan. — Pavlovita, P., zum weißen Kreuz. — Popovits, D., zur großen Pippe. — Spirta, Eufemia v., zur schönen Schäferin.
Eſſig- und Lidör: Sonnefeld, David.
Färber: Hölering, F. — Schrek, P.
Faßbinder: Birkhofer, K. — Nikolits, Joh. — Rohrbach, Math. — Saitbotits, Aron. — Subotits, Th.
Fiſcher: Andrejevita, Ant. — Juhaz, J.
Glockengießer: Deutsch, Joh.
Gelbgießer: Wittmann, Ant.
Glashändler: Mayer, F. — Pavlovita, Joh. — Raits, D. — Subotits, Greg.
Gold-, Silber- und Juwelenarbeiter und Händler: Friedl, Eb. — Friedl, P. — Mladenovits, Konſt.
Handſchuhmacher: Benzinger, L.
Hutmacher: Berger, P. — Erdödy, F. Lohrer, Chr. — Unger, K.
Kaffeehäuſer: Georgievita, A. — Mihalovitzky, J. — Querfeld, Friedr. — Tatarin, J. — Wanner, F.
Kupferſchmied: Fleischberger, J. — Jovanovits, A. — Linsenmayer, K. — Milenkovita, P.
Kürſchner: Antoniev, R. — Avramovita, Schirſo. — Berkits, Drm. — Bogosavlievita, J. — Bogosavljevits, Eim. — Boschkovita, G. — Boschkovita, J. —

Budimovita, J. — Fodorits, Th. — Jossifovita, Paul. — Marimovita, B. — Petrovits, D. — Schutul, Th. — Serdanov, Alex. — Serdanov, Dem. — Sertanov, Laz. — Wassilievita, Joh. & Sohn.
Lederer und Gärber: Bachmann, J. Haiser, L. — Höffner, Ant. — Vogl, Joh. — Weifert, K. — Wohlfahrt, C. Weißgärber u. Leimfabrikant.
Mahlmühle (Dampf): Groszan.
Müller: Baas, J. — Ekl, C. — Hess, Gottf. — Jedovsky, K. — Lukits, R. Vogl, Joh.
Nagelſchmied: Enderlin, Gottf.
Riemer: Gecsevits, Labiśl. — Protolipaz, J. — Protolipaz, L. — Streitberger, Ep.
Seifenſieder: Barjactarious, Dem. — Kragits, W. — Lenz, Joh. — Maximovits, Dem. — Schivanovits, Joh. — Stanisarlievits, Peter.
Spängler: Starck, Joh. — Wimmer, Ant. — Wutkes, G. Witwe.
Schnürmacher: Bussmayer, Johann. — Gecsevits, Joſ. Witwe. — Russmann, K. — Russmann, Lbg.
Spekulanten: Bikistics. — Despenics, Gebr. — Dinkovics. — Georgijevics, J. — Jankovics, Marſus. — Joannovics, Stef. — Kostics, D. — Krancsevics, R. — Kresadinatz, G. — Mihaylovits, J. — Miloschevics, R. — Nikolics, G. — Obradovics, Joh. — Pavlovics, Koſt. — Rrstics, Joh. — Schandrino. — Schoppovics, R. — Schivanovics, Al. — Schivanovics, P. Spirta, G. C. — Wakaschinovics, B. Zegg, Gg.
Tapezierer: Päplov, Ant. — Thirbach, Karl.
Uhrmacher: Atzinger, L. — Rauschann, Eb. — Stich, Math. — Streitberger, Martin.
Wagner: Kassapinovita, Benj. — Kovocsevits, Joh. — Nikolajevits, Konſt. Petrovits, Paul. — Prominsel, Ant. — Ristits, Dem. — Ristits, Baſa. — Schmied, P. — Urmann, Gg. — Werner, Karl.
Wachsziecher und Lebzelter: Dimkovits, Konſt. — Jellacsits, L. — Illits, Joh. — Nedelkovita, Mich. — Stankovita, Gg.
Zeugſchmied: Beail, Rifol.

Zuckerbäcker: Ballanovitz, Eb. — Volt-
mann, Eb.

Pankota. Araber Komitat in Ungarn.
Szulkoveczky, Fürst v., Spiritusfabrik u.
Bierbräuerei.

Pápa. Stadt im Weszprimer Komitat in
Ungarn. Ein von der Königin Elisabeth
1439 mit königlichen Freiheiten versehener
Markt im Weszprimer Comitate, mit 16,000
Einw. (Ungarn, Deutsche und Juden). Der
mit gesundem Wasser versehene Fluß Ta-
polza entspringt eine Stunde entfernt aus
Felsen. Schloß mit engl. Garten, Steingutfabrik, zwei Bürgerspitäler, kathol. Gymnasium, reformirtes Collegium, in der Gegend bedeutende Wälder. Handel mit Wolle,
Knoppern, Potasche, Getreide, Branntwein,
Vieh, rohen Häuten und Wein. In der
Nähe das berühmte Somlauer Weingebirge
(2 St.) und die berühmten Plattenseer Gebirge, Badatsony, Szent-Györg, Baisch ꝛc.
7 Jahrmärkte, 2 Wochenmärkte.

Beck, Jakob, gemischte Waren. — Beck,
Lipman, Galanterie-, Nürnberger- und
Kurzwaren. — Berger, Rudolf, Ver-
mischtwaren, Spiritus und Rohprodukten,
Essigf. — Berger, Samuel, Schnitt- und
Manufakturwaren. — Bermüller, Josef,
Spezerei-, Material- und Farbwaren, k.
k. Lotto-Kolektant, Pulververschleißer. —
Bischitzky, Alexander, Galanterie-, Nürn-
berger- und Kurzwaren. — Eissler, Ar.,
Vermischtwaren. — Eissler, Samuel,
Spezerei- und Nürnbergerwaren, Wein.
Fischer, Joh., ungarische Naturproduk-
te, Staats- und Industriepapiere. —
Fleischner, Mor., Schnitt- und Mode-
waren. — Geist, Samuel, Vermischtwa-
ren. — Gross, Ignaz, Eisen- und Ge-
schneide. — Hofman, Samuel, Schnitt-
und Modewaren. — Klein, Ignaz, desgl.
Kohn, Leopold, Schnittwaren. — Kohn,
Moritz, Vermischtwaren. — Kohn, Wilh.,
Schnittwaren. — Krausz, Jos., Schnitt-
waren. — Krausz, Leop., Tuch, Landes-
produkten. — Löwy, Aron, Schnittwa-
ren. — Löwy, Moritz, Vermischtwaren. —
Löwy, M. Sohn, Schnittwaren. —
Lustig, Eduard, Schnitt- u. Modewaren.
Mayer, J. G.'s Witwe, Tuch- u. Modewaren. — Mayer, Ferd., Tuchhdl. und
Siebenbürger Chotzen. — Neu, David,

Vermischtwaren. — Neubauer, Josef,
Eisen- u. Geschmeidewaren. — Philip,
Martin, Vermischtwaren. — Preisach,
Moritz, Leder. — Preisach, Simon, Ver-
mischtwaren. — Polák, Anton, Ver-
mischt. — Reinitz, Ignaz, Leder. —
Rosenberg, Josef, Schnittwaren. —
Salzer, Jakob's Witwe, Spezerirw. u.
Landesprodukten. — Schlessinger, Jos.
Vermischtwaren. — Schmidt, Jakob,
desgl. — Steiner, Samuel, Schnittwa-
ren. — Stieder, Johann, Eisen- u. Ge-
schmeidewaren. — Szagmeister, Rudolf,
Vermischtwaren. — Tschepen, Eduard,
Vermischtwaren. — Tschepen, Jos. jun.
Spezerei-, Papier-, Material- und Farb-
waren, k. k. Tabak-Hauptverleger. —
Veltner, David, Spezerei- und Nürnber-
gerwaren, Papiere, mit Spiritus und
Branntwein en gros. — Veltner, Jakob,
Vermischtwaren.
Fabriken: Gitling und Velsz, Knochen-
mehl. — Mayer, J. G.'s Witwe, Stein-
gutgeschirr. — Reinitz, Jak. Thonpfeifen.
Schlessinger, Leopold desgl.
Advokaten: Horváth, St. — Körmendi,
Dan. — Lázár, Lud. — Martonfalvay,
Alex. — Nagy Szabo, Jg. — Osswald,
Dan. — Ossváld, Alex. — Szakeny,
Alex. — Timar, Alex. — Toth, Lbg. —
Vid, Karl.
Apotheker: Barmherzigen Brüder, P. P.,
Provisor: Maify, Tobias. — Rössler,
Josef, Stadtapotheker.
Bauholzhändler: Hetch, Ant. Witwe.
Warga, Michael.
Bräuer: (herrschaftlich) Wolf, Leopold, in
Simahaj.
Buchbinder: Scolnik, Anna, zugl. Buch-
handlung. — Mohacsi, Karl. — Scolik,
Michael. — Wobel.
Buchdruckerei: des reformirt. Kollegiums.
Geschäftsführer, Magda, Ludwig.
Drechsler: Schitter, Karl, u. Rauchre-
quißtenhandlung.
Färber: Blum, M. — Bettlheim, L. —
Kluge, F. — Rath, Joh.
Glaser: Almersdorfer, Joh., u. Geschirr-
handlung, auch werden alle Arten Tisch-
lerarbeiten angenommen. — Hirschler,
Leopold, ebenfalls. — Moissinger, Joh.
Gold- und Silberarbeiter: Frank,
Jos. — Jenko, Karl. — Steinberger,
Eman. — Viegand, Thomas.

11 *

Handschuhmacher: Paker, Joh.
Kaffeesieder: Wohlrab, im Hotel zum
Greifen. — Nagel, Georg. — Pollak,
Moriz. — Schwan, David.
Kupferschmied: Gold, Mich. — Scha-
renbeck, Jof.
Lederer: Brader, Sam. — Helfer, J.
Lebzelter: Nagy, Stef. — Sachmeister,
Jg. — Slemmer, Joh. — Vels, Karl,
Miteigenthümer der Papaer Knochenmehl-
fabrik.
Produktenhändler: Berger, Jakob,
Früchten und Effigkederei. — Fischer,
Markus, Wein u. Spiritus. — Gold-
schmidt, Franz, Wein. — Goldschmidt,
Samuel, Wein und Branntwein. — Kö-
nigsberger, Max., desgl. — Schlesinger,
Moses, auch Spiritusbrennereibesitzer.
Seifensieder: Hoch, Alois. — Matusch,
Karl. — Stein, Josef. — Winkler, S.
Uhrmacher: Herz, Rud. — Kunte, J.
Zuckerbäcker: Muck, Math.

Pécsvár. Markt, Baranyer Komitat. 4
Stunden nordöstl. von Fünfkirchen. Wein-
und Obstbau, Steinkohlengruben, Kalk- und
Marmorbrüche.
Advokat: Slabig, Rudolf.
Apotheker: Herry, Jof.
Gasthaus: Gemeinde.
Spezerei: Leitner, Joh. N., auch Eisen,
Nürnberger, Steingut, Agentur d. ersten
ungarisch. Feuer-, Hagel- und Lebensver-
sicherung. — Janos, Joh. N., auch Ei-
sen, Kurzw., Agentur der ersten k. k.
Reunione Adriatica di sicurta in Triest.
Schnittwaren: Steiner, Lazar.
Baumeister: Granone, August.
Färber: Wohlmuth.

Pencz. Neograder Komitat.
Branntweinbrenner: Jakob, Abam.
Gastwirth: Schneller, Jof.
Schnittwarenhändler: Beck, Em. —
Herz, Moriz. — Kohn, Jfak. — Neu-
mann, Em.
Weinhändler: Handtuch, Simon. —
Handtuch, Wolf. — Leopold, Abam. —
Pikk, Abraham. — Pikk, David. —
Zipser, Hirfch.'

Perbete. Komorner Komitat.
Gastwirth: Ullrich, Johann.

Vermischtwarenhändler: Feitel, Hch.
Kohn, Leopold. — Singer, Simon. —
Weisz, Michael. — Zimmermann, Gg.

Pesth. Stadt an der Donau, 30 M. süd-
östl. von Wien, mit über 100,000 Einw.
Sitz der höchsten Justizhöfe, Universität, bo-
tan. Garten, Naturalien- und Kunstsamm-
lung, Bibliothek (150,000 B.), Generalse-
minar (zur Bildung gelehrter Theologen),
Gymnasium, Piaristengymnasium, Haupt-
nationalschule, Institut der engl. Klosterfräu-
lein (zur Bildung von mehr als 400 Mäd-
chen), Blindeninstitut, Musikverein, ungar.
Nationalmuseum mit der fzechenzischen Reg-
nicolarbibliothek, Thierarzneischule, Theater,
Filial des tyrnauer Invalidenhauses; viele
Fabriken. Ausgebreiteter Handel; vier große
Jahrmärkte. Es laden jährlich 3000 Fahr-
zeuge aus. In der Nähe das Rakoser
Feld, wo vordem die Reichstage unter
freiem Himmel gehalten wurden.

Agenten u. Kommissionäre: Blume-
nau, R. — Deutsch, Sal — Dolisdorf,
L. — Donath, D. — Fölsinger, Rud.
Frizzi, Jof. — Goelles, Joh. — Haus-
ner, C. — Hess, Jof. — Hogel, F.-
Kausler, Joh. — Kobler, J. — Keszt,
M. — Klemsche, G. — Kletzár, F.-
König, Jul. — Lucz, Joh. — Maader,
J., Ww. — Marquier, Joh. — Nagy,
Piday, Alex. — Pollak, Leop. — Ruda,
Ant. — Saager, Fr. — Seidl, Karl.-
Taussig, Jof. — Tócsay, Alex. — Ujlaky,
J. — Zelter, H.

Antiquar-Buchhändler: Fischer, R.
Plan, Moriz. — Magyar, Michael. —
Zweibruck, Phil.

Antiquitätenhändler: Egger, S.
Apotheker: Adler, Eman. — Fauser,
Ant. — Jármay, Gust. — Jezovitz, Rich.
Ivanovits, Alois. — Kiss, Karl. —
Matta, Lad. Ww. — Müller, Bernh.-
Schernhoffer, Karl. — Scholcz, Joh.-
Szkalla, Ant. — Sztuna, G. — Török,
Jof. v. — Wagner, Daniel. — Pann,
Josef.

Gerberde u. Erbfarben: Gruber, Joh.
Bettfedern: Birnbaum, Lazar. — Bos-
kovita, S. — Fleischl, Dan. —
Fleischl, Samson & D. — Kohner,
Heinrich u. Brüder. — Stein, J.

Bettfederenreinigungs-Anſtalten:
Lipmann, H. — Fleiſchl, Samſ. & D.
Stein, J.

Blaßbalgmacher: Pozdech, Joſ.

Bleiwarenfabrik: Okenfusz, Ant.

Blumenfabrikanten: Auerbach, Ther.
Claude, Louiſe. — Dillinger, Roſa. —
Eisenstock, J. — Hanack, F. — Holl,
Huber, Fri. — Koob, Eliſabeth. —
Langer, Anna. — Macho, Eleon. —
Moser, Louiſe. — Muritz, Hermine. —
Naiss, Charlotte. — Neumayer, B. —
Offenheim, R. — Peroni, Antonia. —
Rieger, Roſa. — Weinmayer, Anna.

Borſtenviehhändler: Daumann, Karl
& Franz. — Geist, Kaspar. — Glosz,
Johann. — Grundt, Karl. — Holler,
Franz. — Horváth, Anton Ww. —
Horváth, J. — Porszász, Ant. —
Rauchbauer, Joh. — Stern, S. —
Windisch, Franz.

Braumeiſter: Barbers, Söhne, in Steinbruch. — Rumbach, Maria Witwe. —
Schmidt, Peter. — Tüköry, A.

Branntweins-, Liför- und Effiger-
zeuger: Abeles, Wilh. — Augenfeld,
Alb. — Berner, Jgn. — Braun, Lbw.,
Gebrüder, königl. t. landesbef. Rhum-,
Liför- und Effigfabrik. — Brüller, Joſ.
Deutsch, Leopold. — Duschak, Heint.
Ferber, Bäcilie. — Graner, Abrah.
Graner, Herm. — Graner, Max. —
Guttmann, Jg. — Gschwindt, R., k. k.
landesb. Spiritus-, Preßhefe- und Liför-
Fabrik. — Grossmann, Sam. — Hahn,
Jakob. — Herzog, David. — Hirschl,
Moriz. — Horovitz, Moriz. — Jemnitz,
Ph. — Klatscher, Adolf. — Klein,
Joſef. — Kohn, Aron. — Krausz, Ab.
Lazarsfeld, A. — Lazarstein, Heint.—
Lowy, B. — Löwy, R. — Mandl, S.
Pikler, Hermann. — Plesch, Joh. —
Plesch, Moriz. — Prückler, Jgn. —
Recht, Philipp. — Rothberger, Leop.—
Sattler, Leop. — Schuler, Mich. —
Schwarz, Wilh. — Weiss, Adolf. —
Weiss, Abr. — Wiener, Wilh. —
Winter, Jak. — Zwack, Joſ.

Buchdruckereien: Boldini, Robert. —
Emich, Guſtav. — Engel et Mandello.
Gyurián, Joſef. — Landerer & Hecke-
nast, J. — Herz, Joh. — Kosma,
Baſil. — Müller, Emil. — Poldini,
Eduard sen. & Noseda, Jul. — Tratt-

ner-Károlyi, Stef. — Werfer, Karl. —
Wodianer, Philipp.

Buchhändler: Eggenberger, Ferdinand.
Geibel, Hermann. — Hartleben, C. —
Kilian, Georg. — Lampel, Robert. —
Lauffer & Stolp. — Magyar, Mich. —
Müller, Julius. — Osterlamm, Karl.—
Pfeifer, Ferdinand. — Ráth, Moriz.

(Iſraelitiſche).
Elias, Jakob. — Löwy, Marf. — Nathan, Iſat.

Butterverſchleiß: Depser, Johann. —
Galbavi, R. — Gardin, J. — Hittner,
Stef. — Klein, Sam. — Klimek, Joh.
Saxe, Johanna.

Bücher-Raſtrir- u. Einbandfabrik,
k. k. priv.: Posner, Karl.

Büchſenmacher: Benesch, Andreas. —
Hindelang, Joh. — Kirner, Joſef. —
Ludwig, Joſef.

Bürſtenmacher: Bayer, Anton. — Bitt-
ler, Joſ. — Bremer, Franz. — Chla-
dek, Joh. — Cserny, Joh. — Floth,
Joſ. — Fuchger, Franz. — Gabriel,
Anton. — Herth, Thereſia. — Holre-
land, Heinrich. — Kartaoky, Joh. —
Krützer, Katharina Ww. — Landorfer,
Georg. — Landorfer, Stef. — Lang,
Franziska Ww. — Mervitz, Ferd. —
Pely, Stefan. — Schimek, Wenzel.

Champagner-Fabriken: Eder, F. —
Graner, Karl. — Hölle, J. — Pichler,
Johann.

Charcutiers: Kreiner, Karl. — La-
schanszky, Lub. — Stängl, Georg. —
Wieland, Joſef.

Chemiſche Fabriken: Kaiser, J. —
Schuler, Franz. — Strobentz, Gebrüder.

Chokoladefabriken: Ferrari, Karl. —
Heidrich, F. — Jaritz, Joh. — Schönwald, Herm.

Dampfmühlen: Pester, Walzmühlgeſell-
ſchaft. — Vidats, Stefan.

Dedenmacher: Blaskovits, Aloiſ &
Comp. — Eichhorn, Thereſia Ww. —
Frisch, Guſt. — Gradl, F. — Hatzen-
berger, Franz. — Lichtenocker, Joſ.—
Ring, Joſef. — Schedel, Anton. —
Schickinger, Franz. — Schuda, Joh.

Decktücher: Felbermayer, Auguſt. —
Hirsch, Ignaz.

Delikateſſen: Gruber, Ant. — Hofer,
Joh. — Mihalak, Franz.

Drechsler: Brichta, Franz. — Bruckner, Karl. — Doczy, Ludwig. — Ferenczy, Joh. — Fischer, Jos. — Gruber, Mich. Hikisch, A. — Hertlin, Jos. — Holländer, Jos. — Huber, Jos. — Kattauch, Jos. — Käsberger's, Dan. Ww. — Kettner's Ww. — Kobelt, J. — Leidesdorf, Jos. — Lips, Frieb. — Lenhart, August. — Mayerhofer, Joh. — Markotzy, Joh. — Mohr, Alois. — Nocker, Franz. — Rametter, Joh. — Rauchbauer, A. — Russ, Franz. — Stahl, Elisabeth Ww. — Swoboda, Peter. — Walter, Michael. — Weisz, St. Kossuch, Joh. — Markus, Ph. — Vidáts, Stef.

Eiserne Möbel: Kern, Jos., W. k. k. priv. Eisenmöbelfabrik. — Oszvald, Anton, p. F. Niederlage der k. k. ausschl. priv. Eisenmöbelfabrik des August Kitschelt, in Wien. — Feiwel, Leop., Inhaber eines k. k. ausschl. Privilegiums.

Färber: Blaufärber. Lostesak, Vinzenz. Perina, Jos. — Resch, Heinr.

Seidenfärber.

Goebel, Michael. — Görög's, A. Ww. Klauser, Vital. — Martinelli, Ant. — Ramaseder, T. — Rupp's, Wilh. Ww. Schuster, A.

Feilhauer: Blumer, Mathias. — Niemetz, Jos. — Pabn, Joh. — Weber, Jos.

Fischbein: Winkelmann, K. B. Sohn. — Winkelmann, K. sen.

Fischer: Dosran, Karl. — Fanta, Jos. Fröhlich, Ferd. sen. — Fröhlich, Joh. Horváth, Mich. — Schleiz, Anna Ww. Schröder, Jak. — Schleiz, Anton. — Schwarz, Joh. — Singhoffer, Joh. — Singhoffer, Mathias.

Fournier: Patay, Joh. — Schön, J., erste ung. Fournierfabrik.

Fußbodeneinlaßungsmassa: Giergl, Heinrich. — Mitterdorfer, Joh. — Schuler, Franz. — Stein, A.

Gasthöfe: Eisenbahn, T., Waiznerstr. 37, Schiersterl, Joh. — Erzherzog Stefan, L., D. D. 13, Emmerling, Karl. — Europa, L., D. D. 11, Duchang, Ed. Goldener Adler, J., Uellörstr. 87, Bauer, Thomas. — Goldener Adler J. St., Neuewelt. 3, Kommer, Jos. — Goldener Greif, J., Kerepescherstr. 70, Baráth, Karl. — Goldener Hirsch, F., Uel-

lörstr. 46, Weisz, Franz. — Goldenes Hufeisen, F., Uellörstr. 44, Lee, Stef. Goldene Sonne, F., Zweihafeng. 18, Halzl, Leop. — Grüner Baum, T., Waiznerstr. 56, Sahan, Joh. — Jägerhorn, J. St., A. Brückg. 2, Förster, Joh. — Keeskemeter Haus, J. St., Grünbaumg. 13, Wagner, Joh. — König Ladislaus, J., Kerepescherstr. 48, Egyházy, Lad. — König Mathias, J., Kerepescherstr. 64, Kordig, Ant. — König v. Ungarn, L., Dorotheag. 1, Steingassner, Joh. — König v. Ungarn, F., Zweihafeng. 26, Dabosch, Joh. — Königin v. England, J. St., gr. Brückg. 1, Bartl, Joh. — Krebs, L., gr. Feldg. 54, Pisch, Mathias. — Lamm, L., gr. Feldg. 52, Meissinger, Karl. — Palatin, J., St., Waiznerg. 8, Michél, Frz.— Rabl, F., Uellörstr. 47, Sperl, Kasp.— Rother Ochs, L., Kerepescherstr. 2, Hauer, Franz. — Stadt Paris, L., Waiznerstr. 55, Frohner, Joh. — Stadt Waitzen, L., Dolating. 15, Wagner, Jos. — Tiger, L., Palating. 4, Walter, Jos. — Weißer Hahn, F., Uellörstr. 24, Schwarz, Aron. — Weißes Rößl, J., Kerepescherstr. 66, Pospech, Anton. — Weißes Schiff, J. St., Schiffg. 1, Nadermann, Krist. Weißer Schwan, L., Kerepescherstr. 1, Glück, Karl. — Weißer Stern, J., Kerepescherstr. 46, Kovács, Stef. — Zwei blaue Böcke, F., Schorofscharerg. 8, Kafka, Joh. — Zwei goldene Löwen, F., Heupl. 8, Kropf, G. — Zwei Kronen, F., Schorofscharerg. 9, Ringbauer, Jos. — Zwei Mohren, L., Zweimoreng. 29, Goldmann, Jak. — Zwei Pistolen, J., Landstr. 36, Haslinger, Jos.

Fabriksniederlagen von eisernen, feuerfesten, gegen Einbruch sicheren

Geld-, Bücher- und Dokumentenkassen und Schreibtische: Blau, K. P. k. k. erste österr. landespr. Fabriksniederlage von F. Wertheim & Wiese in Wien. — Forstinger, Albert K., von Val. Olzer in Wien. — Karczag, Brüder, G. Pfannkuche & C. Scheidler in Wien. — Koszgleba, Ladislaus, von Wertheim & Wiese in Wien. — Posner, C. L., Joh. Söhnge und Köck in Wien. — Szilber, Anton, Joh. Oetl in Pest.

Gelbgießer: Frimond, Joh. — Hertl, Joh. F. — Mühlich, C. — Müller, Geg. — Schiffner, Fr. — Wanitsch, Karl J. — Wanitsch, Karl Wm. — Weisz, Karl. — Wessely, Georg. — Willner, J.

Gipsfiguren: Bianki, Cesar. — Cicini, P. — Cardinal, Louis.

Glanzwichserzeuger: Bosits, Form. — Hierath, Jos.

Glaser: Bollender, Joh. — Burghard, Stef. — Feldhoffer, Emerich. — Feldhoffer, Ferd. — Forgó, Stef. — Giergl, Heinr. — Giergl, Jgn. — Görög, Stef. Gumprecht, Eduard. — Krauss, Joh. Lötz, Franz. — Moravetz, Paul. — Plihal, Pob. — Schlick, Eduard. — Schmidt, Wilhelm. — Spanner, Binz. Tabermann, Alois. — Traversz, Jos. — Turnusz, Joh. — Worbesz, Alexander.

Handelsstand.
K. k. priv. Großhandlungsgremium: Abeles, David, Landesprod. Weine. — Adler Adam & Sohn, Landesprodukten, Körnerfrüchte, Reps, Spiritus. — Austerlitzer, D., Spezereiw. — Avvakumovits, Avakum, Landesprodukten, vorzüglich Getreide. — Baumgarten, A. & Sohn, Landesprod., vorzügl. Schafwolle. Baumgarten, Israel & Sohn, Landesprod., vorzügl. Schafwolle. — Berger, Ludwig, Landesprodukten, vorzüglich in Werthölzern. — Bing, Aron & Com. in Manufakturen. — Biasz, Moritz. — Boscovitz, Emanuel, Tuch & Wechselgesch. — Böhm, G., in Manufakturw. — Breisach, Hermann, Staats- und Lotteriepapieren. — Breuer, Isak & Söhne, Rotew. v. Seide, Baum- und Schafwolle. — Brüll, Ignaz & Comp., in Indigo und Farbwaren, rohen Cottonen und Wechselgeschäften. — Brüll, Samuel, in Landesprodukten, vorzüglich Reps, Oel, Körnerfrüchten. — Brüll, Heinrich & Sohn, in Landesprodukten, Staatspapieren. — Burgmann, Karl, in Landesprodukten, Wechselgeschäften. — Darier Jul. & Comp., in Kolonialwaren, Sämereien und Landesprodukten. — Deutsch, A. & Sohn, in rohen Cottonen und Leinwanden. — Deutsch, Gabriel & Jos., in Landesprodukten, vorzüglich in Löbnern. — Deutsch Jg. & Sohn, in Landesprodukten, Staats- und Industriepapieren, wie auch Wechselgeschäften. — Döring, Jos. — Eisler, Gebrüder, Manufakturw. u. Landesprod. — Engländer, H. & Söhne, Seiden- und Halbseiden-Stoffen, Tüchern und Bändern, Strumpf- und Wirkwaren. — Fabricius, Jos. G. Bank- und Kommissionsgeschäft. — Figdor, Sigmund, Schafwolle, Früchten und Wechselgeschäft. — Fleischl, Daniel & Comp., Schafwolle, allen Sorten Bettfedern, Roßhaaren, Speditions-, Kommissions- und Fruchtgeschäften. — Fleischl, S. D., Schafwolle, Bettfedern, Früchten und allen anderen Landesprodukten. — Friedmann & Sohn, Manufakturwaren. Fröhlich, Joh. Sam., Bank- u. Kommissionsgeschäften. — Fuchs, Rudolf. — Fuchs, Simon, Landesprod. — Gold, Moritz & Sohn, Produkten. — Goldberger, S., Inhaber einer k. k. priv. Cottonfabrik in Altofen. — Goldstein, A. & Söhne, Rauhwaren. — Gomperz, Brüder, Tuch- und Schafwollwaren. — Groger, Ignaz, Manufakturwaren. — Grün, Josef & Wolf, Manufakturwaren. — Gschwindt, M., priv. Spiritus-, Preßgerm-, Liför- und Rhumfabrik. — Halbauer, Johann G., Landesprodukte. — Schönaug, H. & Hecht, Manufakturw. — Heidlberg, M., Rauhwaren und rohe Felle. — Hellsinger, Moritz, Landesprodukten, namentlich Schafwolle u. Früchten Herzfelder & Sohn, Landesprodukten. — Herzfelder, Hermann, Landesprodukten, hauptsächlich Getreide und Schafwolle. — Hertzka, Nathan, Landesprodukte und Schafwolle. — Hirsch's, Simon, Sohn, Strumpf- und Wirkwaren, Bändern, Tuch. — Hirschler, Leon, Landesprodukte, Bankgeschäfte. — Hirschler, Markus & Söhne, Manufakturwaren. — Holländer', Brüder, Landesprodukte, Staatspapiere, Wechsel. — Hönig, Anton & Söhne, Leinenwaren. — Jálics, Franz A. & Comp., Landesprodukten, vorzüglich in Weinen. — Jonas, Sigmund, Manufakturwaren. — Itzeles, Emanuel, Manufakturwaren. — Kadelburg, Elias & Söhne, Weinen. — Kadelburger, Gabriel & Sohn, Tuch- und Schafwollwaren. — Kanitz, M. L. & Sohn, Nürnberger- und Galanteriewaren. — Kann, Hermann, Wechselgeschäft. — Karczag, B., Brennholz. — Kassovitz,

J. H. — Kern, Albert & Comp., Landesprodukte, namentlich Schafwolle und Früchte. — Kern, S. Enoch & Söhne, Landesprodukte, namentlich Schafwolle u. Früchte. — Kern, Jakob & Comp., Produkten, Wechsel-, Kommissions- und Speditionsgeschäften. — Kohen, Brüder, Landesprodukte. — Kobner, Heinrich & Bruder, Landesprodukte, namentlich in Bettfedern, Schafwolle und Früchten. — Kollinsky, Jos., Manufakturwaren. — Koppél, L., Wechselgeschäft.—Koppel, Ph. Kozma, Bazil, in Papier. — Krausz, Manufakturwaren. — Kubinka, Franz, Eisenerzeugnissen. — Kuhner, Elias, Landesprodukten. — Kunwald, Jakob, Produkten. — Kunz, Jos. & Com., in Leinwanden und Baumwollenwaren. — Luckenbacher, Brüder, Landesprodukte. Latzko, N. & Popper, A. — Liedemann, J. S. F., Speditions-, Kommissions- und Wechselgeschäft, Niederlage der gräfl. Schönborn Munkácser Alaunwerke, Kommandite in Temesvar. — Löwy, Ph. & Comp., Nürnberger und Galanteriew. Majovszky, Mich. — Malvieux, C. J., Bank-, Staats- und Privatpapieren, hat auch eine Oelraffinerie. — Mandl, Anton, Bankgeschäften. — Mandl, Joachim & Söhne, Landesprodukte, Kommissions- und Wechselgeschäften. — Macso & Mannó, Speditionsgeschäfte. — Matzel, C. & Söhne, Manufakturw. — Mauthner, Landesprod. — Medetz, Jos. Landespr. — Meisels, Salomon, Landesprodukte. — Mirosavlevits, Miloš & Comp., Rauhwaren, türkisch. Leder und Produkten. — Molterer, Gregor, steirischen Messern, Sägen, Eisengeschmeide. — Morgenstern, J. & Comp., türk. und ungar. Landesprodukten. — Munk, Moriz & Comp., Kurzwaren. — Müller, M. H. Sohn & Taub, vorzüglich in Weinen. — Müller, Ignaz, Manufakturwaren. — Nadler, J. W., ung. Landesprodukten, besonders Fettwaren, hat auch eine Oelraffinerie.— Netter, A., Landesprodukten, vorzüglich Getreide. — Oestreicher, D., in Erzeugnissen seiner k. k. priv. Kotzen- und Halinafabrik. — Oppenheim, Brüder, in Wein- und Wechselgeschäften. — Oszvald, Anton, in Nürnberger- und Galanteriewaren. — Politzer, Philipp, Spedition. Politzer, Sigmund, in Leder. — Pollak, Jakob, in Manufakturw. — Pontzen, Leopold & Söhne, Manufakturw.— Quittner, Jakob, in Landesprodukten, Speditions- und Kommissionsgeschäften.— Reis, Sam. & Söhne Manufakturw.— Reusz, K. — Landespro. u. Wechselgeschäfte. Robitsek, Alois von. — Rosenfeld, M. L. & Söhne, Manufaktur. — Rosenzweig, Brüder. — Rupp, Brüder, Landesprodukten. — Schlesinger's, L. Söhn & Comp., in Lein-, Baum-, und Schafwoll-Manufakturwaren. — Schlesinger, L. — Schosberger, S. W. & Söhne, Oelfabrik in Neu-Pest. — Schönaug, H. & Hecht, Manufaktur. — Schönfeld, H., in Tuch, Kotzen, Woll- und Baumwollwaren. — Schönwald, Hermann, Inhaber einer Chocolade- und Eurogatkaffeefabrik. — Schulhof, A., in Landesprodukten. — Schwab, Lorenz, in Landesprodukten, namentlich in Früchten. — Sgalitzer, W., in Manufakturwaren. — Simonyi, A. M., in Siebenbürger Erzeugnissen und Teppichen. — Singer, Brüder, in Tuch- und Schafwollwaren. — Singer, Jakob & Bruder, Manufaktur.— Spitzer, Gerson & Comp., Kottonfabr. in Altofen. — Steiner, H. & May., in Landesprod. und Wechselgeschäften, Filiale in Arad. — Stern's, Erben, Landesprodukten, vorzüglich in Wolle. — Stern, Leopold, in Landesprodukten und Eskomptegeschäften. — Stern, Brüder, in Landesprodukten und Eskomptegeschäften. — Török, Friedr., Konsignations-, Inkasso-Produkten. — Ullmann, C., Landesprodukte, Kommissions- und Speditionsgeschäfte. — Ullmann, M. G. — Vogel, Ludwig & Comp., Kurzwaren. — Wahrmann & Söhn, Manufaktur, namentlich Leinwanden, Zwillichen und rohe Kottone. Weiss & Grünwald', Nürnbergerw. — Weisz, B., in Bank-, Kommissions- und Wechselgeschäften. — Wodianer & Söhn, in Landesprodukten und Bankgeschäften.— Wolfner, Julius & Comp., in Landesprodukten, namentlich Schafwolle, Schaffellen, rohem und gearbeitetem Leder. Lederfabrik in Neu-Pest.

Gremium des bürg. priv. Handelsstandes.

Bandwarenhändler: Arvay, J. — Berger, Leopold. — Csellár, Albert. — Csellár, Vinzenz. — Dobler, J. —

Dück, Friedr. — Essigmann, Joh. —
Grünwald & Eisler. — Hahn. Jos. —
Heller & Frisch. — Heyek, Adolf. —
Jedlovszky, Paul. — Konkoly, Sig. —
Langsfeld, Philipp. — Meinl's, A. Erben, vorzüglich in Stickereien u. Spitzen.
Mercse, Joh. — Mercse, W. — Metz, Wilhelm. — Molnár, A. — Münzl, Raimund. — Nagy, Karl. — Oswald, Mich. & Neffe. — Papp, Stef. —
Perl, Ignaz, vorzüglich in Zwirn, Näh-seide, Band und Wirkw. — Recht, Sig.
Reitlinger, Leop. — Reitlinger, Moritz. —
Salzmann, Samuel. — Schöberl, Joh.—
Sekules & Stern. — Sólyom, B. —
Sommer, Julius.

Eisenwarenhändler: Babcsák, Stef.—
Barcho, Franz. — Bischitzky, Frz. —
Braucher, Franz & Comp. — Brunner, D. & Krishaber. — Csekeö, Aloys. —
Ecker, Paul. — Engl, M. A. — Friedmann & Brunner, M. — Fuchs, Ant.
Heinrich's, A. Söhne. — Högl, Cassian.
Jurenak, Paul. — Krail, Anton. —
Krail, Paul. — Majer, Ferdinand. —
Romeiser, Fr. — Romeiser, Wilh. —
Schopper, J. G. — Sebastiani, Karl v.
Unger, Anton.

Farbwarenhändler: Hellmer, Jos.

Galanterie- u. Nürnbergerwaren-händler: Holtzer & Amizoni. — Bánhegyi, J. K. — Bauer, L. — Blum, Jakob. — Blum & Breier. — Brunner, Karl. — Calderoni, Stefan. — Forstinger, Albert M. — Fromer, Herm.
Hahn, D. — Hatschek, Ign. — Hatschek, — Holtzer, Nikolaus. — Jungk, Brüder, vorzüglich in chirurg. Instrumenten, Gartenwerkzeugen, engl. und franz. Stahl und Gummielastikum-Fabrikaten.—
Kohn & Stern. — Krantz, Eduard. —
Riederl. v. China-Silber. — Strasser & Leinkauf. — Leipniker, Em. — Lueß, vorzüglich in Parfümeriewaren, Staatspapieren und Privat-Anlehens-Losen.
Markó, Jos. — Molnár, Joh. — Nonner, M. — Rettich, Anb. — Sárkány, S. — Schilling, Friedr. Jul. — Schlesinger, Jos. — Schwingenschlögel, Jos.
Singer, A. — Spitzer, Moritz. — Stemmer, Jos. — Testory, Anton. — Thiel, Aug. & Comp. — Thiel, M. — Unschuld, Eduard. — Waldner, Anton.

Geldwechsler: Frankl, Eva. — Simay, Aug. & Comp.
Glaswarenhändler: Kossuch, Janos. Stelzig, Brüder.
Gold-, Silber- und Juwelenhändler: Gans, David. — Herzberg, S. —
Hirsch, Leopold & Sohn. — Rott, David. — Stern, Lbww. — Taub, Wolf & Comp. — Weiss, Jos.

Hutwarenhändler: Angyal, F. —
Bauer, F. — Daschel, Jos. — Granichstätten, C. — Karczag, Gebrüder.—
Popper, Hermann. — Popper, L. —
Quentzer & Sohn. — Reinitz, L. —
Reinitz, Sigm. — Rutkay, Eduard. —
Schlesinger, Leopld. — Seyff, Stg. —
Tex, Mathias.

Hülsenfrüchtenhändler: Auer, Ign.
Boschan, May. — Hartmann, Jos. —
Horovitz, J. — Junger, J. — Kohn, Kath. — Krauss, Herm. — Lemberger, Herm. — Löffler, Em. — Metzel, J.—
Nietsch, Adelb. — Oberoly, Gg. —
Radvanszky, A. — Schlicht, Jos. —
Steinberger, Jos. — Stettner, Jak. —
Stettner, Jak. — Stettner, Karl. —
Szabo, Mich. — Trebitsch, David. —
Winkler, Stef. — Winkler, Moritz. —
Ziltzer, Moritz.

Lederhändler: Csaiko, Const. & Blana. Deutsch, Franz. — Deutsch, Jakob & Bruder. — Eder, Anton u. Ferd. —
Goldzieher, Nathan & Comp. — Hamburger, Philipp. — Lyka, A. & Janovits, Paul. — Köbly, Ant. — Lyka, D. — Mauthner, Gebrüder & Comp.
Mutovszky, Theodor. — Mutso, And.—
Neufeld, Moritz. — Rausch, Karl. —
Rotter, Joh. — Mirosavlevits, Milos & Comp. — Schwanfelder & Staffenberger. — Taub, Salamon. — Wertheimer & Söhne. — Wertheimer, S. —
Zuzak, C. J.

Leinenwarenhändler: Beer, Heinr. —
Epstein, J. — Farian, Martin. — Guda, Alexander & Comp. — Guda's, Simon Sohn. — Haris, Zeillinger & Comp.—
Hugmayer & Michailovits. — Jankovits, Stefan. — Joanovits, Peter & Comp.—
Kollarits, Jos. & Söhne. — Köstler, Ignaz. — Lindenbaum, Bernh. —
Mandry, Dan. — Mössmer, Jos. —
Müller, Karl. — Petrovits, Sabbas. —

Pacherer, R. — Taub, Karl. — Wetzer & Kunz.

Möbelhändler: Bernstein, Jos.

Musik Instrumentenhändler: Placht, Gebrüder.

Papierhändler: Bossert, Theob., David & Kurtz. — Dona, Demeter & Comp. — Fähndrich, Simon. — Filtsó, Gebrüder. — Führer, Gustav. — Glanz, Gustav. — Haris, Paul. — Ilits, J. Kanitz, Dav. — Pietsch, Jul. — Posner, Karl, Bücher-Rastrir- und Einbandfabrik. — Schloss, Louis. — Sester, H. — Siráky, C. M. — Thury, F. Wittenbauer, Josef.

Porzellain- und Steingutwarenhändler: Csernohovszky, Wenzel. — Gross, F. & Comp. — Huber, Leop. — Lang, M. — Rerrich, Engelbert. — Schloegel, Ant. — Schuster, Laurenz. Schwarz, Adolf. — Wanko, Daniel Sohn.

Produktenhändler: Abeles, Jonas, vorzüglich in Wein. — Altstätter, Rudolf. — Altstock, Salo. — Ausch, F. Axmann, A. — Basch, Jos. — Basch, Philipp. — Baumann, Karl. — Baumann, J. & Schossberger, B. — Beer, Salamon. — Beimel & Herz. — Bischitz, David. — Bischitz, Hermann. — Blum, Jakob, Comm., Sped. u. Inkasso-Geschäft. In Großwardein, unter der Firma Berlitzer & Blum. — Bobelle, B. & Sohn, vorzüglich in Schafwolle und Ölsaaten. — Breisach, Büh. Breitner, Franz. — Brody, Hermann. Cohn, Wilhelm. — Devrieut & Baltz, vorzüglich in Wein. — Diner, Eduard, vorzüglich in Bauholz. — Dumtsa, Ig. Ehrenfeld, Jos. & Sohn. — Ehrenfeld, Sal. — Ehrlich, Ignaz. — Emmerling, Wilhelm. — Fischer, Salomon. Fischl, Brüder. — Fischl, Leopold & Sohn. — Flaschner, Georg, auch in Wein. — Fleischmann, C. — Fleischmann, Karl. — Fleischmann, Moritz, auch in Wein. — Fleischmann & Weber, Saamenhdlg. — Flesch, Moritz. Frankl, C. & Sohn, vorzüglich mit Fournierholz. — Kern, Jos. & Comp. Freund, Samuel. — Freystätter, Ant. Fried, Moritz. — Fuchs, Philipp. Fuchs, Gustav & Comp., vorzüglich in Wein. — Fuchs, Salamon. — Fürst,

Karl. — Ganz, J. & Comp., Wein. — Gottesmann & Sohn, vorzüglich in Holz, Maunfabrikation. — Gold, Josef. Goldstein, Samuel. — Grossinger, G. Gruber, Jakob & Comp. — Gruber, Kaspar. — Grünhut, W. u. B. — Gyapai, Nikolaus, Bahnspedition b. Ofen. Triester Bahn, auch in Kommissions- und Spebitionsgesch., dann Agent des Sesttuler Sandsteinbruches. — Hajduska, Moritz. — Hanover, Moritz. — Hatschek, Jonas. — Heller, Ephraim. — Herrmann & Politzer. — Herz, Hermann. Herzl, Anton. — Hirsch, Samuel. Hirschel, H. — Hirschler, Philipp. Holitscher, Baruch. — Horváth, Joh., Borstenvieh. — Hörsch, Aug. — Hörsch, Karl, Roßhaar. — Jellinek, Moritz. Joachim, Julius. — Joannidis, Theo. Joannowits, Nikolaus. — Jung, Heinrich. Kausler, Joh. u. Paul. — Keszt, M. Klein, Max. — Kohen, J. — Kohn, Adolf. — Kosztka, Joh. v. — Kunewalder, M. Gebrüder. — Laczkovics, And. Latzko, Hermann. — Lázar, Demet. & Comp. — Leopold, J., auch in Schafwolle, Körnerfrüchten, Knoppern, Reps, Öel. — Lubmayer, M. J. — Löwy, Karl. — Löwy, Gottlieb. — Lucazenbacher, Brüder, vorzügl. in Brennholz. Machlupp, H. — Madarász, Andr. Mandl, Ign. — Mangold, Josef. Marburg, J. — May, Albert. — Mayer, Jos. — Merck, Ed. — Mladenow, Zissi. — Munk, Moritz, vorzüglich in Steinmonumenten. — Nadler, Gustav, vorz. in Wein. — Nagel, Hermann. Nuschitz, Hermann. — Neuschlosz, Ab., vorzüg. in Bauholz. — Neuschlosz, Bernhard. — Neuschlosz, Karl, vorz. in Bauholz. — Neuschlosz, J. Söhne. Oesterreicher & Mandello. — Pessl, Josef, vorzügl. in Hanf und Körnerfrüchten. — Pirnitzer, Sig. — Pollak, M. Popper, Franz & Comp. — Popper, L. & Comp., in Bauholz. — Possert, Ludwig, vorzügl. in Bauholz. — Pulitzer, Karl. — Rechtnitz, H. u. M. Rechtnitz, J. & Comp. — Rosenberg, A. — Rössler, Adolf, vorzüglich in Rohleder. — Rössler, Adolf, vorzüglich in Rohleder. — Rössler, Leopold, vorzüglich in Rohleder. — Saphir, A, Wein. Schindler, Mor., vorzüglich in Bauholz.

Schreiber, D. L., vorzüglich in Kohle-
der und Knoppern. — Schwarz, Lazar,
vorz. in Wolle u. Früchten. — Schwarz,
Alexander. — Schweiger, Gebrüder. —
Stein, J. Rathan. — Stein, Rathan.—
Steiner, Josef & Sohn. — Steiner, L.
Strasser & König. — Strausz, Moriz.
Strauss, Albert. — Stricker, Ed. —
Stroh, M. L., Inhaber d. ersten ung.
Paraffin-Fettfabrik in Neupesth, Spedi-
tions, Commissions- und Produktengeschäft.
Tusler, Elias. — Tartzalovits, Anton.
Tauber, J. B. — Tedesco, Bernhard
& Sohn. — Trebitsch, M. — Ullmann
& Seligmann. — Wallenfeld, Karl. —
Weinmann, M. — Weiss, Adolf. —
Weisz, Adolf. — Weisz, Joh. — Wel-
lisch, Leop. — Wellisch, Nath. —
Wermer, Leop. — Wermer, L. — Wo-
dianer, Albert. — Wolfner, S. — Zeil-
linger, K. u. Ulmer, in Wein. — Zeit-
linger, Jos., vorz. in Binders u. Brenn-
holz. — Zsengeri, Moriz, Hauptniederlage v. engl. Parafinsett.

Rauhwarenhändler: Gitschin & Breier.
Ebner, Eduard. — Ebner, N. F. &
Söhne. — Heidlberg, Leop. B.

Schnittwarenhändler: Aebly, Adolf.
Alter, Anton. — Auer, David. — Ba-
litzky, Alex. — Becker, Karl. B. —
Bernauer, Ludwig. — Bernauer, Moriz.
Bing, Moriz & Sohn. — Blass, Moriz
Söhne. — Böhm & Kánya- Böhm,
Moriz. — Broche, Eman. — Deutsch,
B. & Gruber. — Dentsch, Josef &
Comp. — Deutsch, S. — Deutschlän-
der, H. — Dück, Fried. Josef.
Eger, L. — Engel, Karl. — Englän-
der, Jakob. — Engler, Wolf. — Falk
& Kiss. — Fejér, F. M. — Fischer,
J. L. & Söhne. — Flesch, Phil. —
Fogl, David. — Friedmann, Ludwig.—
Friedmann, Sigmund. — Frölich &
Jeney. — Gilanyi, Joh. — Gruber,
Gebrüder. — Grünhut, Heinrich. —
Grünsfeld, A. — Grünzweig & Jonas.
Halbauer & Roezmer. — Haris, Gg.
Harrer & Schmollinger. — Hegner,
David. — Hirsch, Franz u. Xaver, für
die Kirche nöthigen Einrichtungen. —
Hirschkovits, Leop. — Höntz, Alexand.
Iszer's, Wilh. Sohn. — Jankovits, B.
Joannovits, Michael & Sohn. — Kall-
mann, D. & Comp. — Kann & Beer.

Keller, Ant. F. — Gottschald, Union
& Comp. — Kerner, Eduard. — Klein,
Karl. — Klein, Leop. — Kohn, Jak,—
Kohn, Leop. — Kohn, Sim. — Kop-
stein, Salomon. — Koszgleba, L., vor-
züglich in Wein. — König, Albert. —
Kutner, Joh. — Küssler, S. & Comp.
Laszk, Moriz. — Latzkovits, R. —
Laub, Jak. — Leinkauf, Ignaz. —
Liebmann, Aron. — Liedemann, F. B.
Löwy, Aron. — Lubich & Oláh. —
Mercse, Georg. — Monaszterly & Kuz-
mik. — Musitzky, Jakob. — Neobauer,
Bernhard. — Neubauer, Leopold. —
Neuer, Michael. — Neymon, Joh. —
Ortner, Samuel. — Pacsu, Gregor. —
Perger, J. F. — Pollak, B. — Rei-
singer & Reiner. — Ringauf & Hoepf-
ner. — Rosenbaum, Simon. — Ro-
senfeld, J. L. — Römer & Heckenast.
Scheidler, Gerson. — Schelley, Edm.—
Schiller, C. A. & Comp. — Schmidl,
B. & Söhne. — Schneider, Franz. —
Schneider & Czeides. — Oppenheimers,
B. Erbe & Schwarz. — Sichermann,
Alb. — Sigmund, Josef. — Stern,
Gustav. — Stern, Ludwig. — Stricker,
Jg. — Stroh, Adolf. — Takátsy, Joh.
Takátsy, Stef. — Türsch, F. — Uhl,
Alexa. — Uhl, B. — Unger, F. B.
Vogel, Josef. — Weiner, Gebrüder. —
Weinfeld, L. & Comp. — Weiss, Joh.
Weisz, Leopold. — Weisz & Licher-
mann. — Winterstein, B. — Wissnyi,
D. — Wottitz, Baruch. — Zültzer,
Hermann.

Schnitt- u. Modewaren: Abeles, Mor.
Auer, H. — Auer, Th. — Auspitz, S.
Baron, Jonas. — Blam, Jak. — Breut-
ner, S. u. Ferd. Blam. — Deutsch,
Leop. — Engländer, Ant. — Fahn,
Salom. — Finaly, Ther. — Freund,
Joh. — Gassner, David. — Hütter
& Potsch. — Kohn, Pauline. — Kra-
mers Witwe. — Lewinsky, A. — Löw,
Elise. — Maybaum, Jos. — Meidin-
ger, J. — Neubauer, Leop. — Reich,
Adolf. — Saphirstein, Jos. — Scha-
cherl, Mor. — Schmidt, A. — Schön-
feld, Mor. — Schweiger, Moriz.
Singer, Laz. — Sohr, Lina. — Spitzer,
Adolf. — Spitzer, Mart. — Toth,
Wilh. — Wahl, B. — Wellis, Moriz
& Comp.

12 *

Seidenhändler: Adam, Karl. — Eisler, Franz. — Wibrosch, Josef. — Záko. Josef.
Spezerei-, Material- und Farbwarenhändler: Alexy, Mich. — Amtmann, Franz. — Axtmann, Franz. — Bengyel, Georg. — Bergmann, Jos. — Blan, M. P. — Bodanszky, Sigmund. — Brenner, Al. — Brestyanszky, W. — Broche, Ed. — Bucher, J. — Buck, Frz. — Deiller, Karl. — Deininger, J. — Dina, G. E. — Dobos, Frz. — Eder, F. M. — Emmerling, Ludwig. — Fleischmann, Jos. — Fölsinger, Rud. Kindl & Frühwirth. — Fuchs, Ant. Gerhardt, A. — Gindele, G. — Gindrich, Josef. — Girsik, Karl. — Glatz, Jos. — Glatz, Theob. — Gollovits, M. Gyarmathy, G. — Gyurkovits, S. — Halbauer, Gebrüder. — Halbauer, & Kölber. — Hankovsky, Mich. — Hausner, F. — Hermann, Albert. — Hidvéghy, Leop. — Hoffmann, Josef. — Hogl, Franz K. — Holóssy, Bela. — Horvath, Joh. — Höffler, Frz., vorz. in Wein. — Hönig, Math. — Ivanovits, S. — Kaunitz, Jos. — Keratinger, Stef., in inländischem Gebirgswein und Mineralwässer. — Kochmeister, J. Koszgleba, Ant., Wein, russischem und chinesischem Thee. — Koechlin, Edm., in Landesprobukten, Commiss. Agentur.— Köbler, Eduard, auch in Delikatessen. Kölber, Brüder. — König, Nikolaus, in Delikatessen, Wein und Mineralwässern, en gros und en detail. — Kress, Gust. Kuhn, J., auch in Wein und Delikatessen. — Kulmitz, Aug. — Kurz. Jos., in Wein. — Lamotte, Jos. — Loser, M. J. — Luzsa, M. — Mártony, J. Matyeka & Urbanek. — Mayer, Joh. Bapt. — Mayr, Karl. — Merluzzi, Mathias. — Mitterdorfer, Johann. — Molnár, Franz. — Most, J. — Nagy, J. M. — Naisz, Heinr., vorz. in Wein und moussirenden Getränken. — Nuszbaumer, Lorenz. — Oszetzky, Franz, in Delikatessen, Mineralwässern, In- und Ausländer Wein. — Piatrik, Franz. — Piffel, Gebrüder. — Pongratz, Alex. — Poppel, Karl. — Prückler, Ignaz, Inhaber einer k. k. landespriv. Lifőr-, Rosoglio- und Essigfabrik, auch mit Mineralwässern. — Rakodczay, A. — Reinlein,

Abam. — Ringauf, Otto. — Rodau, Ant. — Romlaky & Deininger. — Saager, Jakob. — Schafnitzl, Franz. — Schirk, Josef. — Schmidt, Josef. — Schmitt, Fridolin. — Schneider, G., in Wein. — Schöberl, Josef. — Schönberger, Leop. — Schreiner, Franz. — Schuh, Jos. — Schütt, K. — Schwaiger, Nikolaus. — Seyffert, Karl. — Siebreich, J. Jos. — Skach, Ant. — Sopronyi, Johann. — Spivak, Josef.— Spuller, Franz. — Stampfl, Johann. — Stányó, Gustav. — Steinbach's, Josef Ww. — Steinhardt, Ant. — Steltzl, Karl. — Stettberger, Leop. — Strobentz, Gebrüder, Inhaber einer chem. Farben-, Waizenstärke- u. Traubenzucker-fabrik. — Szilber, Anton. — Thallmayer, A. & Comp. — Till, Joh. — Topits, Jos. — Tschögl, Johann. — Tunner, Johann. — Vághy, Karl. — Vághy, Ludwig. — Waltersdorfer, Joh. Wasch, Joh. Georg., auch in Wein. — Werner, F. A. — Wikus, Franz. — Wilfinger, Samuel, auch in Wein.
Spiegel- und Rahmenwarenhändler: Knechel, Franz.
Spielwarenhändler: Brunner, F., auch in Strohhüten.
Tuchwarenhändler: Bretuschneider, Sigmund. — Brück, Markus. — Buchler, David. — Dorner & Schulek. — Eckbauer & Kunsch. — Ehrenstein's, L. Sohn & Comp. — Fürst & Barber. Glaser, J. — Grabovszky, G. & Sohn. Guggenberger, Leopold. — Macho & Fülöp. — Mandl, Markus. — Nadossy & Vághy. — Perger & Murmann. — Popper & Veith. — Baxlehner, Andr. Schiessinger, Jg. — Semler, Jsat. — Spitzer, Moriz. — Vetsey, Alexand. Weisz, Abrah.
Blodengießer: Jungbauer, W. J. — Löw, Mor. — Schandt, Andreas. — Schärer, Josef. — Walser, Franz.
Goldschlager: Eckstein, J. — Herhal. Adolf. — Perlitzy, Eb. — Terták, L.— Wames, J.
Goldsticker: Goldstein, Jsak. — Grünwald, Karl. — Schmidt, Marie.
Gold-, Juwelen-, Silberarbeiter, Uhrgehäusmacher: Agoston, Jg. — Bollo, M. — Brosch, Ant. — Fischer, Karl. — Gabriel, Ant. — Goszmann,

Gretschl, Jof. — Hause, Jof. — Heinrich, Jof. — Heuffel, Andr. — Holl, Joh. — Holzer, Ferd. — Hosser, Joh. Huber, Franz. — Kirner, Georg. — Laky, Adolf. — Lipp, Heint. — Lönicker, Karl. — Lustig, Joh. — Marikovszky, Jofef. — Müller, Georg. — Müller, Ludwig. — Neugeborn, Paul. Nehrhaft, Anton. — Offenmüller, Fr.— Patits, Franz. — Pfister, Friedrich. — Rapold, Chriftof. — Rappel, Albert. — Rohrmöller, Franz. — Schosberger, A. Schletter, Franz. — Starzer, Anton. — Stock, Andr. — Stoltz, Joh. — Szamolovszky, Friedr. — Teschlak, Jof.— Uhlrich, Gottfrieb. — Wizenrath, Frieb. Weigerth, Johann. — Wendler, Jof.

Silberarbeiter: Cseh, Paul. — Cserekwicky, Ignaz. — Girgl, Aloif. — Goszmann, Georg. — Laky, Karl. — Müller, Jofef. — Misbrenner, Karl. — Parczer, Jofef. — Piroth, Jofef. — Schickinger, Jof. — Schmidt, Frz. — Schöller, Karl. — Szentpétery, Jofef. Trittenwein, Philipp.

Uhrgehäusmacher: Kaplan, Anton. — Orlitsek, Joh. — Türiet, Karl.

Stückmeifter: Hönisch, Friedr. — Kutschera, Ferb. — Haller, Julius. — Tóth, Stef. — Ullrich, Gotthilf.

Außer der Innung.

Abeles, Leopold. — Adler, Jofef. — Drucker, R. — Eger, D. — Fiktorovics, J. — Friedmann. T. — Kohn, Markus. — Landler, J. — Lehmann, J. — Malsch, A. — Meinheim, S. — Raussnitz, Karl. — Rotter, M. — Schön, S. — Schwarz, J. — Süss, R. — Umlauf, Joh. — Wiesinger, Jul. — Winkler, D.

Gürtler- und Bronzearbeiter: Baumann, Eduard. — Slavkotsky, Alex. — Szoyka, Ant. — Vandrák, Samuel.

Handschuhmacher: Cruciger, Guft. Ww. Fletzer, Franz. — Henkel, Ludw. — Klapper, Joh. — Köstler, Jof. — Oesterreicher, Karl. — Paszkiewicz, Joh. — Rieser, Jofef. — Schmidt, Al. Schneider, Leop. — Schneider, Mart. Schultze, Ferd. Ww. — Volgel, Jof.

Hutfabriken: Blaschitz, Franz. — Fischer, Franz. — Kohn, H. — Seyb,

Wilh. — Skrivan, Brüber. — Skrivan, Johann. — Werner, Ritol. Hutmacher: Assmann, Joh. — Bartl, Joh. — Bewall, Leop. — Fürgang, Ant. — Götz, Brüber. — Karaszek, Jof. — Kasch, Wilh. — Kittelmann, F. Ww. — Kittelmann, Joh. — Knoll, Ignaz. — Legerand, Andr. — Leitner, Joh. — Mirkovits, Arkabiul. — Mohr, Jof. — Mundt, Franz. — Müller, Th. Pillmeyer, Jof. — Rech, Stef. F. Schmalbach, Georg. — Schmidt, Bal. Szikora, Aloif. — Tribolt, Mart. Vasily, Jof. — Vockenhuber, Rich.— Wacha, Zg. — Weisz, Guftav. L. — Wollinyi, Magbal. L. — Zimmermann, Jofef.

Hydraulifcher Kalk: Fleischmann & Weber. — Nadler, Joh. B. — Rivo, G. — Zsengeri, Moriz.

Chirurgifche Inftrumentenmacher u. Meffer schmiede: Breitmayer, F. — Dögler, Jof. Ww. — Dögler, Karl jun. Dreher, Ign. — Fischer, Peter. — Gensau, B. — Heizer, Abam. — Holzer, C. — Roth, Joh. — Wilhich, Jof.

Außer der Innung.

Galata, Jof.

Mufikalifche Inftrumentenmacher: Balassovits, Karl. — Beregszászy, Lb. Blessner, Karl. — Brandl, K. — Bredl, Bernh. — Brotsko, Karl. — Chinda, J. — Chmell, Jof. — Dölling, C. — Ebling, Jof. — Fabrer, Rob. — Fazekas, Joh. — Herzl, Harmonika. — Horn, Brüber. — Komornyik, Ferb. Lechner, Joh. — Pachl, J. — Peter, B. — Plachl, Gebrüber. — Schunda, J. — Schmidt, Karl. — Stark, Aug. Szaller, Jof. — Tischinont, Franz. — Weiss, J. — Zach, Thom. — Zobell, Karl.

Kammacher: Beck, Aloif. — Gruber, Ferb. — Hermann, Franz. — Jelicska, Keller, Karl. — Kern, Karl. — Kern, Petre. — Koller, Jof. — Marhat, Jof. Müllner, Jof. — Pöltl, Jof. — Schlesinger, Joh. — Ujházy, Karl. — Zellenka, Fr. — Zirtl, Georg. — Zöllner, Heinr.

Kartenfabrikanten: Fellner, Joh. — Giergl, Joh. — Giergl, Karl. — Giergl,

Stef. — Waldbacher, Karl. — Willner, Josef. — Zairos, Stef.

Kerzendochtfabrikant: Buda, Joh.

Kochmaschienen: Feiwel, Leopold. — Kern, Jos. Ww. — Lengyel, F. — Nikora, J.

Korbovaner: Balla, St. — Benninger, Jos. — Botlik, Karl. — Frankovits, Fr. — Gajary, Nik. Ww. — Horváth, Kasp. — Kiss, Karl — Kocsis, Rich.— Szabo, Jos.

Kottondrucker: Markert, Eb.

Kravattenmacher: Böhm, M.

Kräuterhändler: Hatschek, Jon. — Preys, J. A. — Ritter, Stef.

Kunst- u. Musikalienhandlungen: Conci, M. Erben. — Rózsavölgyi & Comp. — Treichlinger, Jos.

Kupferdrucker: Frey, Franz. — Lorber, Georg. — Schwertzig, Franz. — Vidéky, Jos.

Kupferschmiede: Kammermayer, Leonh. Kirchmayer, Jos. — Mayer, Ferd. — Mayer, Stefan. — Planer, Anton. — Schmach, Karl. — Schmidt, Josef. — Stranszky, Prokop. — Vörös, Jos.

Kürschner: Agrima, Lajar. — Anderlik, Michael. — Anderlik, Eduard — Bartha, Valent. — Bisko, Jos. — Deák, Joh. — Domian, M. — Domonkos, J. Dömötör, Alex. — Ferdel, A. — Geyer, Joh. — Gyessi, Jos. — Gyurkovics, Gyurkovics, Joh. — Haszlacher, A. — Haszlacher, Alois. — Jungbauer, Rich. Klein, Stef. — Knida, Gg. — Kohn, Herm. — Kokesch, Alex. — Kokesch, Lattisz, Georg. — Nagy, Paul. — Panzner, Jos. — Pifko, Ant. — Salzmann, Ferd. — Schmerz, Josef. — Spitzer, Herm. — Spitzer, Rich. — Svittil, Rich. — Szabó, Joh. — Szentes, Georg. — Wagenknecht, Ant. — Weinberger, Jos.

Außer der Innung.

Aberl, Joh. — Merbrenner, C. — Papp, Stefan. — Schaumann, Ferd. — Schusterits, Jak. — Wiesner, Franz.

Lebzelter u. Wachszieher: Beliczay, Emerich. — Horváth, Emerich Ww. — Kovátsich, Stefan. — Ludwig, Joh. Schick, Jos. — Suschill, Georg Ww. Wiesinger, Alois.

Lederer: Birly, F. — Blasevich, A. u. E. Gillming, Franz. — Jordan, Al. —

Jordan, Karl. — Porák, Benedikt. — Porák, Jos. — Rajcs, Jos. — Szarvas, Johann.

Ungarische.

Bereczky, J. — Cseh, Joh. — Dubronyi, Joh. — Jánosik, Ant. — Nagy, Paulovics, Georg. — Petrovics, Andr.— Pintér, Mathias. — Somodi, Lab. — Varga, Joh. — Vojtek, Daniel.

Außer der Innung.

Gottlieb, Max. — Schröder, Stef. — Stein, Jakob.

Leimf.: Handlos, J. — Weisz, Theresia.

Lithografen: Deutsch, L. — Engel & Mandello. — Frank, J. M. — Haske & Com. — Händelmayer, G. — Langer, Et. — Pollak, Gebr. — Rohn, A. — Winter, Sam. — Walzel, A. F.

Maschinenfabriken: Blechitzky, Frz. Clayton, Shuttleworth & Comp. — Dobos, Franz. — Farkas, Stefan. — Garrett, Richard & Sohn. — Gubitz, Hasenauer, Gebrüder. — Hoffmann, J. Kaschay, Joh. — Knutzen, H. G. — Rechtnitz, H. M. — Rieffel, K. — Röck, Stefan. — Schwabel, Franz. — Bebestyén, Ladisl. — Strobl & Baris, F.— Szijj, S. F. — Temlin, Karl. — Vidats, Stefan. — Weisz, F. & Ungar. Wittwinditsch, B. L.

Mechaniker: Csomortány, E. — Nuss, Anton.

Meerschaumpfeifenschneider: Adler, Philipp. — Elias & Herzfeld. — Jakobi, Heinrich. — Martiny, F. u. H.— Schräder, J. — Weisz & Rothenstein, L.

Metallbuchstaben: Fauster, Eb., Ww.

Metalldrucker: Beutner, Jak. — Hauptig, E. — Huber, Ferd. — Kassel, Karl. — Lorber, G. — Reinhardt, A. Rettig, J. — Schneider, F.

Modellmacher: Hortig, Adolf. — Vogel, Jakob.

Möbelniederlagen: Bamberger, Frz.— Beck, Martin & Comp. — Bernstein, Josef. — Bichler, Albert. — Böhm, Kath. — Deutsch, Simon. — Feyerfeil, F. — Frankfurter, Sam. — Frankl, Jos. — Guth, Alois. — Hirsch, Albert. — Immervoll, Karl. — Kutsera, R. — Lichtvitz, M. — Löwinger, L. & C. — Meissner, Friedrich. — Rosenberger, Karl.

Tischlerverein erſter.

„ „ zweiter.

„ „ dritter.

„ „ vierter.

Tischler- und Tapezierer - Verein. — Trescher, Joſ. — Wertheim, Joſef. — Zimmermann, A.

Mühlſteinenieberlage: Haggenmacher, Heinrich. — Ruda. Anton.

Müller: Babata, Bw. — Bachmann, Seb. — Bauer, Joh. Bw. — Bauer, Michael. — Benyó, Joh. Bw. — Bernhard, B. — Bernhard, B. jun. — Bernhard, Fr. — Bernhard. Bw. — Birkl, Joh. — Bodi, Joh. — Dahinel, Joſ. — Dabreczenyi, Stef. — Denk, Franz Bw. — Fehér, Joſ. — Fellner, Sebaſtian. — Fellner, Anton. — Fellner, Sim. — Floch, Joh. — Frank. Kontát. — Freiszleder, F. — Korntraun, Math. — Gaus, Mathiaſ. — Geiszler, F. — Girtáik, Kaſpar. — Gräßl, Janɔ. — Groszinger, Bw. — Hirtner, Mich. — Hock, Martin. — Hoffmann, Franz. — Hönig, J. — Jahn, Ernſt. — Igl, Ant. — Igl, Erg. Igl, Jgn. — Kerner, Mich. B. — Kiss, Mich. — Kováts, Math. — Kraisch, Kaſpar. — Lambert, Peter. Leé, Joſ. — Leicht, Mich. — Lengel, Eliaſ. Lutz, Johann. — Meisinger, Franz. — Meisinger, Th. — Nagelstädter, Gg. Pfiatner, Th. — Prem, J. L. — Pollermann, Joſ. — Prosser, Math. — Prückler, Joſ. — Quickl, Joſ. — Röhlich, Karl. — Ruprecht, P. — Sárváry, Fr. sen. u. jun. — Schmidt, C. L. — Schubert, Joſ. — Schmalz, Karl. — Schmidtlechner, Karl. — Seidl, Abam. Siebert, J. — Simon, Joh. — Sztanyó, Tichler, Karl. — Tichler, Mich. — Trautmann, Jatob. — Trautmann, Joſ. Wiegenfeld, Mich. — Zotter, Stef.

Nabler: Hönig, Fr. — Kannangieszer, Hch. — Parkos, Math.

Nagelſchmiebe: Kirburger, Jg. — Kohl, Ant. — Mattauch, Joh. — Schmidt, J. — Ulfert, Joh.

Notare: Berger, Joh. Dr. — Fabricius, Anb. v. L. — Gratzer, Ant. — Heinrich, Eb. — Lenhossek, Gg. v. — Miske, Gg. v. — Pinterics, Joſ. — Rosa, Bw. v. — Szekrenyessy, J. v.

Oelfabriten: Ausch, Eliaſ & Sohn. —

Fuchs, Abam. — Holitscher, M. & Sohn. — Schosberger, S. B. & Söhne.

Detraffinerien: Malvieux, C. — Mautner, B. B. — Nadler, J. B. — Schulhof, A. — Ullmann, Joſ.

Optiter: Hatschek, Joh. — Hatschek, D. — Hoffer, B. — Libal, A. — Richlik, Th.

Paraffinfett: Kölber, Brüber. — Nadler, J. — Tschögl, J. — Zsengeri, Moritz.

Pinſelfabrit: Hudelist, A.

Peitſchenmacher: Gast, Johann. — Teineszky, A. — Manschön, M. F. — Holocher, L.

Photografen: Beniczky, L. — Décsey, L. — Fajth, Joh. — Friedmann, J. — Glanz, G. — Heller, Joſ. — Kawalky, L. — Mayer, Georg. — Müller, Karl. Németh, Labiſl. — Pollak, Joſ. — Rieger, F. — Schneider, Gebr. — Schwarz, Gebr. — Simonyi, J. — Streliszky, Leopold. — Streliszky, R. — Tiedge, J. — Trietschel, Joſ. — Werner, Karel.

Platirer: Fridrich, L. — Gold, Karl. — Komaczka, J. — Pigler, Leop. — Rewinszky, J.

Poſamentirer: Böhler, Wilh. — Martin, Joh. — Rosenthal, Herm. — Weller, Karl.

Außer der Innung.

Hein, J. — Jankovszky, Alex.

Preßheſe: Klenovics. Georg. — Mautner, A., ſiehe auch Eſſigf.

Riemer (beutſche): Dulz, Ant. — Fälbier, Math. — Gast, Joh. — Hill, Jatob. — Kornek, Gottl. — Mayer. Joſ. — Oberg, Ernſt. — Sors, Joſ. — Stenzel, Joh.

Ungariſche.

Klosz, Joh. — Miklosovits, Sim. — Raits, Lbg. — Schüll, Karl. — Weber, Joh. — Zambo, Joh.

Außer der Innung.

Freund, M. L. — Mirkay, Joh. — Sikulis, K. — Vidak, J.

Roßhaarfabriten: Holländer, B. & Sohn. — Hürsch, Karl. — Leichtmann, Joſ. — Szegal, Sam.

Salamimacher: Brajda, Jaf. — Weil, Eb.

Sattler: Adamkó, Johann. — Berger, Jaf. — Bruckner, Stefan. — Eichberg, Wilhelm. — Faltenmayer, Anton. —

Glasz, Jof. — Gulde, Math. — Herz, Franz. — Hesz, Franz. — Hlatki, Jof. Korompay, Al. — Kölber, Stefan. — Krompholz, Joh. — Porst, Franz. — Röhringer, Anton. — Schönaug, Joh.— Schücke, Franz. — Szénásy, Jof. — Weinwurm, K. — Werib, Mich. — Winter, Aloié. — Zimmermann, Nifol.

Vereinigte Schlosser, Büchsenmacher, Sporer und Feilhauer: Benesch, And. — Blumer, Math. — Bornhauser, R — Brickmann, Frz.— Bulion, Jaf. — David, Rich. — Dlauchy, Karl. — Dobrofski, Wenzel. — Ebner, Konr. — Eckel, Wenzel. — Feiwel, Leop. — Fischer, Wilh. — Gáspar, Mich. — Gnzmits, Stef. — Hajkó, Joh. — Heerle, Ant. — Helfmann, Seb. — Hess, Math. — Hindelang, Joh. — Horatsek, Ant. — Horváth, Stef. — Husoka, Stef. — Jandorek, Joh. — Jandorek, Jof. — Jungfer, Franz. — Kaltenstein, Paul. — Karkovszki, Joh. — Keletsey, Georg. — Kern. Stef. — Kirner, Jof. — Kleiner, Wilh. — Klonek, Franz. — Kováts, Balth. — Kreutzer, Joh.— Kroll, Wilh. — Kurtz, Franz. — Lenhard, Ignaz sen. u. jun. — Lesinger, Org.— Lisatz, Gregor. — Ludwig, J. — Mahler, Jof. — Maierszky, Jof. — Meszáros, Ludw. — Niemetz, Jof. — Novak, Joh. — Oetl, Joh. — Pahn, Joh. — Palowcsek, Jof. — Pantzner, Ant. — Peyer, Sam. — Pifko, Andr. — Primus, Stef. — Protschko, F. — Puchy, Ant. — Reger, Ant. — Reich, Joh.— Rössler, Stef. — Schabata, Wenzel.— Schaudt, Andr. — Schellenberger, Ebr. Schwerer, Seb. — Sirch, Johann. — Sommer, Stef. — Sperlich, Math. — Steibl, Jof.— Subota, Jof. — Szepesy, Tacsocsik, V. — Tolnay, Georg. — Triblhorn, Herm. — Trupp, Franz. — Wankó, Math. — Weingärtner, Frz.— Weiss, Christof. — Weissenau, Jaf. — Willner, Eduard. — Zettner, Eduart.

Außer der Innung.
Brindl, Frz. Ww. — Grünbaum, E.— Kern, Jof. Ww. — Kohn. — Kreutzer, Karl. — Munkácsy, Karl. — Rind, Karl. — Schmidt, Lorz. — Schwab, Joh. Schriftgießer: Schmidl, K. — Wolff, Johann.

Schuhfabriknieberlagen: Kranz & Lackenbacher. — Schilling, Fribr. aus Wien. — Temesvnry, G. — Fischer, Gustav.
Schwertfeger: Szikrásy, Adolf. — Wagner, Anton u. Franz.
Seifensieder: Ferberth, Stef. — Gerstl, Karl. — Hutter, Jof. Ww. — Krompaszky, Ant. — Kurtz, Karl sen. — Kurtz, Karl jun. — Maurer, Joh. — Ohnhäuser's, Ww. — Kamaseiler, Frz. Röck, Heinrich. — Schaden, Nub. — Schwarz, Ant. — Speckner, Karl. — Szaszovszky, Jof. — Wagner, Karl. — Weisz, Karl.
Siegellaffabrit: Schönwald, H. — Zarzetzky, Jof.
Sonn-, Regenschirmfab. u. Riederlagen: Berger, Jsrael. — Csapka, Jof. — Deutsch, Th. — Forche, B.— Fried, D. — Gelbmann, Jof. — Grossmann, Jaf. — Ivanits, R. M. — Kögel, Sam. — Kunz, F. A. — Landauer, Leop. — Lang, Aug. — Obernbreit, Eb. — Ranzenberger, P. — Roth, E. — Smutni, J. — Tarcsányi, Jaf. — Winkelmann, R. — Winkelmann, R. sen. — Würschin, Friedr.
Seiler: Detting, Franz. — Eibel, Andr. Fellner, Franz. — Hauschild, Ant. — Holzschuh, Franz. — Mandl, Joh. — Mandl, Karl. — Nedelko, Alex. — Ott, Valentin. — Pullmaan, Ant. — Schneider, Peter. — Tomek, Seb.

Außer der Innung.
Laufer, Simon.
Spengler: Arnim, Heinrich. — Friedrich, Leop. — Guttmann, Jsrael. Horovitz, Eliaé. — Jálleck, Anton.— Jenovay, Ant. — Kortsák. Jofef. Kbunke, Karl. — Kupfer, Abraham.— Kutsera, Georg. — Lambrecht, Wilh. Lázár, Michael. — Leitl, Andr. Ww.— Mandello, J. Leop. — März, Fr. — Mendl, Grüber. — Miksits, Karl. — Morgenthaler, Joh. — Müller, Peter. Pasolt, Jof. — Petzke, Emanuel. — Pfeifer, E. — Possek, J. — Schlick, Heinr. — Schüll, Lasp. — Schwendtner, J. — Simanovszky, Fr. — Sperlioh, Ferd. — Stark, Adolf. — Tettau, Jof. — Urbanek, Karl. — Wachta, Eduard. — Weber, Ww. — Zellerin, Math. — Zimmermann, Ant.

Außer der Innung.

Eitl, Andr. — Habern, Markus. — Kreilinschaln, J. — Krupka, Joh. — Schlesinger, J. — Steiner, Em.

Spiegel- und Luſter: Feldhoßer, Em. Flegel, Joh. — Flegel, Karl. — Giergl, Jg. — Giergl, Heinrich. — Jegg, Joh. Klausz, A. L.

Spodiumfabrik: Licht, Karl.

Stärkefabrikanten: Auspitz, Ant. — Auspitz, M. S. Ww. — Kutscher, Krist. — Kuttenberger, Franz. — Linhardt, J. & Sohn. — Linhardt & Keller. — Löb, Ant. — Osoha, Frz. — Rausch, Fr. & Leschadiczky. — Rosti, L. — Schmidt, H. — Strassenreiter, J.

Steinpappen (für Dächer): Lotz, Herm. Rathmann, Robert, von R. Weinhold. — Ruda, Anton, von Stalling & Ziem.

Stickerei- und Stickmuſterbruck-Anſtalten: Blumberg, Rof. — Fleischer, Ther. — Gensau, M. — Joel, A. — Kramer, Joh. — Oppenheim, C. L. — Prinz, Magdal. — Robitsek, Mathild. — Schäßer, Anna. — Schönfeld, Marie. — Spitzer, M. — Tyroler, L. — Wieg, Salamon.

Laſchner: Porubzky, Ferd. — Schopp, Jakob.

Tiſchrollenfabrik: Heissenberger, Alois.

Schwarzwälder Uhren: Chorda, Frz. Pollacsek, Ignaz.

Uhrmacher: Antritter, Joſ. — Beckstein, Joh. — Blau, Jak. — Dietrich, Ign. Ferstner, Joſ. — Jeszkinszky, Frz. — Juventius, Ant. — Juventius, Karl. — Juventius, Guſt. — Kralik, Sam. — Krenner, Franz. — Kubinak, Franz. — Lechner, Joſ. — Lechner, Maxim. — Maruszig, Fr. — Mikesch, Franz. — Niederländer, Mart. — Patits, Karl. — Rappel, Karl. — Seewald, Math. — Seiler, Franz. — Swoboda, J. R. — Szalay, Ferd. — Tomola, Joſ. — Treßler, Joſ. — Weletzky, Ign.

Außer der Innung.

Bleuer, Adolf. — Csomortány, J. — Dickmann, C. — Eisler, H. — Glink, S. — Klosz, Karl. — Kobler, Joh. — Kolb, Wilh. — Kotzmata, Fr. — Lu-

stig, Jakob. — Mandel, Wilh. — Migáts, Stef. — Murarik, J. — Pascher, J. — Párossy, J. — Pollacsek, Ign. Sammt, Samuel. — Schwarz, Morij. — Stettler, Emil — Stern, Morij. — Tigermann, J. — Wellisch, Albert.

Unſchlittſchmelzen: Flesch, Alois & Bruber.

Waſchblaufabrik: Hierath, Rich.

Vergolder: Berkes, Joh. — Branna, S. — Drux, Ign. — Flegel, Karl. — Helmer, Franz. — Jegg, Joh. L. — Kratochwill, Rub. — Matecha, Joſ. — Menk, Leopold. — Schmidt, Jul. — Vesziner, S. — Vogel, S.

Außer der Innung.

Grossmann, Ant. — Siegerist, D. **Wagenfabrikanten:** Külber, Brüder. Winter, Martin.

Wagenfett: Wagner, Anton.

Weber- und Seidenzeugmacher: Angelody, Joh. — Freis, Peter. — Götticher, Vinzenz. — Muderlak, Vinz. Obernbreit, Eduard. — Rosenbaum, S. — Schubert, Rich. — Zehntmayer, Gregor.

Wildprethänbler: Fuchsberger, Andr. **Xylografen:** Eiszner, Franz. — Huszka, Ludwig. — Mihálovics, Karl. — Mihálovics, Joh. — Russa, Karl.

Zichorienfabrik: Schönwald, H.

Zinngießer: Eichel, Joſ. — Fauser's, Gb. Ww. — Filipp, Math. — Kirnast, Joſ. — Reichardt, Ign. — Reichardt, Stef.

Zinkapfeln (zum Verſchluſſe von Flüſſigkeiten, als Weine, Liköre ꝛc.): Schrelner, Franz.

Zuckerbäcker: Balassovics, Peter. — Dürr, G. L. — Fischer, C. F. — Frey, Friedr. — Grabner, Joh. — Gruber, Anton. — Kehrer, Paul. — Klenovits, G. — Kortsák, Ww. — Kugler, Heinr. Lössel, Wolfgang. — Mann, Franz. — Naisz, Joſ. — Obermayer, A. — Pelmont, Karl. — Perl, Albert. — Pricklmayer, Ferd. — Rossberger, Joh. — Rossi, K. F. — Schindler, Wilh. — Schmidt, Viktor. — Stäck, Joſef. — Szigly, Alois. — Tost, Adam. — Trupp, Franz. — Wawerka, Alf. — Wikus, Karl. — Zoßka, Wenzel.

Außer der Innung.
Bellmann, Karl. — Eger, Adolf.
Zündhölzelfabrikanten: Brück, R.
& Comp. — Horn, Bernhard. — Rei-
ter, Friedrich. — Zarzetzky, Jos.
Zündsteine: Ruda, Anton, Bickford'sche
Zünder, zum Felsen sprengen. — Schuk,
Joh.

Peterwardein, starke Festung, banatisch
serbische Militärgrenze mit 4000 Einw.,
meist Deutsche. Sitz des flaven. General-
kommando des Militärappellationsgerichts
für alle Grenzer; Zeughaus, Normalschule,
Hausenfang.
Apotheker: Deodatti.
Spez.=, Mat.=Farbw.: Lang, Mathias.
Junginger, L. C. — Andres, Franz.
Gemischt: Nagy, Ignaz.
Nürnbergerwaren: Stefanowitz, Greg.
Bierbräuer: Baroko & Rischka. —
Werner, Franz.

Petrinia. Kroatische Militärgrenze. Stadt
und Festung an der Culpa, 5½ Posten von
Carlstadt, mit 8000 Einw.

Phönixhütte, Post Wallendorf, Kupfer= u.
Quecksilberhütte.

Pila. Dorf, Ober=Neutraer Komitat in
Ungarn.
Papiermüller: Woitsch, Karl.
Sägemüller: Hoffmann, Paul.

Piricse. Szabolcser Komitat in Ungarn.
Spiritusfabrikant: Kacz, Josef

Pistyan (auch **Pöstyén**). Marktflecken,
Ober=Neutraer Komitat in Ungarn.
Advokaten: Borovszky, Fr. — Cáspár,
J. — Turkovich, Karl. — Ujházy, L.
Apotheker: Keller, Th.
Bade=Anstalt: Bad Pistyán.
Bärber: Quittner, F.
Gastwirth und Kaffeesieder: Strasser,
Jos.
Schnittwarenhändler: Urban, R.

Vermischtwarenhändler: Eiszler, K.—
Eiszler, Morch. — Eiszler, Sal. —
Mangold, Herm. — Manheimer, Isak—
Schwarz, Abbl. — Urban, Herm.

Planina, (Kroatien) Steinkohlenbergwerk.

Pöcs=Petri. Szabolczer Komitat in Ungarn.
Horvath, Fr. von, Familie, Spiritusfabriksbesitzer.

Podluzsán. Unter=Neutraer Komitat in
Ungarn.
Zuckerfabrik: Sandtner, Rudolf & Comp.

Podwisoka. Dorf, Trenschiner Komitat in
Ungarn.
Holzhändler: Neudorfer, Joach.
Sägemühle: Skatisan, B.

Pojnik, Sohler Komitat, 1 M. f. w. von
Liebethen, Eisenbau, Eisenschmelzofen.

Pothornya. Dorf, Liptauer Komitat in
Ungarn.
Gastwirth: Tanczer, Adolf.
Holzhändler: Stern, Jakob, Firma Die-
ner & Comp.
Spirituserzeuger: Schwarz, Sim.

Pozeg. Komitat Pozeg in Slavonien.
Freistadt. 6000 Einw., an den Flüssen
Orljawa und Wellicsanka, am Fuße eines
weinreichen Gebirges. Ort der General-
Versammlungen und sämmtlicher Gerichte
des Pozeganer Komitats.
Apotheker: Ballogh, Ludwig. — Csilagy,
Karl.
Bräuer: Lobe, Karl.
Handelsleute: Bogic, Ath. — Fischer,
Joh. — Falk, Ferd. — Illic, Joslo.—
Konjevic, Joh. — Kussevic, Georg.—
Kussevic, Paul. — Kussevic, Spir. —
Kussevic, Stef. — Matejevic, Paul. —
Ritter, Hugo. — Singer, Samuel.

Prackendorf im Zipser Land (Post Göllnitz) Eisenwerk, Drehwerk und Walzwerk (Csaky, Ludmilla Gräfin).

Prebmór. Marktflecken, Trentschiner Komitat in Ungarn.
Gastwirthe: Weisz, Joh. — Wilhelm, Jal.
Vermischtwarenhändler: Brandeisz, Leopold.

Privitz. Marktflecken, Unter-Neutraer Komitat in Ungarn. 4500 Einw., 7 Posten von Tyrnau, 1/2 Stunde davon das Bajmoczer Mineralbad.
Advokaten: Kosztolanyi, J. A. v.
Apotheker: Machleid, Jos.
Buchbinder: Renner, Jos.
Färber: Bresztyansky, Ignaz.
Gärber: Csertyck, Georg. — Csertyck, Jos. — Gyurjak, Joh. — Hoyts, Mich. Leporis, Jg. — Leporis, Jsal. — Polereczky, Math. — Steiger, Johann.— Steiger, Mich.
Goldarbeiter: Paulath, Fr.
Kupferschmied: Burany, Joh.
Nadler: Wunder, Joh.
Seifensieder: Rosenthal, Joh.
Spiritus-, Likör-, Rosoglio- und Essigfabrik: Krieser, Leop.
Uhrmacher: Szteblinsky, Ed.
Vermischtwarenhändler: Filó, Gg.— Filó, Joh. — Mory, Franz. — Reif, Jsal. — Rosenthal, Jos. — Singer, Wilhelm.
Weinhändler: Ertl, Jos.

Proben (Deutsch). Marktflecken, Unter-Neutraer Komitat in Ungarn.
Bräuer: Steinhübel, Stef.
Gärber: Czeisell, Ab. — Czeisell, Ant. Czeisell, Georg. — Czeisell, Georg. — Czeisell, Josef. — Ergany, Josef. — Kocsner, Ant. — Kocsner, Benedikt.— Kocsner, Joh. — Kocsner, Josef. — Leutnann, Ant. — Leutnann, Jgn. — Loczka, Georg. — Paldaut, Johann.— Paldauf, Jos. — Tenczer, Albert. — Tenczer, Joh. — Weszerle, Joh.
Produktenhändler: Turtzer, Ant.
Seifensieder: Kurbell, Jos.

Spirituserzeuger: Bresztyanszky, Al. Bresztyanszky, Jos.
Vermischtwarenhändler: Diera, Ant. Diera, Benedikt. — Weiss, Sal.

Proben (Windisch). Marktflecken, Arva-Thuroczer Komitat in Ungarn.
Färber: Menich, Andreas. — Paulinyi, Paul. — Szalek, Wenzel.
Lederer: Ferjancsik, Joh. — Fontanyi. Gaffor, Franz. — Paulinyi, Georg.
Orgelbauer: Wagner, Samuel.
Vermischtwarenhändler: Frank, Jon. Bitroe. — Hoffmann, Samuel. — Klein, Salomon.

Preßburg. Stadt an der hier 130 Klafter breiten und mit einer Schiffbrücke versehenen Donau, 7 M. östl. von Wien, mit 40,000 Einw., worunter 5000 Juden. Schloß, erzbischöfliche Residenz, Theater, in dessen Kirche die ungarischen Könige, wenn der Krönungsreichstag nicht in Ofen gehalten wird, gekrönt werden; Akademie, Erzgymnasium, luth. Hauptgymnasium, theol. kathol. Seminar, kathol. Hauptschule, Realschule, Wechselgericht. Weinbau. Am Donauufer ist ein von Menschenhänden zusammengetragener kleiner Hügel, Königshügel genannt, den Maria Theresia 1776 neu errichten ließ. Auf diesen Hügel reitet der König von Ungarn nach seiner Krönung, und schwingt ein entblößtes Schwert nach den vier Weltgegenden, um dadurch anzuzeigen, daß er das Königreich schützen wolle, von welcher Seite es auch angegriffen werden sollte.
Großhändler: Frankl, Samuel. — Habermayer, M. & Sohn. — Jurenak, Ant. — Mayer, Salom. — Römer, Karl, auch Samenhändler. Eigenthümer einer Tischlerleimfabrik; befaßt sich auch vorzüglich mit Speditions-Geschäften.
Buch-, Kunst- und Musikalienhändler: Ellinger, M., hebräische Buchhandlung. — Krapp, L. — Schindler, F.- Schwaiger, Jos. — Wigand, K.
Eisenwarenhändler: Abeles, Jsidor.— Förster, Karl. — Heidenreich, Paul.— Mader, G. — Pallehner, J. St. — Pauer, Josef. — Reidner, J. G. — Schönhofer, Sam. — Walko, M.

13 *

Habern-Exportgeschäft: Fritsch, Ig.

Kunst- u. Musikalienhändler: Streibig, Karl. — Hadaryi's, Witwe.

Lederhändler: Adler, Karl. — Brüll, Samuel.

Leinenwarenhändler: Pauschenwein, A.

Nürnbergerwarenhändler: Bunzl & Biach. — Groszmann, A. S. — Hummels, Erben. — Mitterhauser, J. G.

Papier- u. Schreibrequisitenhändler: Freyler, Alexander. — Hardtmuth, Eduard.

Porzellanwarenhändler: Halzl, Karl.

Schnittwarenhändler: Back, Bernhard. — Edl, Theobor. — Freistadl, Leopold. — Fürst, Max. — Fürst, Leop. Keszler, Max. — Leitersdorf, Moriz.— Lipschitz, Salomon. — Lustig, Adolf. Mayer, Wilhelm. — Schacherl, Bern.— Schlesinger, Josef. — Sonnenfeld, Sig. Singer, Dav. — Tausky, Jonas. — Walzhofer, Franz.

Spezerei-, Material- u. Farbwarenhändler: Artner, A. — Dewald, D. Fischer, Joh. v. — Gassner, Josef. — Hackenberger, Gebrüder. — Hakstok, M. — Helm, Eduard. — Hofer, Karl. Jaklitsch, Peter. — Kovács, Johann.— Maier, J. C. — Moszer's, Jos. Witwe. Morth, Anton. — Pickel, Josef. — Pozustal, M. — Predl, Josef. — Putz, Johann. — Richter, Karl. — Slaby, August. — Schauer, Jos. — Scherz, Filipp. — Scherz, Josef. Engelbert. — Steiner, Jos. — Wanitsek, J. L. — Wanitsek, Daniel. — Wimmer, Jos.

Tuchhändler: Köttritsch's, Joh. Witwe. Stromsky, Joh. — Saueracker, Joh.— Toperczer, Rudolf.

Advokaten: Bangha, J. — Barinyai, Joh. — Bartl, Frz. — Baaer, Frz. — Bednarics, And. — Borcsányi, J. v.— Burian, Stef. v. — Böky, Georg. — Chalupka, Andr. — Cselko, Joh. — Csenkey, Alb. — Cservinka, Karl. — Cottely, Frz. v. — Dobisz, Johann. — Ejury, Karl. — Entresz, August. — Eremit, Cäsar. — Fabricius, Karl v.— Fekete, Alex. v. — Gabriel, Adolf. — Gervay, F. — Gschröll, F. — Imely, Ant. — Jobbágyi, Th. v. — Keller, Jos. — Királyföldy, Andr. — Kiri-

polszky, Karl. — Kunsch, Ludwig. — Mangold, Karl. — Maver, Johann. — Majercsák, Karl. — Mossóczy, Lubw. Németh, Lubw. — Németh, Karl. — Neumann, Jos. — Posch, August. — Samarjay, Karl. — Schäzler, Karl.— Szlemenits, M. v. — Schmitz, Balth.— Taund, Dan. v. — Trázsy, Viktor. — Vermes, Mor. v. — Vizy, Alex. v.

Apotheker: Barmherzigen. — Dobay, Jul. v. — Dusaill. Emerich. — Imry, Joh. — Heinrici, Friedr. — Klacsanyi. Ladisl. — Schneeberger, D.

Architekten: Foigler, Ignaz. — Feigler, Karl. — König, Hugo. — Nigris, Just. Bandmacher: Duránszky, Joh., k. l. landesbef. Fabrik.

Bauholzhändler: Hayböck, Karl & Bauer. — Huberth's Witwe. — Linzboth, Ignaz. — Linzboth, Johann. — Linzboth, Michael. — Rosenbaum. Abraham. — Sprintzl, Joh.

Bildhauer: Drandl, Ant. — Sadil, Ant.

Borstenviehhändler: Bäumler, Joh. Ludwig, Gottf. — Ludwig, Ant. — Premm, Jos. — Schiffbeck, Karl. — Stander, Adalb. — Weber, Wilhelm.— Wellner, Georg. — Woratsek, Th. — Woratsek, Franz.

Bräuer: Spitzer & Deutsch. — Schürger, Jakob.

Brennholzhändler: Baiersdorf & Biach. Seemann, Paul. — Spitzer. Max.

Buchbinder: Holderer, Christ. — Kisshauer, Ab. jun. — Norgauer, Org. — Rabats, Franz. — Sallmann, Franz. — Wendel, Jakob.

Buchdrucker: Schreiber, Alois. — Wigand, C. F.

Champagner-Fabriken: Esch & Com. Finke, Gebrüder. — Fischer & Schönhauer. — Walko, G. — Zechmeister, Eduard.

Chemische Farben-, Stärk- u. Pottaschenfabrik: Kieszling, Gebrüb., auch Zuckerraffinerie.

Chocolademacher: Buresch, Ignaz. — Treiber, Mathias.

Cichorie-Fabrik: Steinmaszler, J.

Drahtzieher: Libisch, Lourenz.

Drechsler: Beck, G. — Benyo, Jos.— Berlin, Aug. — Ernhoffer, Alois. — Farkas, Alex. — Fendt, Franz. — Honetz, Gottl. — Indest, Org. — Kiss-

bauer, Gust. — Legit, Karl. — Mik.
Franz. — Milhammer, Joh. — Rappel,
Jul. — Rasch, Ferd. — Wekherlen,
Albrecht.

Federnhändler: Lang, Joh.

Französische Rohr- u. Strohfessel-
erzeuger: Bauer, Joh. — Seefranz,
Leopold.

Einkehrgasthöfe: Braun, Johann, zum
rothen Ochsen. — Sprinzl, Johann, zur
goldenen Gans. — Heim, Thomas, zum
goldenen Adler. — Kern, Witwe, zum
goldenen Kreuz. — Krüger, Magdalena,
zur gold. Rose. — Kammermayer, Jos.,
zum schwarzen Löwen. — Jäger, Josef,
zum Metzen. — Leyrer, Andreas, zum
gold. Hirschen, Pächter Koch. — Löw,
Joh., zum grünen Baum. — Maly's Erben, goldenen Stern. — Moschótzy,
Ludwig, zur gold. Krone. — Petzl, Emer.,
zum gold. Lamm. — Prem, Jos., zum
weißen Ochsen. — Reidner, Gottl, zum
König von Ungarn. — Schwarz, Franz,
zum Schwan. — Stranzl, J. — Weisz,
Ladislaus, zum schwarzen Adler.

Gelbgießer: Schober, Georg. — Wiese,
Karl.

Glasfabriks-Niederlage, k. k. priv.:
Reich, Samuel, Verschleißer Fleischner,
J.

Glaser und Glaswarenhändler:
Geszner's, M. Witwe. — Kuller, A. —
Loetz, Andr. — Schandry, Josef. —
Schmidt, Jg. — Schmitz. Ludwig. —
Stranz, Karl. — Tiefenbruner, Gg. —
Tuma, Ant. — Wagner, Joh. — Zach,
Franz.

Glockengießer: Belloni, Ant.

Gold- u. Silberarbeiter: Blaska, K.
Ehrenhoffer, M. — Kranner, Karl.—
Kranner, Joh. — Kundtner, Karl. — Roth,
Joh. — Skala, Aug. — Schier, Ant.—
Stony, Joh. — Weidner, Gerhard. —
Weinstabl, Jos.

Goldschläger: Stuhler, Frz.

Graveure: Adler, D. — Bettelheim,
Ab. — Hubatius, A.

Gürtler: Herda, Jos. — Schubert, L.
Witwe. — Schubert, Sam.

Kaffeesieder: Karner, Eb. — Lieberth,
Joh. — Laban, Ant. — Löw, Fried.—
Mayer, J. — Stockh, Heint. — Stein-
brenner, St. Witwe.

Kupferschmiede: Ellinger, Ab. — Hof-
richter, Pet. — Schmidt, Karl.

Lederer: Hackenberger, Chr. — Lebwohl, J. G. — Lebwohl, Witwe. —
Stirling, Jos.

Leihbibliotheken: Krapp, L. A. —
Schwaiger, Jos. — Steiner, Sigm.

Leimfabrik: Römer, Karl.

Lithographien: Janig, B. August. —
Wigand, C. F.

Manufakturenhändler: Back, Jos. —
Back, Gebrüder. — Beck, Markus. —
Eisenstädter, Salomon. — Frankl, Sa-
muel. — Herzfeld, Salom. — Lands-
berger, Leopold. — Leidersdorf, Mor.
Lomberger, J. S. — Pappenheim,
Salom. — Wiener, Jos. — Wolf, J.

Maurermeister: Bendl, Gottf. — Feigler, Ignaz. — Feigler, Karl.

Mechaniker: Feitzelmayer, Seb. J. —
Gall, Peter. — Maerschalik, Peter.

Messerschmied: Krumeier, Antoh.
Zabranszky, Joh.

Modistinnen: Berger, Chr. — Berkovits,
Em. — Borovits, Susette. — Dewald,
Wilhelmine. — Feilhammer, Elise.
Fischer, Sofie. — Gretsch. Therese.
Holdermann, Aloisia. — Holzer, Ant.
Koszling, Katharina. — König, Konst.
Mich, Anna. — Pogoretti, Therese.
Roth, Adelheid. — Waltron, Anna. —
Weil, Magdalena. — Weisz, Marie. —
Wittmer, Katharina.

Möbel-Magazine: Hofmüller, Johann
und John, Andr. — Jensikovits, Frz.—
Mordin, Alois. — Vereinigte Tischler-
Niederlage. — Wicklein, Karl.

Nadler- und Galanteriewarenhänd-
ler: Betaque, Wilh. — Ramminger,
Karl. — Sandtner, Jos. — Stöger, J.
Weinstabel, Dionys. — Ziegler, Gg.

Oel-Raffinerien: Abeles, A. & Klinger, H. — Köcher, Fr. & Sohn. —
Schönauer, Jakob.

Optiker: Grasselli's Erben. — Fischer,
Josef.

Photografen: Abrahamovics, Franz —
Fleischmann, Gg. — Kozics, G. —
Prohaska, Math.

Porzellan- u. Steingut-Niederla-
gen: Halzl, Karl. — Hastilek, C. —
Hönisch, Franz. — Keckeis, Anna Bw.
Lobkowitz, Fürst, bei J. Fleischner.—
Schindler, C.

Produktenhändler: Abraham, Israel.
Bettelheim, Filipp. — Figdor, Adolf.—
Frankl, Wilh. — Herzfeld, Josef. —
Hirschl & Söhne. — Iritzer. Rudolf.—
Iritzer, Salomon. — Kann, Hermann.—
Kann, Filipp. — Kann, Samuel. —
Karlburger, Salomon. — Klinger, Is.
Lichtenstern, Adolf. — Modern, Dav.
Philipp, Leopold. — Reis, Ignaz. —
Reis, Jos. — Schreiber, A. — Schrei-
ber, Ignaz. — Schreiber, M. Abrah.—
Trebitsch, Bernard. — Tritsch, Fil. —
Wottitz & Söhne.
Putzwaren für Damen: Koller, Karl,
Damen-Mode-Salon.
Rosoglio-, Branntwein- u. Essig-
Erzeuger: Fabian, Franz. — Geyda-
schek, Moritz. — Lechner, Georg. —
Scherz, Filipp Wittwe. — Slabek, Ant.
Wittwe.
Schiffermeister: Bollovitz, Johann. —
Heybl, Joh. — Stöckl, Joh. — Zin-
ner, Franz.
Schwarz- u. Schönfärber: Kleinfeld,
Wilhelm. — Kugler, Peter. — Wellner,
Franz.
Seiden- und Wollfärber: Frank. J.
Seifensieder: Artbauer, Karl. — Cel-
ler, Ferdinand. — Eder, Joh. — Früh-
wirth, Michael. — Mayer, Michael. —
Pauer, Karl. — Pfaff, August sen. —
Pfaff, August jun. — Prüxner, Karl. —
Sewerdtner, Joh. — Stadler, Hiero. —
Zamene, Wenzel. — Zetwitz, Joh.
Siegellak-Erzeuger: Wimmer, Joh.
Speditions- u. Kommissions-Bu-
reau: Colloseus, Wilh. — Kohn, Sig.
Spitzer, A. — Stern, Jakob.
Spiegelfabrikanten: Neubauer, A.—
Pauer, P.
Spiritusbrennereien: Koziba, F.—
Reidner, Gustav.
Steinmetzmeister: Feigler, Franz. —
Frey, Heinr. Wittwe. — Rumpelmayer,
Alois.
Südfrüchtenhändler: Jacklitsch, Pet.
Tabak-Haupt-Verleger: Tschida, J.
Aigner, Paul. — Benda, Jos. — Kos-
sovitz, Joh. — Marek, Karl. — Mor-
din, Alois. — Prokopsky, Joh. —
Salwian, Jos. — Wacha, Franz. —
Wieland, Karl.
Teppich- und Lozenfabrik: Ecker,
Ernest.

Theater-Pächter: Kottaun, Leopold.
Uhrmacher: Amon, Hieron. — Edelbeck,
Haasz, Ant. — Hermann, Karl. —
Kusling, Eduard. — Pfeifenberger, W.
Schier, Leop. — Schmidt, Josef. —
Sommer, Stef. — Testory, Franz. —
Ultrich, Wilh. — Weyde, Frz. jun. —
Weyde, Frz. sen.
Vergolder: Angermayer, Karl. — An-
germayer, Anton. — Eremit, Georg.—
Kohanek, Joh. — Marek, Eduard.
Wechselstuben: Edl, Theodor & Comp.
Pappenheim, C. W.
Weinhändler: Eisvogel, Franz, en gros
& en detail. — Esch, Jos. & Comp. —
Girth & Schmidt, W., en gros. —
Speneder, Joh. — Zechmeister, Eb.
Weißgärber: Hampel, Samuel.
Wichsfabrikant: Pollak, M.
Windmühlenmacher: Huathy, Jos. —
Kotek, Ant. — Schenkel, Daniel. —
Zima, Jos.
Wollkratzen-Erzeuger: Kragl, Karl.
Ziegelbrennereien: Feigler, Ignaz.—
Lebwohl's Erben. — Reidner, J. G.—
Reidner, Karl. — Reidner, Karl Ww.
Städtische. — Walterskirchen, Baron,
W. C.
Zimmermeister: Fischer, Jak. — Jonny,
Stef. — Linzboth, Joh. — Queller,
Anton. — Queller, Jos. — Sprinzel,
Johann.
Zuckerbäcker: Barth, Karl. — Berger,
Alexander. — Bode, Franz. — Kös-
zeghy, Franz. — Rygl, Franz. — Stei-
ner, J.
Zündhölzchenmacher: Exl, Peter. —
Pollak, Ludwig. — Schuster, Kathar.
Zwiebackbäcker: Freyberger, Jos. —
Glück, Christian. — Kesselbauer, Gg.—
Kresser, Ernest. — Mechling, Joh. —
Münichshöfer, Christian. — Pfeiffer,
Ignaz. — Richter, Ignaz. — Scheuer-
mann, Wilhelm. — Wicklein, Ludwig.

Puchow. Marktflecken, Trentschiner Ko-
mitat in Ungarn.
Advokat: Zathureczky.
Eisenhändler: Politzer, J. — Spech-
ter, Ignaz.
Gärber: Hrtska, Adolf. — Kubina, J.
Mesao, Georg. — Oprssal, Andreas.
Porubiczki, Paul. — Viskup, Joh.

Gastwirth: Langfelder, David.
Goldarbeiter: Rottinger, Jos.
Kupferschmiede: Fiala, Ant. — Veszely, Anton.
Lederhändler: Gerson, Gebrüder.
Leinwandhändler: Schwarz, Tob.
Produktenhändler: Braun, Jak. — Brichta, Marer. — Fried, Wolf. — Haas, Koll. — Hrtska, Jer. — Kohn, A. — Kohn, H. — Kohn, Joach. — Neumann, Abrah. — Neumann, Max.
Schnittwarenhändler: Hrtska, Mor.
Seifensieder: Weisz, Sg.
Spezereiwarenh.: Felberth, B.
Wein- und Branntweinhändler: Hrtska, Hirsch Samuel.
Wollhändler: Weiss, Pinkas.
Vermischtwarenhändler: Brichta, Emanuel. — Deutschlander, Sam. — Haas, Kolmann. — Hrtska, Salomon. Kohn, Jakob. — Weisz, Marer.

Publein (Podolin), im Zipser Land, am Flusse Poper, mit 2100 Einw. Piaristen-Collegium, Gymnasium (1821 270 Schüler), Hauptschule, Gesundbrunnen.

Pusztaferem. Szathmater Komitat in Ungarn.
Károlyi, Ludwig Graf von, Spiritusfabriksbesitzer.

Raab, k. Freistadt in Ungarn, am Zusammenfluss der Donau, Raab und Rabnitz, im Mittelpunkte zwischen Wien (19 M) und Pesth, an der Hauptstraße, Eisenbahn von Wien über Stuhlweißenburg nach Ofen mit 24,000 Einw. Bischöfl. Residenz, Academie, Ober-Dreißigst- und Salzamt. Hauptstapelort des ungar. Getreidehandels und Speditionsplatz des Güterzuges von Oesterreich, nach Pesth; lebhafte Schifffahrt, wo die Schiffe überladen und mit Getreide nach Wieselburg geführt werden. Weinbau, Bienenzucht, 6 bedeutende Jahrmärkte, vorzüglich mit Getreide und Vieh, besonders Pferde, Horn- und Borstenvieh.
Eisenhandlung u. Geschmeidewarenhandlung: Bordás, Anton. — Edl, Adolf. — Edl, Mathias. — Zechmeister, Jos., Landesprodukte & Spedition.

Lederhandlung: Dursza, Mich.
Nürnbergerw. u. Galanterie: Brujmann, C. Albert. — Guzola, J. — Hergenzell, Ant. jun. — König. Sigmund, Niederlage der Klattauer Wäschwarenfabrik. Ein- und Verkauf von Staatspapieren. Com. und Spedit. — Kränzlein, Michael. — Scharitzer, Fr. L. (besteht seit 1794) Chef der Firma ist Mosdorfer, Ferdinand, befaßt sich namentlich mit Kurzwaren und Werkzeugen. Unschuld, Eduard.
Spezerei-, Mat.- u. Farbwarenhdl.: Brunner, F. S., Schießpulver und Salpeter-Verschleiß. — Caneider, Jos. Karl, auch Agent der ersten k. k. priv. Feuerverf.-Gesellschaft in Wien. Com. Spedit. Inkasso-Geschäft. Landesprodukte, Kolonialw., Schießpulver- und Salpeterverschleiß. — Ecker, Franz. — Emreß, August, Wienergasse 120. — Hergenzell, Anton, Landesprodukte en gros, Hauptagent der ersten ung. allg. Assek. Gesellschaft. Milchgasse 98 z. goldnen Löwen. Kindermann, Joh. Hauptplatz 219. — Kojanitz, Michael. — Lehner, Franz, Ecke d. Wiener und Weißenburger Gasse z. schwarzen Hund, Kommanditär b. k. k. priv. wechselseitigen Brandschaden-Versich. Anstalt und Hauptagent d. Lebens- und Rentenversich.-Anstalt, Anker. — Lokardy, Sebastian, Königsgasse Nr. 94, Spez.-, Mat.- u. Farbwaren. — Noisser, Ernst, Königsgasse z. goldnen Kugel. — Puntigam, Rud., Wiener Vorstadt 40, Sped. Kom. Inkasso, Agent d. erst. ung. allg. Ass. Gesellschaft. — Schneller, Gust. Wiener Vorstadt. — Stampfl, Josef, Spez.-, Mat.- u. Farbw. — Vaghy, Ant., z. weißen Bären, Hauptplatz 108. — Windisch, Anton, z. blauen Einhorn. Weißenburger Gasse 63. — Zittritsch, Anton G., Donaugasse 134. — Zittritsch, Math., Hauptplatz 236.
Spiritus-, Rosoli-, Litör- u. Essigf.: Schlesinger, Hch. u. Sohn.
Bierbr.- u. Spiritusf.: Hatzinger, Franz.
Papierhandlung: Mayer, Ferd.
Commiss.- u. Speditionsgeschäft in Getreide u. Reps: Austerlitz, Sigm., Raab Sziget, Druckgasse 1, Agent der Nuova societa comm. — Frey, Salo., Stadthaus. — Fellner, Anton, Stadt,

Hauptplatz 211. — Guth, Randl., Weissenburg. Gasse. — Hechtl, Brüder, Ferdinandstr., Agent d. 1. ung. allg. Ass. Ges. — Janohazy, Karl, Kreuzgasse. — König, D. A., Wiener Vorstadt. — Kubies & Frey, Szecheny Platz. — Meringers Witwe. & Sohn, Hauptagent der Azienda Assekuratrice, Carmeliterplatz — Reick, Ed., Franzstadt, Weissenburgergasse. — Schaffner, Ant., Reuthorgasse. Schreiber, D. & Söhne, Stadthauptgasse — Schandl, Joh., Klosterfrauengasse. — Scultety & Mandl. — Stein, J. Rathan, an der Donau. — Strasser & König, Stadt Stadthausgasse. — Taubinger, J., Ferdinandstadt, Weissenburgergergasse, Agent der Riunione Adriatica. Weidmann, H., Hauptplatz 211, Agent der Riunione Adriatica. — Wolf & Stark, Hauptagent d. österr. Phönix, Stadthausgasse.

Seiden-, Leinen- und Modewarenhändler: Folk, Ignaz Andreas. — Forster, Jos. — Friedrich, Herm. — Kohn. Moritz. — Kohn, Max, Schnitt- und Modewarenhbl. — Link, H. — Lemberger Mayer, Kurzwaren. — Timár, Ferdinand.

Tuchhändler: Hoffner, Perlaky & Comp. Chef. der Firma Perlaky, Daniel. — Nikolits, Gg. — Szabo, Karl.

Wachszieher und Lebzelter: Angster, Ferd. — Kindermann, Franz. — Zechmeister, Karl.

Abvolaten: Fessler, Joh. — Kurvasy, Kolom. — Kovács, Graf. — Kováts, Alex. — Krisztinkovits, Ed. — Petz, Adolf. — Prágay, Karl. — Probst, F. Szentmihályi, Alex. — Szilágyi, Mich. Terner, Casp. — Torkos, Moritz. — Vöros, Emer. — Vrana. Stef. — Weisner, Ant. — Ziska, Jos. — Zmeskál, Jos.

Apotheker: Anwander, Rud. — Litzenmayer, Franz. — Nemeth, Paul. — Kauz, Ign.

Borstenviehhändler: Dorner, Mich. — Gaszner, August & Sohn. — Latcsz, Jakob. — Mayer, Michael. — Müller, Joh. & Sohn.

Buchbinder: Habosi, Karl. — Kubarsky, Ant. — Követses, Mart. — Lakner, Ernest. — Ritter, Gab. Witwe.

Buchdrucker: Sauervein, Victor.

Buch-, Kunst- u. Musikalien-Handlung: Schwaiger, Philibert.

Dampfmühle: k. k. priv. Raaber Dampfmühl-Actien-Gesellschaft.

Drechsler: Németh, Josef. — Rupold, Franz.

Eintehrgasthöfe: Friedmann, Alois, Pächter, zur rothen Rose. — Höfer, J. Pächter. — Hoffmann, Michael, Pächter. — Koranda, Alois, Pächter. — Marchart, Franz, Eigenthümer. — Marchart, Jos. — Müller, Jos. — Rammershofer, Jos. — Ruschek, Ferkin. — Silbersdorf, Heinr.

Färber: Aschendorfer, Frietr. — Forster, Jos. — Gilgenbach, Joh. — Gilgenbach, Sebast. — Romanek, Franz.

Frucht- und Getreidehändler, und in Raab wohnende Mitglieder des Raaber wechselseitigen Versicherungs-Vereines gegen Wasserschäden: Angyal, Lorenz. — Böröndy, Janos. — Bösze, Imre. — Fabian, Paul. — Falk, Ludwig. — Fischer, Georg. — Fischer, Josef. — Fischer, Karl. — Fodor, Istvan. — Gönczöl, Anton. — Habosy, Johann. — Haragos, Michael. — Hechtl, Andr. — Hergeszell, Anton. — Hergeszell, Jos. — Horváth, Joh. — Horváth, Michael. — Horváth, Stef. — Huber, Johann. — Huber, Paul. — Mayer, Jos. — Nagy, Andreas. — Nagy, Endre. — Ney, Janos. — Ney, Janaz. — Niesinger, Josef. — Preng, Michael. — Plank, Joh. — Schäffer, Jakob. — Schändl. Jos. — Schöpf, Johann. — Simon, Paul. — Skarguy, Sam. — Somogyi, Franz. — Spith, Georg. — Szabo, Imre. — Szabo, Paul. — Szalacsy, Josef. — Szalacsy, Ludwig. — Szentmihalyi, Franz. — Szombath, Joh. — Szombath. Samuel. — Toth. Franz. — Toth, Imre. — Vainotz. Michael. — Weissmandl, Heinrich. — Weissmandl, Ludwig. — Zechmeister, Jos.

Gelbgießer: Hauber, Math. — Kozak, Karl. — Piskazek, J.

Glaser und Glashändler: Angster's Witwe. — Dröbni, Anton. — Hopka, Georg. — Limbek, Jos. — Sebö, Missa.

Gold-, Silber- und Juwelen-Arbeiter u. Händler: Ecker, Adolf. — Friedmann, Bernh. — Hausser, Gust. — Keller, Adolf. — Lion, Filipp. —

Ortner, Martin. — Rath, Gustav. —
Raab, Christian.
Holzhändler: Hetsch, Math., Bauholz.
Schlosser, Ignaz, desgl.
Kaffeehäuser: Hechtl, Friedrich. — La-
tes, Jaf., Handels-Kasino. — Limbek.—
Orossy. — Reinelt, Eman. — Schleif-
felder, M. — Schopf, Franz. — Wa-
katzek, Vinzenz.
Kupferschmiede: Fekete, 2. — Mayer,
Ant. — Pachinger, Ant.
Lederer: Eitner, K. — Gießing, M. —
Reichhüter, Franz.
Möbelhändler: Bürgl. Tischler-Innung.
Molnar & Terner. — Strauss, Joh.
Modistinnen: Birkenfeld, Ignaz. —
Frischmann, Th. — Hackstok, Anna.—
Kováts, Sofie. — Matkó, Sofie. —
Schönauer, Anna. — Tauber, Rosa. —
Raiky, Anna.
Oelfabrik: Kohn, Adolf, k. k. landespr.
Raab-Szigether Dampföl-Fabrik.
Seifensieder: Michl, Jos. — Michl,
Reuschl, Albert. — Schneller, Ludwig.
Tapezierer: Bauer, Jos. — Blum, S.
Kittinger, C. — Mayer, Joh. — Pra-
mer's, Witwe.
Theater-Unternehmungen: Die Som-
mermonate deutsche, die Wintermonate
ungarische Gesellschaft.
Uhrmacher: Schmataler, Ant. — Keller,
Rud. — Klökner, J. — Kramsky. —
Hajnal, Franz. — Saivart, Ant. —
Goll, Franz.
Vergolder: Birkmayer, Jg. — Birk-
mayer, Joh. — Kilian, Lor. — Strei-
cher, Jos.
Zeitungs-Redaktion: Szilvasy, Eigen-
thümer und verantwortlicher Redakteur des
Györi Közlöny.
Zeugschmied, Stadl, Karl, auch Acker-
baumaschinen.
Zuckerbäcker: Schön, Anton. — Stampa,
Brüder.

Rabna. Araber Komitat in Ungarn.
Winter, Bernard, Spiritusfabrik.

Radvány a. d. Uburna. Marktflecken,
Sohler Komitat in Ungarn. 2000 Einw.
Salpetersiederei und Pulvermühlen.
Färber: Kuszma, G.

Gärber: Duchon, S. — Kjacsanszky, A.
Sekaris, Sam. — Szomora, Joh.
Gürtler: Kubovits, M.
Holzhändler: Benik, Joh. — Kneppo,
Joh. — Kozchuba, Dan. — Kraspan,
Dan. — Ladiver, Joh.
Krämer: Meczky, Sam.
Lederer: Dvrdon Dan.
Messerschmiede: Becko, Karl. — Becko,
Ril. — Gilan, Joh. — Jeszenszky, S.
Kiselcsik. Rich. — Macicka, Joh. —
Mucha, Rich. — Puchov, Johann. —
Tichy, Sam.
Spiritus- u. Branntweinhändler:
Frank, Sim. — Gescheid, Anton. —
Hulez, Dav.
Uhrmacher: Dioba, Gg
Wollhändler: Löwy, Jal. — Simek,
Jos.

────

Ragusa. Königreich Dalmatien. 6000 E.
auf einer Halbinsel. Handel u. Schiffahrt.
Regozianti: Boscovich, R — Brava-
zich, G. — Degiulli, B. — Kovacevich,
G. — Lucich, Th. — Micich, Th. —
Milakovich, G. — Opicich, G. —
Paulovich, P. — Perlender, St. —
Putiza, L. — Serragli, L.
Avvocati: De Bona, R. — De Pozza,
C. Dr. — De Zamagna, R. Dr. —
Kasuacich, A. — Radmilli Dr.

Rajec. Marktflecken und Bad, Trentschiner
Komitat in Ungarn.
Apotheker: Krasnecz, G.
Bräuer: Lamlech, Si.
Branntweinbrenner: Lußler, B.
Färber: Zajmusz, Jos.
Gärber: Halko, Jos. — Pikler, D. —
Pikler, M. — Rosenzweig, Jg. —
Skrabik, L.
Orgelbauer: Passiezky, G.
Schnittwarenhändler: Löwy, J.
Spezereihändler: Bladny, Jos.
Vermischtwarenhändler: Engel, S.
Jaszinger, P. B. — Telek, B.

Rakowa. Trentschiner Komitat in Ungarn.
Holz- und Schmalzhändler: Zema-
nik, Joh. — Zemanik, Math.

Ráh-Betse an der Theis, mit 8500 Einw. Handel. Batscher Komitat.

Recziza, Dorf. Berggerichtssubstitution, Eisenbergwerke, Eisenhammer und Eisengießerei. Banat, Kraschover Komitat.

Regécz (Post Liszka) Ober-Ungarn. Glashütte.

Reißmarkt. Karlsburger Kreis in Siebenbürgen.
Bermischtwarenhändler: Csiki, Joh. Csiki, Stef. — Goldschmidt, Theod.

Rezbánya, Dorf. Berggerichtssubstitution, Bergamt, Kupfer- und Bleibergwerk. Biharer Komitat.

Reßzege. Szathmarer Komitat in Ungarn. Jasstabszky, Ig., Spiritusfabrik

Retsag. Neograder Komitat in Ungarn. Gastwirthe: Cseh, Rosalie, Witwe. — Vadkerti, Stefan.

Rhona-Szek, Dorf, Steinsalzwerk, jährlich 299,889 Ctr.

Ribár. Sohler Komitat in Ungarn. Bad-Szliács.

Rimaszombath. (Groß-Steffelsdorf) Königl. Stadt in der Gömörer Gespanschaft in Ungarn. 4 Jahrmärkte. 5000 E. am Rimaflusse, wo eine ungeheure Menge hörnener Tabakpfeifenrohre und Mundstücke gedrechselt, und hölzerne Sättel, Bauermäntel, Kotzen, Knöpfe, Schnüre, metallene Geschmeide und hölzerne Reiseflaschen verfertigt werden. Handel mit Leinwand und Viehhäuten.
Bermischtwarenhändler: Bronts, Joh.

Greiner, Ant. — Haeissel, Alexander. — Hegedüs, Leopold. — Kraetschmar, C. A. — Schirmeisen, Anton. — Radvány & Comp. — Schiktantz's, Josef Witwe. Zwicker, Otto.
Eisenhändler: Vozary, Ludwig.
Eisenwerke: Andrassy, Georg Graf, zu Dernö. — Heinselmann, zu Chisnoveba. Kubinka, Franz, zu Czinobanya. — K. k. Aerarial, zu Theisolz. — Latinak, Rudolf, zu Plötzk. — Rima, Muranyi, Sárkány, Karl, im Esetneferthal. — Szalotzer, im Sajothal. — Union, in Esetneferthal.
Essig-Fabrik: Felsenburg, Samuel.
Glas-Fabriken: Koschuch, Johann, Czinobanya. — Kuhinka, St. C., in Neu-Antonsthal. — Kuhinka, St. C., in Dolina. — Kuhinka, Leopold, in Bzova. — Kuhinka. Karl, in Szalmatertö. — Zahn. J. G., in Zlatno.
Papier-Fabriken: Forgáts, Julius, Graf in Kokova. — Gyürky, Paul, zu Theisolz.
Steingutfabrik zu Muranh.
Coburg Herzogl. Acker-Geräthschaften-Fabrik zu Rimaszet.
Holz-Dampffäge des St. C. Kuhinka in Sichla.
Advokaten: Csider, K. — Dapsy, B. — Keszler, A. — Kuklits, J. — Lengyel, S. — Löcherer, J. — Lubik, J. — Molitoris, J. — Szabo, G. — Sztuts, St. — Tirscher, St.
Apotheker: Bernath, Jof. — Hamaliar, Karl.
Buchbinder: Csapo, Jof. — Csapo, L. Györy, F.
Buchdrucker: Kádár, Jof.
Drechsler: Perjésy, St. — Török, St.
Einkehrgasthöfe: Zu den drei Rosen. — Zum grünen Baum. — Zum Huffaren.
Färber: Alexy, J. — Danielis, K. — Gasko, C. — Plieta, S.
Gelbgießer: Iremscher, Karl. — Kretsmar, L.
Glaser: Szentistványi, A.
Gold- und Silberarbeiter: Libay, B. — Szentpétery, J. — Urházy, R.
Kupferschmied: Gresits, J. — Lányi, J. jun. — Toth, P.
Tabak-Großverschleiß: Hegedüs, L.
Uhrmacher: Chapor.

Zuckerbäcker: **Farkas, J.** — Piskalszky, Andr.

Rodna, Bleigruben (jährlich 1300 Cent. Blei, 170 Pf. Silber und 25 Loth Gold), Sauerbrunnen; in der Nähe der Rodna- paß. Siebenbürgische Militärgrenze.

Rohnitz. Sohler Komitat in Ungarn. Eisenwerke: K. Rohnitzer Eisenwerks- Verwaltung. Stabeisen, Kails, Stahl- und Roheisen, Guß-, Maschinen-, Zeug-, Schlosserwaren und Nägel.

Rosenau. 5000 Einw. K. k. Bergstadt am Sajo, Gömörer Komitat in Ungarn. 4 Jahrm. 1 Wochenm. Sitz eines kathol. Bischofs, Berggerichtssubstitution, kathol. und luth. Gymnasium, bischöfl. Lyceum, kathol. Hauptschule; Gold- und Silberberg- werke.

Alexy, Ludwig, in Manufaktur- und Kurz- waren. — Benkner, Samuel mit Tuch-, Eisen-, Nürnberger-, Galanterie-, Porzel- lan-, Steingut- und Manufakturwaren. — Bronts, J. F. mit Tuch-, Manufaktur- und Kolonialwaren u. Papier en gros. — Fekete, Alexander mit Kurzwaren. — Fischer, Karl u. Gustav, Glas u. Spe- zerei. — Feymann, Anton mit Kolonial-, Farb- und Spezereiwaren, auch en gros Geschäft mit Antimon, Wachs, Gerstl. u. Tischlerleim. — Iranyi, Adolf mit Kurz- waren. — Kalmar, Ladislaus mit Tuch- und Kolonialwaren. — Marko, Johann mit Lederwaren. — Nehrer, Mathias, Eisenw. Besitzer einer Nägelfabrik. Com- miss. in allen obertungarischen Eisenpro- dukten u. Spediteur. — Roth, Josef, Ge- mischt. — Radvanyi, Sam., Kurzwaren. Schlosser, C. L. mit Tuch-, Kolonial- u. Farbwaren, unter Leitung seines stillen Gesellschafters Karl Fabry. — Vass, Karl mit Kolonial- und Spezereiwaren, beschäftigt sich auch mit Commissionen u. Speditionen.

Leinwandbleicher, die zugleich Honig- händler sind: Osvard's, Joh. sel. Ww. Pokar's, Joh. sel. Wm. — Radvanyi's, Paul sel. Wm. — Sápy's, Alexander sel. Wm. — Vass, Daniel. — Vass, Samuel sel. Wm.

Fabriken.

Marko, Josef, k. k. priv. Lederfabrik, Pfundsohlen, Kalbleder und Blankhäute. Nehrer, Math. Nagelfabrik. — Rosen- auer, Steingutfabrik. — Schlosser, C. L. Kunstmühle.

Advokaten: Bolesházy, Josef. — Far- kas, Eugen. — Hritz, Josef. — Rudy, Josef. — Radványi, Gustav. — Szegedi, Sigmund. — Szerecsen, Ludwig. — Sthymel, Samuel. — Szikaly, Eduard. — Ujházy, Davit.
Apotheker: Pösch, Jos. — Madarász, Gustav.
Buchbinder: Ethey's, Josef Witwe. — Savolyi, August. — Szendelszky, Jos.
Buchdrucker: Killien, Johann.
Drechsler: Klein, Karl.
Eintehrgasthöfe: Zum schwarzen Adler. Zur weißen Rose.
Färber: Fabry, D. — Kirner, J. — Kirner, S. — Kiss, Karl sen. — Kiss, K. jun. — Ujházy D. — Ujházy, C.
Gelbgießer: Czimmermann, Elias.
Glashändler: Fischer's, L. Witwe. — Garay, A.
Gold- und Silberarbeiter: Erös, Mich.
Kupferschmiede: Freytag, Jakob. — Lányi, Jos.
Lederer und Gärber: Antal, Sam. — Bolesházy, S. — Cseked, J. — Hoky, K. — Hudák, J. — Palentsar, J. — Zámbory, M.
Seifensieder: Kubinyi, F. — Lesich, K. — Radványi, C.
Spängler: Leopold, S. — Simon, K.
Tapezierer u. Sattler: Gutkovsky. — Salczer, Daniel. — Schmiedt, Sam.
Uhrmacher: Fedorcsik, Peter. — Krom- berger, Friedrich.
Zuckerbäcker: Flitsch, Andreas.

Umgebung von Rosenau.

Bal.
Schlosser's, C. Erben, Kunst-, Mehl- u. Gerstl-Mahlmühle.

Berzete.
Hochofen, einer Aktien-Gesellschaft ge- hörig.

Betler.
Nadasdy, Thomas Graf, Hochofen.

14 *

Eisenet.
Madarász, Andreas von, Hochofen und Frischfeuer, dann Kupferhammer. — Sárkány, J. C., Hochöfen und Frischfeuer.— Stadtgemeinde, Breterschneidmühle.

Dernő.
Andrássy, Georg Graf von, Hochöfen, Eisengießerei und Streckwerke.

Maßnikő.
Maschinenpapier-Fabrik, einer Aktien-Gesellschaft gehörend.

Szlabos.
Maschinenpapier-Fabrik.

Oláhpatak.
Andrássy, Emanuel Graf, Hochofen.

Redova.
Sárkány, Hochofen.

Rotenstein und Pohorella.
Sachsen-Koburg-Gotha'sche herzogliche Hochöfen, Eisen- und Walzwerke.

Szlaviß.
Hámos, Josef v., Erben Radvánsky. Gustav und Keczer, Hochöfen, Walzwerke, Frischfeuer und Streckwerke.

Rosenberg. Liptauer Komitat in Ungarn. An dem Ausflusse der Revulza in die Waag, mit beiläufig 3000 Einw. Hauptstapelplatz für den Bauholz- und Holzwarenhandel, mittelst des Waag-Flusses und der Donau. Schafzucht, Flachs- und Hanfbau, Leinwandweberei. Der Liptauer Käs und die hiesige Butter, die weit verführt werden, sind berühmt. Auch die Bienenzucht ist im Flor. Sauerbrunnen.
Advokaten: Detrich, F. — Kirits, K. — Lavota, Joh. — Podhoranyi, M. — Thold, K.
Apotheker: Jureczky, H.
Färber: Floch, G. Witwe. — Pauljár, J. — Króner, A.
Gärber: Groszmann, J. — Kohn, W. Kralitsek, Johann. — Kricska, A. — Kricska, J. — Labai, J. — Latzko, J. — Olejnik, A. — Olejnik, J. — Putzek, J. — Sipos, A.
Gastwirthe: Duklauer, J. — Fischer, Markus.
Holzhändler: Jancsek, J. — Pessek, Johann.
Regulus Antimonium-Erzeuger: Kraczer, L., Firma Bisztrcer Regulus Antimonium-Hütte.

Seifensieder: Dányi, D.
Spezereiwarenhändler: Fisch, J.
Spiritushändler: Glászner, Jos.
Vermischtwarenhändler: Dereano, J. Fischer, J. — Krecsmery, Wilh. Kußler, W. — Maroviczky, Peter. — Oberschall, F. — Tholdt, J.

Rowne. Trentschiner Komitat in Ungarn.
Gastwirthe: Leindörfer, K. — Neudörfer, Moses.
Obsthändler: Bjecsar, Em. — Bjecsar, G. — Gyulik, Em. — Gyulik, J. — Gyuris, Andreas. — Gyuris, Emer. — Klincsar, Gebrüder. — Kupis, Gg. — Nocadcsik, Jos. — Pauer, Gebrüder.

Rude bei Szamobor. Kroatien. Zimmer, D. & Comp., Kohlen- und Kupferbergwerk.

Pfrebak bei Szamobor, Kroatien. Hafenbrödl, J. Glasfabrik.

Ruß, Freistadt am neusiedler See, mit 1200 Einw., gewinnt jährlich 9000 Eimer des besten Weins. Oedenburger Komitat.

Ruszkberg, Eisenbergwerk. Banater Militärgrenze (siehe Seite 57).

Salló (Nagy). Barser Komitat in Ungarn.
Eisenhändler: Frey, Joh.
Färber: Weiss, Vincenz. — Kondelka, Wenzel.
Gastwirthe: Guttmann, St. — Sztublik, Ignaz.
Seifensieder: Csado, Franz.
Vermischtwarenhändler: Janda, J.— Present, Ignaz.

Sámson. Nord-Biharer Komitat in Ungarn.
Spiritusfabrikanten: Leitner, Fr.— Toth, Karl.

Sarkad. Süd-Biharer Komitat in Ungarn.
Spiritusfabrikant: Blayer, Jsal. — Schreier, Franz.

Sáros-Patak. Zempliner Komitat, am Bobrogh, mit 9500 Einw. Kathol. Gymnasium, reform. Collegium mit einem Museum mit physkl. Apparat und Mineraliensammlung; bei dem ersten eine Bibliothek von 20,000 Bänden; kathol. Hauptschule, Weinbau.
Quarz-Mühlsteinefabrik (nach französischer Konstruktion): Laczai, Karl von Szabo.

Sarvar, Markt, Eisenburger Komitat in Ungarn. An der Straße von Papa nach Stein am Anger.
Apotheker: Dervorits.
Advokaten: Bardosi, Stef. — Bekesi, Georg. — Horvat, Stefan.
Gasthaus: Zur Krone, Kiedt, Karl.
Spezerei u.-Eisenhandlung: Geyer, Paul. — Stieder's Witwe. — Stieder, Titus, auch Nürnb. Galant. u. Günzer Dampfmehlniederlage.
Spezerei: Deutsch, Jsal. — Rechnitzer, Rud. — Singer, Urban. — Sulzbek, Sam. — Weiss, Ludwig.
Schnittwaren: Bass, Moritz. — Bass, Jakob. — Krauss, Ignaz. — Kohn, Ignaz. — Lang, Lazar. — Schnabel, Gustav. — Schnabel, Moritz. — Singer, Karl. — Zweiter's Witwe.
Glashdl.: Schwarz. — Spiller, Ignaz.
Färber: Geyer.
Seifensieder: Einbek's Witwe.
Lederhdl.: Gärtner, Gustav, auch Agent d. Assecurationi Generali, Schuhmacherware auch Riemer- u. Gürtlerwaren. — Lichtschein, Leop. — Lichtschein, Jos.

Sassin (oder **Schoßberg**). Marktflecken, Ob-Neutraer Komitat, Stuhlbezirk Szenitz. 3000 Einw.
Buchbinder: Rzekerka, Franz.
Gastwirthe: Fritz, G. — Grunsky, A. Hoffman, J. — Hoffman, R. — Spelitz, L.
Kräuterhändler: Rosenbaum. — Sonnenfeld. — Spiegler.

Kupferschmied: Reimisch, Eng.
Lederhändler: Pollak, S. — Spiegler, Simon.
Ochsenhändler: Fleischmann, Bern. — Fleischmann, S.
Produktenhändler: Ernst, Markus. — Halik. Joh. — Tonelcaz, Maier. — Weininger, Bernh.
Salzhändler: Baranek, Paul. — Maró, Emerich.
Schnittwarenhändler: Berger, Jat — Ehrenreich, Jat. — Ehrenreich, Sam. Löwy, Albert. — Spiegler, Mofes.
Seifensieder: Sonnenfeld, Meyer.
Spezereiwarenhändler: Blau, Adolf. Ehrenreich, Georg. — Fleissig, S. — Salzmann's, Josef Witwe. — Spiegler, Salomon.
Vermischtwarenhändler: Hoffmann, Ant. — Marlepp, Ignaz. — Mathiassovits, Jos. — Rohats, Joh. — Rosenbaum, Simon. — Weisz, Markus.
Zimmermeister: Petrowan, Joh.
Zuckerfabrik: Puthon, Rudolf Freiherr von, Firma Sassiner, Zuckerfabrik.

Schäßburg, Freistadt am großen Kokelflusse, cir. 8000 Einw., Siebenbürgen, mit Weberei, Tuchmacher, Gerber und etwas Weinhandel, 1 evang. Gymnasium.
Gasthäuser: Goldner Stern, Dernert, Joh. — Weißes Lamm, Orendy, Gottf.
Apotheker: Herbert. — Schuster, Fr. — Berbert, Fr. — Berwerth.
Advokaten: Bakon, Jof. — Gull, Jof.
Buch-, Kunst-, Musik-, Papierhdl.: Habersang, Karl Julius.
Eisen- und Nürnbergerw.: Kremar, Johann.
Eisen: Alesius, Friedr. G. — Nagy, A. Nagy, Stef., auch Tabakgroßverschleiß, Assekuranz der Triester Allg.
Schnitt-, Tuch- und Modewaren: Hausenblass, A. B. — Wadt, Rich.
Vermischt: Goldschmidt, Zacharias. — Goldschmidt, Daniel. — Hanzulovits, Jakob. — Orendy, J. G. — Reichenstädter, Julius.
Spezerei-, Nürnb. Galantw.: Wagner, Michael, auch Agent der Reunione Adriatica di Sicurta in Triest.
Spezerei: Demian, Demeter, Material- und Nürnb. W. — Fischer, Karl. —

Misselbacher, Johann B., prct. Firma, welche auch als öffentlicher Gesellschafter Jos. B. Deutsch, per Prokura zeichnet, Spezerei-, Material-, Farb- und gemischte Waren en gros. Lager in Kolonial- u. Lederwaren, dann weiße und gefärbte Baumwollgarne, Kommissions- und Spe- ditionsgeschäft.

Zuckerbäcker: Leonhardt, Joh.

Färber: Heldner, Joh. — Frank Gg. Löw, Andreas.

Seifensieder: Lotz, Karl. — Döllmann. Schönauer. — Teutsch.

Effigf.: Gyar, Egel.

Branntweinbrenner: Hawerka, Jos.— Adlof.

Schattmansdorf. Ober-Neutraer Komi- tat in Ungarn.

Eisenhändler: Berger, Jos.

Schnittwarenhändler: Laufer, Frz.

Vermischtwarenhändler: Berger, D. Eisler, Karl. — König, Jos. — Schaar, Leop. — Steiner, Jos.

Schemnitz. Königliche Bergstadt, Hanthcr Komitat in Ungarn. 2000 Fuß über den Meeresspiegel, 16 M. nördl. von Pesth mit 18000 Einw., wovon 8000 beim Bergbau beschäftigte Arbeiter, Berggericht, Bergaka- demie. Bergwerke auf Gold, Silber, Kupfer, Blei, Arsenik, die seit 746 in Betrieb sind. Die Gänge gehen bis zu einer Tiefe von 1700 Fuß. Die wichtigsten Erze sind Glas- erz, goldhaltiger Schwefelkies, Zinopel, Blei- glanz, Kupferkies.

Aschner, R., Spezerei-, Farb- und Nürn- bergerwaren. — Burman's, J. B. Witwe. Spezerei- und Lederwaren. — Cerva, Karl, Spezerei- und Nürnbergerwaren, Leder, auch Spediteur der Preßburg-Tyr- nauer Eisenbahn. — Dimak, J. C., mit Spezerei- und Farbwaren. — Ertl, Wilh. Schnitt-, Tuch- und Nürnbergerwaren. — Fajnor, Jos., Spezerei-, Material- und Farbwaren, Agent der ersten ungar. all- gemeinen Assekuranz-Gesellschaft. — Gait- ner & Tibély, Schnitt-, Tuch- und Mo- dewaren, auch Porzellain- und Steingut- geschirr. — Helmreich & Kolbenheyer. Tuch-, Leinwand-, Mode- und Nürnber- gerwaren. — Heufel, Stefan, Eisen- u.

Beschreibewaren. — Hornitzky's, Franz, Witwe, Lederwaren. — Liszt, Gustav, Schnitt-, Tuch- und Modewaren. — Lu- kats, Johann, Schnitt- und Tuchwaren. Prandl, A. F., Spezerei und Farben, Agent der k. k. priv. Azienda Assicuratrice in Triest. — Schaller, J. C., Eisen- u. Nürnbergerwaren. — Sommer, Joh. A., Spezerei- und Farbwaren, sowie auch Schreib- und Zeichnungstrequisiten, Agent der k. k. priv. Nuova Societa Comerci- ale di Assicurazioni in Triest. — Ze- lenka, F., Spezerei-, Kolonial- und Farb- waren, auch in Speditions- und Kom- missions-Geschäften. Districts-Agent der k. k. priv. ersten österr. Versicherungsge- sellschaft.

Umgebung von Schemnitz. Vermischtwarenhändler: Goszno- vitzer, A., in Dilln. — Huber, J., in Karpfen. — Lindmayr, J. N., in Bugganz. — Mayr, C., in Hodritsch. Plank, C., in Biehnye. — Reuner, L., in Windschacht. — Siegler, B. F., beßgl. — Veinert, J., in St. An- tal.

Advokat: Valkovits, Karl von.

Grob- und Maschinenschmied: Ka- chelmann, C.

Gold- und Silberarbeiter: Kossi, Ludwig.

Thonpfeifen-Fabriken: Hönig, A. — Schmidt's Jos. Witwe.

Uhrmacher: Pfeifor, Em.

Schirak, Dorf, Weinbau.   Gömörer Ge- spanschaft.

Schmöllnitz, (ungarisch Szmolnok) Zips 4500 Einw., auf allen Seiten von hohen Schieferbergen umgeben, jährlich werden etwa 3000 Ct. Kupfer durch den Cementa- tionsprozeß gewonnen, das so erhaltene ist besser als das aus Erzen geschmolzene. Die Erze, hauptsächlich Schwefelkies und Kupfer- kies geben durchschnittlich 4 Pf. Kupfer auf den Zentner, kathol. Hauptschule, Sitz eines Münz- u. Bergwesens-Oberinspectorat und Districtualberggericht, kathol. Hauptschule, Leinwandhandel, Cementwasser, Schmelz- werke, Kupfermünze.

Fritsche, Franz, Bergbauprodukten. —

Friedrich, J. H., Gemischt. — Helenia,
Eb., Gemischt. — Treppel, B. F., Ge-
mischt.
Seifensieder: Kernats, Gustav.
K. k. Kupferhütte.

Schreibersdorf. In Ungarn.
Czilchert, Karl, Glasfabrikant.

Schwarzwald bei Kledd.
Glasfabrik Johannshütte, bei Großwardein, Liebieg, Joh. & Comp.

Sebenico. Königreich Dalmatien. 6000
Einw. Sitz eines kath. und griech. nicht
unirten Bischofs, guter Hafen, 2 Cisternen.
Fabbricanti.
Carminati, Agostino, Strettoj du Olio.
Montanari, Giovanni Batt., Mulino a
Vapore. — Tutela, dei minori Scorich,
Fabbr. Cere.
Manifatture Commercianti.
Baban, G. — Covacevich, P. —
Costan, S. — Drazza, G. — Fosco,
G. — Inchiostri, Fausto. — Macale,
Ant. — Novach, Mich. — Porlitz,
Sam. — Rachich, Giac. — Rossini,
Vin. — Sisgoreo, Luigi.
Avvocati.
de Begua, Sim. — Cortellini, Ant.
Tailasich, Mat. — Zuliani, Dr. Luigi.

Sélpe. Preßburger Komitat in Ungarn.
Advokaten: Kiss, K. — Victoria, N.
Zsigardy, Em. v.
Schnittwarenhändler: Donath, Abr.
Grünwald, Ignaz. — Kurz, Adolf.
Spezereiwarenhändler: Pollak, Abr.
Gemischtwarenhändler: Paul, Jak.

Semlin. 10,000 Einm., freie Militär
Komunität in der slavonischen Militär-
grenze.
Eisenhdl.: Ferko, J. Karl, auch Spedi-
tion. — Javannovics, Gg. S.
Schnittw.: Allexievich, Alex. — Jovan-
novics, Joh. Sohn, zu den drei Jung-
fern. — Nikolics, Markus u. Dem.
Petrovics, Stefan. — Spida, Johann R.
Thoma, Michael Pappo.
Galanterie: Mladen, Dem.

Spezer., Mal. Farbw.: Jancowits,
J. G., auch Colonialw. Commiss. & Spe-
dition. — Joannovics, D. Alex.
Joannovics, Dem. Sohn. — Joan-
novics, D. Joh. — Markovits, Johann
R. — Markovits, Stefan. — Lecco,
R. Gebrüder. — Petnovits, Johann. —
Wukomanovics, Bafil. — Wassillievich,
Joh. — Wassillievich, Bafil. — Wulko.
Spedition u. Kommiss.: Leon, Abr.,
mit türkischen Produkten.
Viehhändl.: Karamath, Andr. — Pe-
trovics, Dem. — Deme.riales, Gebr.
Wechselgesch.: Russo, Israel, auch Com.
u. Speb. — Spirda, Konst., auch Ge-
treide.
Steingut- u. Porzellanhdl.: Hertzel,
Moritz.
Gemischt u. Spezerei: Bogojevits, Gg.
Krschmer, Joh. — Joannovics, Sim.
S.
Apotheker: Markovics, Rik. D. —
Treschtik, Karl.
Bierbräuer: Gabrevek. — Riester's
Witwe.
Buchdruker: Soppron, J. K.
Schulbücher: Joannovics, Gg., auch Spe-
zereihdl. u. Colonialw.
Büchsenmacher: Csutukovich, Joh.
Drechsler: Hofmann, Georg.
Färber: Jansen, Christian, auch Kattun-
druker.
Gasthäuser: Zum Löwen. — Zum schw.
Adler. — Zum Engel.
Gelbgießer: Müller, Martin.
Hutmacher: Himmelsbach, Chr.
Kaffeesieder: Beer, Jos. — Casparides,
Karl.
Kleiderhdl.: Illkich, Gg.
Kürschner: Kostics, Georg.
Schlosser: Steinlechner, Jos.
Seifensieder: Maximovics, Demeter,
auch Weinhdl. und Kohlenniederlage. —
Sollar, Georg L. — Barjaktarowits,
Panto.
Uhrmacher: Watzek, Herm.
Ziegelbrennerei: Felber, Florian.
Zuckerbäcker: Schwaby, Jos.

———

Sepsi - Szent - György. Siebenbürgen.
Markt am Altflusse (Aluta), wo die Szekler
Grenzhusaren Nr. 11 ihren Stab haben.
Stuhlgerichtshaus von Háром Szél, Ко-

malschule. Unweit davon das berühmte Mineralbad Elöpatal.

Siegendorf bei Groß-Höflein.
Zuckerf.: Patzenhofer, Conrad u. Bächle.
(siehe auch Oedenburg).

Siglisberg. Honter Komitat in Ungarn.
Apotheker: Hoffmann, Alexander.
Vermischtwarenhändler: Renner, Lb.
Siegler, Wilhelm.

Siklós an der Drave. Baranier Komitat in Ungarn. Marmorbruch, Weinbau.
Eisenwarenhändler: Angular, Ab. —
Aposstolovits, Paul.
Früchtenhändler: Reif, Bernat.
Kleiderhändler: Bilitz, S. — Nikolits's, L. Witwe. — Pandurovits, J.
Krämer: Aposstolovits, Waso. — Brauer, Lipot. — Kramer, J. — Lóvi, H. —
Pecsi, Karl.
Lederhändler: Hauser, Moriz. — Kovács, Jos.
Salzverschleißer: Körmendi's, Witwe.
Schnittwarenhändler: Bilitz. S. —
Engel. D. — Kaufer, Moriz. — Schillitz, Lazar.
Spezereiwarenhändler: Virisits, Al.
Brandegger, Mich.
Vermischtwarenhändler: Alexit's Ww.
Deimek, J. — Jovicza, A. — Ivánovits, Th. — Kramer, Jak. — Mauthner, R. — Nikolits, Basil. — Nikolits, Witwe. — Peica, D. — Petovits, S.—
Sebesneyén, A. — Sesits's Witwe. —
Spitzer, M. — Veiss, Moriz.

Sikulaf. Araber Komitat in Ungarn.
Aczel, Peter von, Spiritusfabrikant.

Sillein. Marktflecken, Trenchiner Komitat in Ungarn.
Advokaten: Kubinyi, Joh. — Urbanovszky, Lud.
Apotheker: Tombar, Ignaz.
Buchbinder: Petko, Sam.
Färber: Kompanek, Martin. — Zavadzky, Ignaz.

Gärber: Chladeczky, J. — Koreny, T.
Palovics, J. — Rissjak, J.
Gelbgießer: Berender, Franz.
Gold- u. Silberarbeiter: Hoffmann, Aloff.
Holzhändler: Altmann, J. — Gyurcsanszky, J. — Kadurik, J. — Kemka.
Joh. — Kemka, Jos. — Kemka, S.—
Szegeny, J. — Twrdy, Andr.
Kupferschmiede: Lehoczky, Johann.—
Lerch, A. — Radlinszky, Jos.
Produktenhändler: Reiss, Heinr. —
Schlesinger, Markus. — Schnirer, Ab.
Schnittwarenhändler: Weisz, Heinr.
Seifensieder: Gyuriss, K. — Gyuriss, Johann.
Spiritus- u. Branntweinhändler:
Engel, Moriz. — Weil, Jos.
Uhrmacher: Weil, Wilhelm.
Vermischtwarenhändler: Brüll, L. —
Felix, J. — Gyuriss, Ant. — Kalinay, Benj. — Micely, J. — Rajda, J. —
Radlinszky, Joh. — Rosenfeld, J. —
Schlesinger, Joach. — Spaniol, Jos —
Wiener, Felix.
Weinhändler: Abuda, Ant.
Zimmermeister: Gyurcsanszky, Kaspar.

Siffel, in Kroatien. Schiffbau, Commission und Spedition mit Colonial- und andern Waren, die von der See nach Bosnien, Serbien, dem ganzen Banat und einen Theil Siebenbürgens gehen. Getreidehandel nach Kärnthen, Krain, Steiermark und der See. Dieser Handelsplatz wird durch den Kulpa-Fluß in Militär- und Civil-Siffek getrennt. Die Militärseite ist als ein Militär-Grenzort den dortigen Militär-Grenzgesetzen, und die Civilseite als priv. Marktflecken mit eigenem Magistrate den Civil-, Reichs- und Landesgesetzen unterworfen, ist Sitz der k. k. Bezirksbehörde.

Civil-Siffel.

Berkic, Anton C., Kommissions- u. Speditionsgeschäft. — Berkic, Mathias, Landesproduktenhändler. — Cilic, J. & Comp., Vermischtwaren- und Getreidehändler, Agent der Leipziger Feuer-Versicherungs-Gesellschaft. — Cilic, Nikolaus, Landesproduktenhändler. — Dierich, Frz., Vermischtwarenhdlr. — Fabatz, Paul, Vermischtwarenhändler, Tabak-Hauptverleger, Sub-Agent der Riunione Adriatica

---

di Sicurtà in Triest. — Hergesic, Th.,
Getreidehändler. — Kalapsza, Gustav,
Vermischtwarenh. — Khern, Aloiß, Kom-
missions- und Spebitionsgeschäft. — Ko-
tur, Basil Paul, Landesprobuktenhändler,
Speditions- u. Kommissionsgeschäft, Prä-
ses d. Handlungs-Gremiums. — Kuh, A.,
Schnittw. — Liebermann, Karl, Schnittwaren. — Lovric, Kommissions- und
Spebitionsgeschäft. — Moses, A., Schnittwaren. — Petrovic, Gebrüder, Schnittwarenh. — Pokorni, Franz, Vermischt-
waren- und Delikatessenhänbl., Sub-Agent
der ersten österreichisch. Versicherungs-Gesellschaft. — Pongratz, G., Kommissions-
und Spebitionsgeschäft. — Simic, Sim.,
Getreidehändler. — Sipus, Mathias S.,
Getreidehändler. — Velussig, Gregor &
Comp., Vermischtwarenhändler, Haupt-
Agent für Civil-Kroatien der Nuova So-
cietà Commerciale d'Assicurazione in
Triest. — Wasser, Kommissions- u. Spe-
bitionsgeschäft. — Weinreiter, Joachim,
Getreidehändler, Spebitions- und Kom-
missionsgeschäft, Haupt-Agent der Assi-
curazione Generali Austro-Italiche in
Triest.
Abvokaten: Klobucar, Georg. — Zerjav,
Anton, Dr. b. R.
Apotheker: Kubányi, Franz v.
Seifensieder: Reiss, Moriz.
Tabak-Großverschleiß: Fabatz, Paul.
Uhrmacher: Sismann, Josef.
Ziegelbrennerei: Fulla, Jakob.
   Militär-Siffel.
Batusic, Ignaz, Landesprobuktenhändler,
Kommissions- und Spebitionsgeschäft. —
Bukovalla, G. R., besgl. — Burgstaller,
P., Spebitions- u. Kommissionsgeschäft.—
Caic, Michael, Probukten. — Gliederer,
Alexander, besgl. — Grablontz, Johann,
Vermischtwarenhändler. — Groy & Laxa,
Landesprobuktenhändler, Kommissions- u.
Spebitionsgeschäft, Haupt-Agenten für
Kroatien der ersten ungarischen Asseku-
ranz-Gesellschaft. — Hausner, H. Kom-
missions- und Spebitionsgeschäft. — Ho-
cevar, Christian & Comp., Landespro-
buktenhändler, Kommissions- und Spebi-
tionsgeschäft, Haupt-Agenten der Azienda
Assicuratrice in Triest. — Janusic, A.,
Landesprobuktenhändler, Kommissions- u.
Spebitionsgeschäft, Vermischtwarenhändler,
Haupt-Agent der ersten österr. Versiche-

rungs-Gesellschaft. — Mangyak, Gebr.,
Vermischtwarenhändler. — Sartori, Fr.,
Landesprobuktenhändler, Kommissions- u.
Spebitionsgeschäft. — Vuckovic, Konst.
Söhne, besgl. — Weiner, J. & Comp.,
Vermischtwarenhändler.
Bräuer: Förstner, Mathiaß. — Gerbeaß,
Johann.

Skaliz an der March. Königl. Freistadt,
Neutraer Komitat in Ungarn. Tuchweberei
und Waidfabriken. 8 M. f. b. von Brünn
cir. 8000 Einw.
Abvokaten: Bazala, M. — Kuba, J.
Petzko, Abam. — Ssartory, Mich.
Wrchovsky, Labißlauß.
Apotheker: Barmherzige Brüber.
Buchbrucker: Skarnitzl, Franz Xav.
Söhne.
Glashändler: Wortmann, J.
Kupferschmied: Wieland, Nik.
Schnittwarenhändler: Schefranek,
Jsak.
Spezereiw.: Reimershoffer, Gg. — Si-
moviso, Rub.
Tabak-Großverschleiß: Sonnenfeld,
Karl.
Tuchmacher: Martiny, J. — Mittak,
Labißl. — Prihoda, Paul. — Schnobal's,
G. Witwe.
Vermischtwarenhbl.: Ehrenstein, A.—
Ehrenstein, Samf. — Lederer, N. —
Links, Moriz.
Waiderzeuger: Mattuska, Franz sen.
Witwe. — Mittak, J. — Wrchovsky,
Ferb. — Wrchovsky, Paul.

Slanica. Arva-Turoczer Komitat in Un-
garn.
Färber: Florez, Joh. — Simala, Paul.
Getreidehändler: Lefkowitsch, Heinr.
Leinwandhändler: Gallas, Josef. —
Kußer, Jsak. — Schlesinger, Samuel.—
Stein, Hermann.
Seifensieder: Grünwald, Jakob.
Vermischtwarenhändler: Strauss, El.
Strauss, Meyer.

Slosella (Dalmatien) Mastix, Fischerei,
Marmorbruch.

Sobotist. Oberneutraer Komitat in Ungarn.
Lederhändler: Ehrenstein, B. — Springer, Jaf.
Produktenhändler: Schrötter, Her. — Waldler, Jaf.
Schnittwarenhändler: Mayer, M.
Spezereiwarenhdl.: Hahn, Moses. — Mikspeiser, Leop. — Reiszmann, Elias.
Spiritusbrennerei: Flesch, Jakob, Pächter.

Solyomkö (Puszta). Süd-Byharer Komitat in Ungarn.
Bathyany's, Josef Witwe Gräfin, Glasfabriksbesitzerin.

Salzburg oder **Sovár**, mit 4000 Einw. Steinsalzsied., jährlich 100,000 Ctr. ¼ Stunde von Eperies. Scharoser Komitat.

Sommerein. Preßburger Komitat in Ungarn. Marktflecken auf der über 10 Meil. langen Donauinsel Schütt, 3 M. s. ö. von Preßburg, mit 2700 Einw.
Advokaten: Bittó, Maximil. — Caiba, Urban. — Petócz, Wendelin.

Spalato. Königreich Dalmatien. 9000 Einw. Hafen, sonst Stapelplatz zwischen Venedig und der Türkei. Fabriken.
Ballarin, Giov. Maria. fabbr. di pece asfaltica. — Carminatti, Erodi qm. Giov. Battista, fabbricatori di Cere lavorate. — Derossi, G., Opifizio di Tintoria. — Lanza, Dr. F., fabbr. di Cere lavorate. — Slodre, A., fabbrica Scorzeria, e Concia pelli.
Negozianti.
Caraman, D. — Chevessich, A. — Dalbeilo, A. — Gellavich, N. — Gilardi, P. — Giustini, G. — Illijch, G. — Jellinich, P. — Jesurum, fratelli. — Lovrich, P. — Porlits, G. — Porlitz, Ig. — Savo, D. — Savo, P. — Slodre, Ant. — Tartaglia, M. Tudor, G. — Tudorich-Ghamo, T. — Tuzlich, C. — Ventura, S. — Vidali, M.

Avvocatti.
Cindro, Dr. A. — Giovannizio, Dr. G. — Radmann, Dr. G. — Rossignoli, Dr. S. — Tacconi, Dr. Ed.

Struse (Hutse). Trentschiner Komitat in Ungarn.
Glashütte St. Sidonio: Sina, Simon Freiherr v., Eigenthümer. Uzusanek, Adalb., Pächter.
Holzsäge u. Mahlmühle: Pawlatzky, Ignaz.
Spiritusbrennerei: Schlesinger, Bern.

Stampfen. Preßburger Komitat in Ungarn.
Apotheker: Jarabek, J.
Bräuer: Szeld, Seb.
Buchbinder: Nagy's, Lud. Witwe.
Drechsler: Dworan, Joh.
Färber: Zaigmund, Rud.
Gastwirthe: Müller, A., zum goldenen Hirschen. — Peszl, M.
Lederhändler: Quasztler, Eifig.
Maurermeister: Stöhr, Filipp.
Produktenhändler: Baazl, L. — Baazl, S. — Fischer, E. — Fischer, J. — Halle, A. — Halle, H. — Hindla, M. Hindla, S. — Kany, S. — Kolisch, B. — Kolisch, Jaf. — Kolisch, Jf. — Lustig, M. — Schmidt, J. — Schwedt, M. — Singer, Ab. — Spiczer, S.
Oelmüller: Geiringer, Eb.
Schnittwarenhändler: Geiringer, M. Koch. Jof. — Spiczer, Jial.
Seifensieder: Spiczer, Jaf.
Spezereiwarenhändler: Herzfeld, S.
Uhrmacher: Besc, J.
Viehhändler: Guttmann, Mark. — Guttmann, Wolf. — Löbl, Meyer. — Neubauer, Joh. — Neubauer, M.
Weinhändler: Geiringer, F. — Werthelm, F.

Stefanshütte. (Post Wallendorf). Kupfer- und Quecksilberhütte. Ober-Ungarn.

Stein am Anger. Bischöfliche Stadt in Ungarn. 8000 Einw. Hauptort des Eisen-

bürger Komités, Gymnasium der Prämonstratenser mit philosophischen Studien.
Buchhändler: Seiler, Heinrich.
Eisenhändler: Dinhof, Frz. — Mayer, Ennoch. — Tones, Martin.
Lederhändler: Hochsinger, Heinrich. — Krauss.
Nürnbergerwhbl.: Pachhofer, Julius, auch Galanterie u. Spielw.
Schnittwarenhbl.: Blum, Martin. — Geiszt, Leopold. — Grünwald, Josef. — Kohn, R. — Koller, Jos. — Leszler, Emrich. — Stadler, Isak. — Stallner, Franz, auch Nürnbergerw. — Schmidt, Stefan, desgl. — Unger, Moriz. — Weiner, Josef. — Wohl, Filipp.
Spezereiwarenhbl.: Hoffmann, Sam. Hoffmann, Sig. — Kelemen, R. Joh. Moser, J. Franz. — Neumann, Sal. — Tempel, Franz. — Zanelli, Franz. — Zamboni. — Tobis, J. A.
Tuchhändler: Danaszy, Karl. — Löwenstein, Franz. — Mahorsich, Jos.
Bermischtwarenhbl.: Fülöp, Karolina.
Essig, Lit.- u. Rosolif.: Zanner, J.
Advokaten: Antal, L. — Burgmann, J. — Gyuk, A. — Hettyey, St. — Horvath, Balth. — Horvath, Rich. Illes, A. — Lukas, J. — Molnar, St. Nemeth, J. — Polgar, G. — Szabo, R. — Weisz, J.
Apotheker: Rudolf. — Pillich, Frz.
Bräuer: Fuck, Joh. — Horvath, Joh.
Buchbinder: Krepelka, J. — Mayer, Frz. — Wellesch, Bela.
Buchdrucker: Bertalanfy, E.
Drechsler: Lamina, J. — Lechner, J. Makk, F.
Einkehrgastwirthe: Baumann, F. — Bocran, Jos. — Fock, Joh. — Schabel, Albrecht.
Färber: Ertl, Josef.
Glaser und Glashändler: Hindler, Jos. — Mittermann, Alex. — Leidich, Franz. — Schönauer, Anton.
Goldarbeiter: Beck, Georg. — Bertányi, Karl.
Kaffeehaus: Baumann, Friedr. — Bregan, Jos. — Heim, Michael.
Kupferschmiede: Lang, Jos. — Zanner, Jos.
Lederer: Stirling, Josef.
Modistinnen: Fränkl, Cäcilie. — Stern. Toth, Karolina.

Möbelhändler: Post, Stefan. — Brutscher, Jos.
Produktenhändler: Grünwald, Josef. — Mayer, Binzenz. — Neuherr, Heinr. — Neumann, Alexander. — Salamon, Max. Salamon, Moriz. — Spitzer, Ignaz. — Weiss, Moriz. — Ullmann, Albert.
Seifensieder: Rechnitzer, Salomon. — Tempel, Franz.
Tapezierer: Brutscher, Josef. — Post, Stefan.
Uhrmacher: Markones, Joh. — Palla, Joh. — Strasser, Joh.
Weinhändler: Albert, Gg. — Feigelstock, Moriz. — Wettendorfer, Wolf.
Zuckerbäcker: Lindtbauer, Jos.

Steinbruch. Alt-Gebirg bei Pesth, Eisenbahnstation.
Bierbräuerei: Barber, Söhne. — Perlmutter, Jakob.

Stooß, Bergfl., Eisenbau. Zipser Land.

Straßkow. Trentschiner Komitat in Ungarn.
Holzhändler: Hoffmann, Adalbert. — Perdoch, Gebrüder.

Strazsa. Ober-Neutraer Komitat in Ungarn.
Bierbräuerei: Poppor, Leop. u. Moriz. Gastwirth: Schuller, Johann. Maurermeister: Vogl, Karl. Spezereiwarenhbl.: Kesztler, Rich. — Löwe, Karl A. Spiritusbrennerei: Popper, Moriz u. Leopold.

Stuben, warmes Bad. Thuroczer Komitat.

Stuhlweißenburg. Königliche Freistadt in Ungarn. An der Central italienischen Eisenbahn. Freistadt mit 24,000 Einw. Bischof, Domcapitel, Seminarium, katholischen Gymnasium, Zeichenschule, katholische

15 *

Domkirche, Franziskaner-Kloster, mehrere arteßiſche Brunnen. Handel mit Schafwolle, Potaſche, Lein- und Rübbl, Wein, Getreide; 5 Jahrmärkte.
Buchhändler: Kohn, Markus. — Rader, Anton, Leih-Bibliothek.
Eiſenwarenhändler: Amon, Peregrin. Kloss, Frz. — Linzer, Karl. — Namesy, Franz. — Namesy & Wieger.— Schlamadinger & Sohn.
Lederhändler: Brachfeld, Ab. — Brust, Jonas. — Goldzieher, Adolf. — Langraf, Gabriel.
Nürnberger- und Galanteriewarenhändler: Bierbauer, Joh. — Deutsch, Ant. — Jahn, Alois. — Jahn, Lbg. — Laufenauer, Joſ. — Oblath, Anton.— Oblath, Jg. — Roxer, Karl.
Schnitt- u. Modewarenhändler: Deutsch, Emanuel. — Felner, Sam. — Fischer, Bernh. — Huber, Georg. — Joanovits, Peter. — König, Jakob. — Kreiszler, Samuel. — Laufenauer, J., auch Tuchwaren. — Laufenauer, Karl.— Radulovits, Peter. — Schlesinger, L. — Schwarz, Heinr. — Schwarz.Mar. — Tauszig, S. — Theodorovits & Csikos.
Spedition u. Commiſſion: Heller, S. Lederer. — Schwarz, J. — Tsida, J. N., unter der Firma Tsida & Sohn, in Geſellſchaft iſt ſein Stiefſohn Ignaz Gebhard, Beiſitzer des k. k. Komitats - Gerichts, Agent der erſten ungar. Verſicherungs-Geſellſchaft. — Ybl, Nikolaus, Commiſſions- und Speditionsgeſchäft.
Spezerei-, Materiale- und Farbwarenhändler: Deutsch, Leopold. — Flits, Paul, Sohn. — Hahn, Gebr. — Kirchenmayer, Franz. — Kovats, Paul. Lechner, Franz. — Legman, Alois, auch Agent der Siebenbürger Feuer - und Hagel-Verſicherungs-Geſellſchaft. — Pete, Dani., auch Del- u. geriebene Farbw. — Mehlbl. — Roszmagl, Ant., Samenhdl. Roszberger, Joſ. — Stern, Samuel. — Schober, Joh. — Theiller, Lorenz. — Weichert, J. G. — Wimmer, Adolf.
Advokaten: Ambrozy, J. — König, J. Nyak, Frz. — Szöllösy, J. — Zallay, Karl. — Zuborits, J.
Apotheker: Braun, Joſ. — Broszmann, Habels. — Schönwiesner, J. — Sey, Joſef.
Bierbrauerei: Oberecht, M.

Baumeiſter: Burchard, Joh. — Karl, Georg. — Schmidt. — Szász, Franz.
Branntweinbr. u. Hefefabrik: Vilagi, M.
Buchbinder: Klökner, Peter. — Osslowszky, Karl. — Wilhelm, J.
Buchdrucker: Sommer's, Paul Witwe.
Einkehrgaſthöfe: Rossberger, J., zum ſchwarzen Adler. — Ullmann, Franz.
Eſſig- u. Litórfabrik: Hoffmann, M.
Färber: Felmayer, Stefan.
Glaſer u. Glashändler: Pfau, Dan.— Schnetzer, Joſ. — Schnetzer, Jg.
Goldarbeiter: Neumann. — Rohrmüller, J. — Stern, J.
Kupferschmiede: Büttel, K. — Eisenbart, K. — Jankovits, M. — Toltényi, A., auch Dampfbrobbäckerei.
Kürschner: Markus, Paul. — Probaska, Labisl. — Wiezner, Gg.
Müller: Ladany.
Delfabrik: Schlesinger, Gebrüder.
Sattler: Ferenczy, St. — Kubik, Joh.
Schloſſer: Györy, J. — Szücs, M. — Zsólum, Karl.
Seifenſieder: Hübner. — Szelky, Eh. Walch.
Zabak-Großverſchleiß: Erlich, Ab.
Uhrmacher: Eisenbarth, A. — Förster, Frz. — Läufer, A. — Wüntsch, F.
Vergolder: Altstäter, J.
Zuckerbäcker: Lissel, Frz. —Stiger, B.

Sztyawnik. Trentſchiner Komitat in Ungarn.
Früchtenhändler: Eichenbaum, Bernh.
Holzhändler: Blüh, Wolf. — Brief, Abrah. — Folkmann, H. — Klein, M. — Roth, E. — Singer, Ab. — Tausk, J.
Vermiſchtwarenhändler: Eichenbaum, Jakob.

Sugatag. Marmaroſcher Komitat. Salzwerk, 1805 300,000 Ctr. Ferner ergiebige Salzgruben in Botosko, Kalaborfalva, Keretheaz, Sandorfalva, Sofalva.

St. Benedek. Barſer Komitat in Ungarn.

Abbocaten: Paczolay, Joh.
Früchtenhändler: Galasy, Stefan. — Havran, Joh. — Havran, Rich. — Kohn, Jak. — Neubauer, Salomon. — Spiczer, Dav. — Unghi, Anb. — Zelyeszka, Joh. — Zelyeszka, Stef.
Schnittwarenhändler: Diamant, Jf. Spiczer, Markus.
Spezereiwarenhändler: Kohn, Aron.
Vermischtwarenhändler: Kirnbauer, Andreas.

St. Domenica. Distrikt Albona in Istrien.
Furlani, Giovanni, Commerciante in manifatture e legno.

St. Georgen. Königl. Freistadt, Preßburger Komitat in Ungarn.
Apotheker: Magyaroby, Frz. — Troyan, Franz.
Branntweinbrenner: Geschader, Fl.
Gastwirth: Phirer, F., zum gold. Hirschen.
Lederhändler: Stein, Ab.
Probuktenhändler: Pojnitzer, Leop.
Seifensieder: Schwanczer, Johann. — Stefanik, Joh.
Vermischtwarenhändler: Hissberger, R. — Neumann, Lazar. — Plaschka. Zimmer, Johan.
Wein-Senfale: Pojnitzer, Jos.

St. Márton. Arva-Lurocser Komitat in Ungarn, cir. 7000 Einw.
Abbocaten: Balyovsky, S. — Jezenszky, J. — Szmrcsanyi, Johann. — Vereby, Jos.
Apotheker: Grossmann, Sam.
Eisenhändler: Mezny, Rich.
Essigsieder: Engel, Jf. — Mittelmann, Heinr.
Färber: Kohut, Gg. — Lilge, Joh.
Gärber: Belicka, Joh. — Jankovits, G. Jankovics, Joh.
Gastwirthe: Ehrenreich, Jf. — Samueli, Jos.
Goldarbeiter: Herz, K.
Holzhändler: Herz, L. — Mittelmann, Heinr.
Kupferschmied: Kerk, Alois.
Schnittwaren- und Wollhändler:

Lachs, Dav. — Lachs, R. — Links, Jakob.
Seifensieder: Ehrenreich, Jf. — Levy, David.
Spezereiwarenhändler: Graber, R.
Uhrmacher: Bevala, J.
Vermischtwarenhändler: Labáth, K. Lachs, Moses. — Links, Jonas. — Popper, Moritz. — Wildmann's, K., Witwe.

St. Margarethen, Sandsteinbruch. Oedenburger Gespanschaft.

St. Miklós. Liptauer Komitat in Ungarn.
Abbocaten: Bobrovniczky, L. von. — Dittrich, D. von. — Lanyi, Sam. — Lehotzky, B. von. — Lehotzky, Peter von. — Smercsanyi, Alb. — Vereby, Jos.
Apotheker: Kmettyko, Em. — Haluszka, Peter.
Bräuer: Markovics, David. — Schulz, Abr. — Singer, Jonas & Simon.
Branntweinbrenner: Neumann, S. — Schulz, Abr.
Branntweinbrenner: Mauksch, M.
Buchbinder: Löw, Max.
Färber: Szklenka, Jos.
Gärber: Dzur, Math.
Goldarbeiter: Czupra, Peter. — Petrovics, Anb. — Teitsch, Ab.
Graveur: Friedrich, Ant.
Großhändler: Diener, S. & Söhne.
Holzhändler: Diener, L. — Friedländer, Ab. — Friedländer, Jfal. — Goldstein, Jfal. — Kurtz, Gebr. — Neufeld, Jak. Neufeld & Sohn.
Kupferschmied: Bartosch, Johann. — Kardosch, K. — Spornensia, Anb.
Probuktenhändler: Brük, Bernh. — Haasz & Comp. — Haasz, Jfal. — Kubala, Sam. — Kurtz, Samuel. — Mauksch, Moritz. — Mauksch, Fil. — Unger, Jakob. — Unger, Jfal.
Schnittwarenhändler: Augustini, B. Bascher, Ab. — Gansl, Abr. — Haasz, Jak. — Mauksch, Leop. — Mayer, D. Tedesko, Max. — Unger, Ar.
Seifensieder: Ballo, Karl. — Fischer,

Karl. — Hoffmann, Joh. — Ransberger, Jakob.

Uhrmacher: Kiraly, Jos.

Vermischtwarenhändler: Ballo, Sam. Baneth, Bernh. — Fischer, J. L. — Knorovszky, Joh. — Roth, Moses. — Stark, Moses. — Weiser, Jos.

Weinhändler: Fischer, Ferdinand. — Groszmann, Isak. — Ring, Isak. — Stern, Josef.

Zuckerbäcker: Demian, Heinr. — Orlikowszky, Sev.

St. Miklos (Fvergvo). Wieselburger Komitat.

Advokaten: Csanyi, Stef.. — Kedves, Thom.

Material- u. Vermischtwarenhändler: Avéd, Toni. — Czifra, Franz. — Drágon, Janos. — Fitans, Istvan. — Jakabfi, Antal. — Kritsa, Imre. — Keresstes, Joh. — Kopátz, Luf. u. Sohn. Kristofi, Ant. u. Szavá, Ant. — Kritsa, Luf. — Kritsa, Mart. jun. — Kritsa, Pet. jun. — Lázár, Ant. — Merza, Christ. — Moldavan, Ant. — Nádás, Joh. — Nádas, Christof und Antal. — Szekula, Laszlo. — Vákár, Fer. u. Laj. Vákár, Jaf. u. Laj. Zacharias. — Vákár, Janos. — Zacharias, Istvan. — Zacharias, Jach.

K. k. priv. Zuckerfabrik: Sina, Joh. v., Freiherr.

Surany bei Neuhäusel.
Zuckerf. Gerson & Lippmann.

Szábád-Szállás. Stadt, Kun-St. Miklóser Bezirk in Ungarn. 3000 Einw. Weinbau.
Kauf- und Handelsleute: Adamovits, Nikolaus. — Blau, Aler. — Blau, Leop. Blau, Moises. — Löwinger, Martin. — Schwarz, Aler. — Schwarz, Moises. — Stein, Heinr. — Werner, Morit.

Szakoly. Szabolczer Komitat in Ungarn.
Weiss, Abraham, Spiritusfabrikant.

Szala-Egerszeg. Szalaber Komitat in Ungarn.
Anisitsch, Paul, mit Spezerei-, Nürnberger- und Galanteriewaren. — Hasan, Jos., mit Branntwein u. Essig. — Braunstein, Jos., mit Produkten und Mehl. — Deutsch, Emanuel, mit Leder. — Fischer, Elias, mit Schnittwaren. — Fischer, Jakob, beeg. — Fischer, Julius, beegl. Fischer, Simon, mit Tuch - u. Schnittwaren. — Graner, Leopold, mit Eisen- und Spezereiwaren. — Guttmann, Dav. mit Bänder und Kurzwaren. — Handler, Stef., mit Eisen-, Spezerei-, Nürnberger- und Galanteriewaren. — Kaiser, Gebr. mit Produkten. — Matensdorfer, Alex., beegl. — Mayer, Jakob, mit Spezerei-, Nürnberger - und Galanteriewaren. — Rosenberger, Isak, mit Schnittwaren. — Rosenthal, Ignaz, mit Spezerei- und Nürnbergerwaren. — Stern & Comp., mit Spezerei-, Nürnbergerwaren. — Weiss, Alexander, mit Schnittwaren. — Weiss, Jonas, mit Spezerei-, Nürnberger- und Galanteriewaren.

Butzwaren: Gutmann, Elise. — Ragendorfer, Morit. — Sandor, Jakob.

Advokaten: Agosron, Josef. — Arvay, St. — Hámy, Jos. — Lengyel, R. — Nagy, R. — Nagy, Wolfg. — Pfendeszak, Karl. — Rusitsch, Karl. — Szabó, Sam.

Apotheker: Anisith, Dan. — Isóó, F. Buchbinder- u. Buchhändler: Flizár, Jos.

Buchdrucker: Tahy, Ludwig.

Drechsler: Brukker, Jos.

Riemer: Agy, Paul.

Zuckerbäcker: Kumer, Mich.

Szalancz (Post Kaschau) Glashütte

Szalatnya, berühmter Sauerbrunnen. Honter Komitat.

Szalma-Teres. Neograber Komitat in Ungarn.
Küchinka, Karl, Glasfabrik.

Szalonta. Süd-Bihárer Komitat in Ungarn.
Abraham Brüder & Sternthal, Bernhard, Spiritusfabrikanten.

Szamos-Ujvar. Dorfer Kreis in Siebenbürgen. Armenier Stadt.
Advokaten: Korbuly, David. — Nagy, Josef. — Török, Peter. — Voith, Nik.
Hutwarenhändler: Simai, Salomon.
Schnittwarenhändler: Amiráth, J. Bányai, Th. und Kaj. — Florja, A. — Florian, G. und Sohn — Gajzágó, C. Gajzágó. — Hertz, Chr. — Keresztes, Ann. — Kopár, M. — Kovács, Bog. Measir, G. — Molnár, G. — Nevelits, Bogd. Witwe. — Novák, Gr. — Nuridsán, Georg. — Nyegruts, Chr. — Simai, Chr. — Simai, Th. jun. — Todorffy, Gebr. u. Turtsa, L. — Zabulik, Greg.
Spezereiwarenhändler: Gajzágó, J. Theodor. — Harágo. Stef. — Lászlo, Anton. — Missug, Wolf. — Moldován, Simon. — Novák, Isak.
Vermischtwarenhändler: Amiráth, B. Bárányi, B. u. M. — Betog, J. sen. Czecz, J. und Hatskuj, K. — Czecz, St. u. G. — Harágo, L. u. Buzesko, A. — Kopár, Chr. — Kopár, Alia, Kasa, Gr. — Merza, M. — Merza, Joh. und Sohn. — Mimai, Joh. — Szenkovits, Chr. jun. — Szenkovits, Chr. sen.
Branntweinbrenner: Rosenfeld, Sam. Hersch, Löbl.
Apotheker: Placsintar, G. u. Sohn.

Szarvas. Bekes-Csanáder Komitat in Ungarn. Markt mit 15000 luth. Slaven, starke Viehzucht.
Eisen- und Nürnbergerwarenhändler: Bárány, Franz. — Gardek, Joh. Kuch, Mich., Spezereiwarenhändler. — Sztaricskay, Samuel.
Lederhändler: Lawiczki, J.
Schnittwarenhändler: Breiter, H.
Spezereiwarenhändler: Bagby, Paul & Sohn. — Rethy, Wilh.
Vermischtwarenhändler: Benczur, J. jun. — Berger, Eb. — Deutsch, Ab. Engl, David. — Engl, Leopold.

Gramm, Gerson. — Grün, Adolf. — Hungerleider, Moritz. — Kling, David & Hanak, Herm. — Kniessner, Karl. — Kulinger, Jakob. — Mandl, Josef. Pollak, Emanuel. — Stern, Martin. — Sultan, Wilh.
Apotheker: Medveczky, Jos.
Bierbrauerei und Spiritusfabrik: Marktgemeinde.
Buchbinder: Kneér, Jg. — Müller, L.
Dampfmühle: Egstein, Sim. & Comp.
Färber: Bárány, Nik. — Benczur, Joh. Heger, St. — Kováts, Gg. — Podani, Joh. — Szeszich, Sam. — Sztaricskay, Paul.
Glaser- und Glashändler: Amer, M. Franko, D. — Krajner, G. — Pápay, Karl.
Gold- u. Silberarbeiter: Birman, J.
Holzhändler: Sobosti, W. — Büchsel, Bernh. — Bánovski, Joh. — Weiss, Jakob.
Uhrmacher: Schuster, Frz.
Zuckerbäcker: Sanisch, Joh.

Szászka, Berggerichtssubstitution, Blei-, Kupfer- und Eisenwerke. Banat. Kraschowaer Komitat.

Szász-Regen, Stadt (Siebenbürgen) Holzhandel ins Banat. In der Nähe das schöne Schloss Wernhezzeg an der Marosch.
Apotheker: Czoppelt, Friedr. Stef.
Advokat: Wittstock, Karl.
Tuch-, Schnitt- u. Modew.: Wachner, Michael.
Eisen-, Spez.- u. Farbw.: Wachner, Traugott.
Schnittwaren: Guggenberger, Julius. — Marinovits, Nikolaus.
Spiritusf.: Kosch & Comp. — Wermescher, Mich. & Comp. — Weigel, Eduard.
Vermischtwarenhdl.: Görög, Peter. — Haiman, Lazar. — Kinn, Joh. Gottfr. Marinovits, Georg. — Oltyan, Joh. — Schima, Gregor. — Selbriger, Gg. — Spitzer, Leopold. — Wächner & Schinker, auch Spedition-, Commissions- und Inkasso-Geschäft.
Zuckerbäcker: Walther, Joh.

Szathmar-Némethy. Stadt gleichnamigen Komitats in Ungarn, mit 20,000 Einw., von welcher ein Theil, der befestigt ist, auf einer Insel der Flüsse Szamos und Remeth, kathol. Gymnasium, Hauptschule, kath. Bisthum; Äcker-, Zwetschgen- und Weinbau. Die gedörrten Zwetschgen sind hier von vorzüglicher Güte, und diese sowohl als der aus Zwetschgen erzeugte vortreffliche Branntwein (Sliwowitza) machen einen bedeutenden Handels-Artikel aus.

Buchhändler: Lehóczky, Joh.
Eisenwarenhändler: Jurácsko, Dan. Juvor, Lud. — Koos, Gab. — Koos, Lud. — Koos, Martin.
Lederhändler: Benedickt, Leopold. — Török, Josef.
Schnittwarenhändler: Arbahám, A. Antal, D. — Czégényi, J. — Dondon, Alex. — Dondon, Chr. — Dunigivics, Ab. — Ember, Kaj. — Horváth, J.— Lengyel, St. Gebr. — Nuricsan, P.— Nuricsan, Em. — Pál, G. — Pál, J. Török, B.
Spezereiwarenhändler: Freund, Ab. auch Lederhändler. — Kerekes, Sam. — Kesstenbaum, Sam. — Losonczy, Jos. Mátyus, Unb. — Sóós, Joh. — Tegze, Labislaus. — Weiss, Joh.
Apotheker: Ember, J. — Mayer, J.— Weiss, Sam.
Baumeister: Jisinger, K. — Lechner, Ant. — Szentkutay, Joh.
Bierbrauerei: Stadt Szathmar.
Büchsenmacher: Koós, G. — Sirulski, Joh. — Smit, Karl.
Drechsler: Ekker, Jos.
Einkehrgasthöfe: Stadt Szathmar.
Gold- und Silberarbeiter: Dominus, Mart. — Weinberger, Jal.
Glaser- und Glaserhändler: Andre, Alois. — Uering, F. — Keresztes, A.
Gelbgießer: Klein, J. — Popper, B.
Kupferschmiede: Braun, Ignaz. — Kranctor, Sam.
Seifensieder: Horvath, Frz. — Lefkovits, Abr. — Szerdohelyi, Lad. — Unger, Stef. — Ungvanri, Flor. — Walter's, J. Witwe.
Uhrmacher: Fogel, F. — Nikelszki, D.
Zuckerbäcker: Accipe, Alex.

Szécheny. Neograder Komitat in Ungarn.

Advokaten: Kabsán, St. — Komjáthy, A. v. — Lovcsányi, Lim. v. — Szojka, Sam. — Velics, A. v.
Apotheker: Pokorny, Paul.
Branntweinbrenner: Schwarz, Jof.
Buchbinder: Fekete's, Joh. Witwe.
Eisenhändler: Klein, Bernh.
Färber: Auspitz, Mof. — Zemancsek, Josef.
Gärber: Alacs, St. — Gácsi, Paul. — Kiss, Joh. — Klein, Sam. — Parditka, Unbr. — Parditka, Unbr. jun. — Pokorny, Rich. — Radi, Jof. — Tupi, Paul.
Gastwirth: Sauter, Gab.
Glaswarenhändler: Klein, Abr.
Lederhändler: Klein's, Jak. Witwe.
Mauermeister: Sinagl, F. — Zimanyi, Johann.
Produktenhändler: Deutsch, Jg. Földiak, Moriz.
Schnittwarenhändler: Glaszer, B.
Seifensieder: Schwarz, Mof.
Spezereiwarenh.: Novotny, Paul. Schönberg, Abr.
Uhrmacher: Zsiliak, H.
Vermischtwarenhändler: Deutsch, A. Libermann, Ab. — Schlesinger, Ab. — Stüler, Bernh. — Turnay, Aler.
Wollhändler: Hoffmann, Bernh.

Szegedin, 60,000 Einw. Königl. Freistadt. Csongrader Komitat in Ungarn. Station der Staatsbahn. 4 Jahrmärkte. 60 M. v. Wien, 24 M. von Pesth. National- und Zeichenschule, Lyceum, Gymnasium, Piaristen-Collegium, Handel mit Szegediner-Blätter-Tabak, Wolle, Getreide, getrockneten Fischen, Seife, Salpetererde, Caviar, Blutegeln, Fischfett, Rüb- und Leinöl, türkischem und spanischem Pfeffer (Paprika) u. dgl. m. Nicht minder berühmt ist der Schiffbau mit Limon auf Seeart aus dem besten Eichenholze von hiesigen Einwohnern verfertiget, wodurch die Güter-Verführung nach Italien, über Fissel, auch Carlsstadt und Ober-Ungarn, besonders nach Pesth, Raab und Wieselburg sehr begünstigt wird.

Buch- und Kunsthdl.: Baba, J. — Burger, Sigmund, auch Schreib- und Zeichenmaterial.
Eisenhandlung: Kemenczzy, Abelh.,

auch Geschmeidewaaren. — Krebs & Mayer
brögl. — Pacher, W. Rub. brögl.
Kurzw.: Deutsch, Isak. — Frumm, M.,
Nürnberger W. — Gal & Vogl. —
Gutthard, W., auch Nürnberger W. —
Herrl, Jos. — Schäffer, M. J. & Sohn,
auch Nürnb. W. — Szabo, Josef. —
Guttmann & Eisler, auch Nürnb. W.—
Wagner & Killux, auch Nürnberger u.
Schlosserwaaren.
Schnitt- u. Tuchw.: Bosits, Demeter.—
Degi, Jos. — Dery, Adolf, auch Mode-
waaren und Manufaktur. — Eisenstädter,
Armin. — Kiss, David, Firma D. Kiss,
& Comp., Tuch- und Modew. — Ku-
nitzer, Emanuel. — Kunitzer, M. &
Comp. — Pfeiffer & Comp. — Prosz-
nitz, Mich. — Sternfeld, Samuel. —
Weiss, M. — Zemlonyi, Anton, Weiß-
und Modew.
Fabriken: Felmayer, Ant. sen., Färberei-
fabrik. Indigo- und Wechselgeschäft. —
Kováts, Franz, Spiritusfabrik.
Lederhändler: Scheinberger, Anton,
auch in Produkten.
Leinwandhändler: Wagner, F. A.
Spez.-, Mat.-Farbw.: Aigner, Jos.,
auch Spedit. & Commiss. — Felmayer,
Ant. jun. — Fischer & Schopper, auch
Porzellan u. Steingutgeschirr. — Krestits,
Basil. — Rausch, Franz. — Schlesinger,
Heinr., auch Bezirks-Agent der ersten ung.
Assek.-Gesellschaft und Landesprodukte. —
Schlesinger, Moriz. — Schlesinger, J.
Szavits, Joh. — Szekerenyi, Franz. —
Weber & Schlauch. — Weiglein, F.—
Großhbl.: Jonas, Sigmund.
Siebenbürgerwaaren: Haris, Simon.—
Janiky, Daniel. — Janiky, Zeftim. —
Janiky, Peter. — Muntil, Jos. — Ni-
kolits, Georg.
Spedition-Geschäft: Aigner, Jos.—
Goldner & Zimmer, Commiss. u. Produkt.
Gaal, M. & Krick, Schiffs-Eigenthümer,
Schiffbauholzhbl., Commiss. und Früchten-
händler. Hauptagent der ersten österr.
Versicher. Gesellschaft — Rosenbaum,
Adelbert. — Rosenthal, Ludwig, auch
Landesprod. — Schmiedlinger & Zadix.
Advokaten: Agacsy, D. — Babarczy,
J. — Bárkányi, J. — Basa, J. —
Battania, F. — Benké, J. — Bieber,
Ferd. — Bodnár, J. — Damjanovics,
Joh. — Eordögh, Mich. — Fodor, St.

Georgievics, G.,
Mihálfy, F. — h.
Zan. — Neskovics,
Zan. — Prasnowsky,
Joh. — Tajmel, Ant. -
Toronyi, Jos. — Tóth, G.
ner, Kar. — Wesselinovics, k.
Apotheker: Aigner, K. — Baue,
Ferd. — Birgh, Jos. — Götz, La.
Rohrbach, Ant.
Bauholzhändler: Weisz, Franz.
Bräuerei: Schmidt, J.
Branntweinbrennerei: Neumann,
Gebr. — Berger, Jsak.
Buchbinder: Axmann, F. — Daim, K.
Schateles, Ab. — Ugrotzy, K.
Buchdrucker: Burger, Sigm.
Drechsler: Dopita, Th. — Ehring, A.
Negler, J. — Virag, J.
Färber: Buresch. — Ivankovits, Fr.
Macher, Ant. — Wiedermann, Jos.
Gasthöfe: Gruber, J., drei Könige. —
Geschiesel, J., ungar. Krone. — Jan-
kovits, J., gold. Adler. — Schillinsky,
J., schwarzen Adler. — Steingassner, J.,
sieben Churfürsten.
Gelbgießer: Fakler, Jos. — Gleich,
Herm.
Glaswaaren- und Rahmenhändler:
Ivánkovits, Stefans Witwe. — Iváako-
vits, Stef. jun. — Ostrovsky, Franz.—
Pollak, M. — Polstrat, Jos.
Gold- u. Silberarbeiter: Kronstein,
Wilh. — Polak, Ab. — Polak, Jos.—
Politzer, M. sen. — Politzer, M. jun.
Politzer, Sal.
Kaffeehäuser: Casino-Verein. — Stein-
gassner, J., sieben Churfürsten. — Ströbl,
Ignaz. — Okerny, zum schwarzen Adler.
Kürschner: Bosits, D. — Klein, J. —
Schlesinger, J. — Schlesinger, S. —
Vidko, J.
Kleiderhändler: Holzer, S. & Sohn.—
Kramer, M. — Laazló, P. — Lighetty,
J. — Mozgay, K. — Terecsényi, G.
Kupferschmiede: Engelthaler & Comp.
Hunter, Joh. — Jancsurak, Paul.
Pappenberger, M. — Roth, J.
Lederer und Färber: Fellmayer, J.—
Fellmayer, Karl. — Rieger, Mich.
Mohlstinnen: Regdon, Anna. — Szeno-
ner, Pauline. — Weiss, Julie.
Mödelhändler: Pollak, M., auch Tape-
ten. — Possgay, M., auch Tischler.—

Reiter, Jos. & Comp., auch Tischler. — Töpli, Math., auch Tapezierer. — Zeiffmann, M., bröz.

Mühlen: Jordan & Söhne, große Dampf-kunstmühle. — Export Dampfmühle.

Sattler: Csikos, J. — Kukovetz, J. — Mollnár, J. — Ulrich, Wilhelm.

Schiff- und Mühlenbauer: Abraham, Jos. — Csiszar, Brüder, auch Holzhändler. — Engelthaler & Comp. Schiffseigenthümer. — Kiss. — Kopasz, Istvan.— Pollak, S. — Schmiedlinger, S. — Terhes, Jos. — Wollner & Holländer.— Zsoter, Rudor. — Zsoter, Anton.

Seifensieder: Csaslosch. — Hertzen. Kiss. — Pollak. — Rosenthal. — Schiffer.

Uhrmacher: Brausewetter, Johann. — Dickmann, El. — Haller, D. Oehl, G. Smetan, J.

Vergolder und Maler: Nagy, Frz. — Sutter, Karl.

Zinngießer: Rolando, P.

Zuckerbäcker: Farkasitf. — Mahr, Jos. Stampa, Rudolf.

Szegzard. Markt. Tolnaer Komitat in Ungarn, bekannt wegen dem Szegzarder Wein, mit 10,000 Einw., 6 Meilen von Fünfkirchen, eine Stunde vom Donau- und eine Viertelstunde vom Sarvizflusse entfernt; ausgezeichneter rother Wein und Esselzarder-Ausbruch. 5 Jahrmärkte, während denen ansehnliche Geschäfte mit Branntwein, Slivovitz, Schlacht- und Hornvieh, und besonders mit Pferden gemacht werden.

Adler, J. R., Vermischt D. & Agent d. Triester Feuer- Versicherungs- Gesell. — Albanich, J. G., Agent d. erst. österr. Versicherungsgesellschaft. — Berger, Simon, mit Schnittwaren. — Dicenty, Julius, Gemischt. — Gutter, Frz. Xaver, Elsen und Spezerei. — Leicht, Gemischtwaren. — Leitersdorfer, Aron, Schnittwaren. — Nouvier, A. mit Vermischtw., Agent der Triester nuova società commerciali d'assicurationi. — Pirnitzer, Jos., Schnittw. — Rosenstok, Adolf, Schnittw. — Steiner, Math., Vermischt. Szegzarder Sparkasse, auch Agentie der ersten ungarischen allg. Versich.- Gesellsch.

Szegzarder Weinhandels-Aktien-Gesellschaft. — Wolf, Ant. Vermischt. Zuckerbäcker: Eibenschitz, Josef.

Szegvár, Csongrader Komitat, Dorf mit 3200 Einw., schönes Comitatshaus, wo meist die Versammlungen gehalten werden.

Szekerembe, Bergort in einer hohen Bergschlucht, mit dem reichsten Goldbergwerke Siebenbürgens, das 1747—1812 7 Mill. Fl. ausgebeutet hat.

Szelestö, Sarofer Komitat, Dorf, Eisenwerke und Eisenhämmer.

Szendro, Borsoder Komitat, Schwefelbad.

Szenitz. Ober- Neutraer Komitat in Ungarn. 3000 Einw. Wein-, Hanf- und Weizenbau.

Advokaten: Czintula, Joh. — Koronthaly, Frz. — Rudnay, Stef. — Zwertich, Karl.

Apotheker: Berencsy, Gustav.

Eisenhändler: Majer, Moriz. — Weisz, Jakob.

Essigsieder: Wollmann, Moses.

Fruchthändler: Auerbach, Michael. — Schönmann, Franz. — Schönmann, Leopold.

Gastwirthe: Lasztuwka, Ant. — Stetka, Paul.

Gärber: Reichsfeld, Filipp.

Holzhändler: Huidt, Isal.

Kupferschmied: Csmelljk, Ant.

Produktenhändler: Grünwald, Abr.— Schik, Jos.

Schnittwarenhändler: Grossmann, J. Hoffmann, Jos. — Kohn, Abraham. — Schlesinger, Laz. — Spitzer, Sal.

Seifensieder: Mittacsek, Paul. — Tomaskovits, Joh. — Wanitsek, Dan.

Spezereiwarenhändler: Birnbaum, Jak. — Brunovsky, Paul. — Holub, Lud. — Nekanovicz, Karl. — Nikolai, Frieb.— Wanitsek, Michael. — Weinmann, Adolf.

Spiritus- und Branntweinbrennereien: Ehrlich, Gebrüder & Popper. Klein, Wilh. — Spitzer, Gebr.

Tuchhändler: Kohn, Adolf. — Rothholz, David.

Uhrmacher: Woprada, Franz.

Vermischtwarenhändler: Weinmann, Abraham.

Wollhändler: Schick, Bernhard.

Zuckerbäcker: Deutsch, Emanuel.

Szentes. Csongrader Komitat, an der Kurtza, Marktflecken mit 15,800 Einw. Lateinschule, Weinbau.

Szent-György. Siebenbürger Militärgrenze. Sauerbrunnen.

Szered. Ober-Neutraer Komitat in Ungarn. Markt mit 3500 Einw., alljährlich werden hier zwei Großmärkte abgehalten, welche gewöhnlich 14 Tage dauern und auf welchen ein unzähliges Holzquantum, Bretter, Latten, Bettstätten, Tische, Truhen und sonstige Holzwaren, welche aus den obern Komitaten Arwa, Liptau, Thurocz und Trencsin mittelst der Waag herunter geflößt und in die untern Gegenden spedirt werden.

Advokat: Sznkovaty, Joh.

Bauholzhändler: Ehrenwald, Karl.

Branntweinhdl.: Ehrenfeld, Benj.

Eisenhändler: Würsching, Fr.

Früchtenhändler: Braun, J. — Ehrenfeld, Jak. — Markstein, S. — Müller, Herm. — Rieger, Ab. — Rieger, J.

Gärber: Lebwohl, Jos.

Goldarbeiter: Vogyeratzki, Eleg.

Lederhändler: Ehrenwald, Marc.

Rosogliofabrik: Weisz, Sim.

Schnittwarenhändler: Ganzl, M.

Seifensieder: Ottinger, Joh.

Spezereiwarenhdl.: Markstein, L. — Willer's Witwe.

Uhrmacher: Majer, Jos.

Vermischtwarenhändler: Klug, Jg. — Klug, Leop. — Reisz, Leop.

Weinhändler: Magen, David.

Szerents. Zempliner Komitat, Weinbau, Mineralbrunnen.

Szinye-Lipoz. Sároser Komitat, Sauerbrunnen, überhaupt hat die Gespanschaft 72 Säuerlinge.

Sz. Király bei Maros Vasarhely in Siebenbürgen.

Tischler, Maher & Comp., Spiritusbrenner.

Szirák. Neograder Komitat in Ungarn.

Advokaten: Horthy Kovács de, Gab. — Labody, Emerich. — Mesko, Stefan.

Gastwirth: Lederer, Alb.

Vermischtwarenhändler: Brüll, Jf. — Hasenfeld, Benj. — Mesko, Lud.

Szino-Bánya. Neograder Komitat in Ungarn.

Glasfabrik: Kossuch, Joh.

Hochofen: Kuchinka, Franz.

Szigeth. Marmaroscher Komitat. Markt an der Theiß und Jza, mit 6500 Einw. 5 große Salzniederlagen, welche jährlich 80,000 Cent. Steinsalz liefern.

Szichla. Sohler Komitat in Ungarn.

Dampfsäge: Kuhinka, St. C., Holzschnittmaterial-Erzeugung.

Szigethvar, Ragu-Szigeth oder Gränzszigeth. Schimeger Komitat. Marktflecken und Festung in einer morastigen Gegend, am Almaschflusse, mit 3000 Einw., wo der berühmte Niklas Zriny 1566 im Kampfe gegen die Türken fiel.

Szilagy-Cseh, mittlere Szolnofer Gespanschaft. Marktflecken mit 3600 Einw. Getreide- und Weinbau.

Szkaliszko. Sohler Komitat in Ungarn.

Glasfabrik: Szartory, Anton.

16 *

Szlatina. Unter-Neutraer Komitat in Ungarn. 1805 hatten die Salzwerke 900,000 Cent. Ertrag.
Papiermüller: Reiner, Benj.

Szaljaz, Liptauer Komitat, berühmter Sauerbrunnen.

Szilagy-Somlyo. Kreis und Bezirk Sz. Somlyo in Siebenbürgen.
Eisen- u. Spezereiwarenhändler: Oraveta, Andr. — Szathmári, Lud.
Schnittwarenhändler: Goldglanz, L. Goldglanz, Lud. — Hajdu, F. — Lázár, A. — Lázár, Joh. — Páskuj, Gebr. — Paskuj, Joh.
Spezereiwarenhdl.: Lang, Moritz. — Surány & Hirschmann. — Végh, M.
Tabak-Großverschleiß: Surány & Hirschmann.
Advokaten: Dombi, L. — Huberth, J.
Apotheker: Damjanovics, J.
Branntweinbrenner: Brill, J.
Bräuer: Roscher, Lbg.
Buchbinder: Viragh, Jos.
Einkehrgasthöfe: Fejer, J., zur Traube. Kiragh, J., zum Adler. — Renner, J.
Färber: Smeresány, M.
Glashändler: Lázár, Joh. Rep.
Kleiderhändler: Krisán, Gg.
Kupferschmied: Roth, Salom.
Produktenhändler: Porjesz, Jos.
Seifensieder: Balkány, Jos.
Uhrmacher: Kovács.
Weinhändler: Goldglanz, L. — Theletzky, Joh.
Ziegelbrennerei: Kallo, Lud.

Szluin, kroatische Militärgrenze, festes Dorf unweit der türkischen Grenze, Stab des Szluiner Regiments, zu dem auch der an Illyrien gränzende Sichelburger Distrikt mit 7000 Einw. und dem Dorfe Sichelburg gehört.

Szob. Honther Komitat in Ungarn.
Bauunternehmer: Goldbrand, Gr. — Majer, Jos.
Holzhändler: Luczenbacher, Paul.

Szóbráncz, Unghvarer Komitat, an der Hornystanta. Schwefelbad.

Szolcsán. Unter-Neutraer Komitat in Ungarn.
Zuckerfabrik: Odoskalchy, Fürstin Wwe. Firma Szolcsáner Rüben-Zuckerfabrik.

Szolnok. Station der Eisenbahn. Stadt, gleichnamiger Gespanschaft in Ungarn. 9000 Einw. Befestigtes Schloß, Salzniederlage, Handel mit Brettern und Schildkröten.
Eisen-, Nürnberg. Spezereihdl.: Elbert, Vinc. — Kerschbaum, Mich. — Popovits, Dion. — Terebeli, Andr.
Schnitt-, Mode- u. Nürnb. Spezereiwaren: Assinger, Ant. — Böhm, B. Braun, Jul. — Breier, Sam., auch Geschirr. — Elias, Sam. — Gans, Leop.— Klein, Jos. — Pilzer, Ant. — Pollizar, auch Geschirr. — Pollak, Jf. — Steiner, M. — Zeizler, Abr.
Produkten u. Leder: Hay, Jg.
Spediteur: Hirsch & Comp.
Advokaten: Borosnyai, L. — Csere, J. Hegedüs, A. — Makkay, F. — Nagy, Alex. — Toth, M.
Apotheker: Schestsik, Stef.
Buchbinder: Berger, F.
Drechsler: Laseczky, A.
Einkehrgasthöfe: Fähring, M., zur Eisenbahn. — Gedrak, A., zum Hirschen. Städtischer Gasthof, zum grünen Baum. Städtischer Gasthof, zum weißen Rößl.
Färber: Donner, J.
Glashändler: Ertl, K. — Kiss, J. — Obegyi, Frz.
Gold-, Silber- und Juwelenhdl.: Schuss, Jos.
Kaffeehäuser: Casinogebäude. — Fähring, Mart., zur Eisenbahn. — Nagy, Jos., auch Zuckerbäcker.
Kupferschmied: Kostyinsky, A.
Lederer u. Gärber: Borhy, Franz. — Kumsay, M.
Modistinnen u. Putzmacherinnen: Kovács, F. — Molnar, Barb. — Valják, Jos.
Produktenhändler: Tottis, Sam.f— Laczkó, Moritz.
Mühlen (Dampfr.): k. k. priv. erste ung. Salzverlags-Gesellschaft.

Seifensieder: Rosenzweig, Jg. — Steigenberger, Sal. — Weisz, Abr.
Tapezirer: Csihovsky, Joh.
Uhrmacher: Balla, Joh. — Virág, Jos.
Suderbäder: Nagy, Jos.

Sz. Peter am Sajo, Weinbau. Borsoder Komitat.

Szucsany. Arva-Thurocer Komitat in Ungarn.
Branntweinbrenner: Löwinger, Ros. Trostler, Isidor.
Färber: Gallo, Paul. — Leneso, Anbr.
Gärber: Gallo, Franz.
Holzhändler: Ebstein, Jak. — Falkmann, Moritz. — Löwinger, Moises. — Trostler, Isidor.
Uhrmacher: Wallny, Joh.
Bermischtwarenhändler: Bröll, Jak. Schulz, Jak. — Winterstein, Jg.

Szynier-Báralja. Szathmarer Gespanschaft in Ungarn.
Eisenhändler: Leuggyel, G. — Sárga, Pet. u. Alex.
Probultenhändler: Herskovitz, Rich. Hersli, Jos. — Lázár, Sam.
Bermischtwarenhändler: Davidovits, Sam. — Fekete, Thomas. — Grosz, Abr. — Jörök, Joh. — Jörök, Lukas. Lengyel, Chr. — Lengyel, Josef. — Lengyel, Wendelin. — Moldován, Sim. Papp, Karl. — Szilágyi, Ladisl.
Seifensieder: Neumann, Abr.
Spiritusfabrikbesitzer: Kepes, Sal. Klein, Salomon.

Tapoltsan, Dorf, Mineralbad. 5 M. v. Miskolcz. Borsoder Komitat.

Téglas. Nord-Biharer Komitat in Ungarn.
Degenfeld, Emerich Graf von, Spiritusfabrikbesitzer.

Tejed (Eló). Preßburger Komitat in Ungarn.

Bauholzhändler: Bischitz's, M. Wr.
Baumeister: Safranyik, Joh.
Branntwein-Destilateur: David, S.
Eisenhändler: Wimmer, Ant.
Färber: Fikesz, Franz. — Melkner, Leopold.
Getreidehändler: Engel, Kolm. — Lustig, Sal.
Kupferschmied: Szoporko, Joh.
Spezereiwarenhändler: Fleischmann, Kasp. — Weisz, Mich.

Teißholz, Tißzolz. Gömörer Komitat an der Rima, Marktflecken. Sauerbrunnen, Schafzucht, Eisengruben mit Magnet, Papiermühle.

Telkibanya, Ober-Ungarn, Post Göncz. Porzellan- und Steingutfabrik.

Tellnitz (oder Wellenz). Ober-Neutraer Komitat in Ungarn.
Fruchthändler: Kohn, Sam.
Maurermeister: Bilik, Jos. — Kiesina, Johann.
Spezereiwarenhändler: Fürst, Dav. Schlesinger, Marl. — Sonnenfeld, Her. Steinitz, Isak.
Bermischtwarenhändler: Fürst, 2.
Zimmermeister: Simacsik, Joh.

Temesvar. 4 Jahrmärkte, mit k. k. Cigarrenfabrik, cir. 28,000 Einw., mit der Donau durch die Eisenbahn bei Bazlas verbunden. Freistadt und Festung ersten Ranges, Hauptstadt des Banats, welches von 1 königl. freien, 2 Militär-, 9 königl. privil. Städten, 35 Marktflecken und 707 Dörfern von betriebsamen Einwohnern bevölkert ist. Außer der Festung gehören zu dieser Stadt noch drei Vorstädte. Sitz der geistlichen, Militär- und Civil-Behörden. Gymnasium, Seminar, Commerzialschule, Mädchen-Erziehungs-Anstalt. Lebhafter Handels-Verkehr, da der Begaer Canal Verbindung mit den Hauptflüssen Ungarns hat, daher der Austausch aller Erzeugnisse des Banats, eines großen Theils von Ober-Ungarn, Siebenbürgen, der Wallachei und Serbien sich hier concentrirt. Besonders be-

deutend sind die Geschäfte in Weizen, Ku-
turuz, Mehl nach der Türkei (hierzu werden
von Wien, Pesth, Triest, Laibach und der
Türkei jährlich mehrere Millionen remitirt,
wodurch der Umsatz der Wechselgeschäfte so
namhaft wird, daß hier ein eigenes Wech-
selgerichtbestand), Branntwein, Wolle, Seide,
Honig, Wachs, Unschlitt, rohen Häuten,
Potasche, Knoppern, Holz- und Eisenwaren,
Eisen, Kupfer, Blei.

Buch-, Kunst- und Musikatienhändl.:
Pollatsek, Jg. jun. — Rösch, Fr. &
Comp., auch Leihbibliothek und Buchbin-
der. — Uhrmann, M. — Sellheim, G.

Commiss.- u. Speditionsgeschäft:
Deutsch, Karl. — Greger, Sigm. L. —
Krauss & Duschnitz, Prob. u. Assekuranz.
Pullio, P. — Rechner & Felter, auch
Produkten. — Rieger, Albert. — Störk,
J. G.

Eisenwarenhändler: Gorry, Karl, auch
Produkten. — Heinrich, M. — Pau-
senberger, Jos., Chef L. von Bersuder.
Reitter, Frz. — Schmidt, Jak.

Geschirrhändler: Avramovits, D. —
Roth, Albert.

Glashändler: Avramovits, Demeter. —
Baruch, Leon M. — Kahle, Dav. —
Weisz, Balentin.

Grosshändler: Freund, M. & Söhne.—
Weisz, Sandor, auch Hauptagent der
Nuova Societa comerciale di Assicura-
zioni Triest.

Handelsleute in Siebenbürger W.:
Barbulovits, Mich. — Euthimie, Mrko.
Papa, Liotha & Söhne. — Juga, Nik.,
auch Produkten u. Commiss., Spedit. u.
Inkasso, Agentschaft d. ersten ung. allg.
Assekuranz. — Juga, Basil. — Laszkar,
Joh. — Laszkar, Zlatko. — Zsiváno-
vits, Mich.

Französischer Handschuhhändler:
Osztrovszky, Ludwig.

Hutstepperwarenhbl.: Fritsch, J. G.,
Schnitt- u. Galanteriew. — Jency &
Solquir, alleinige Gewehr- Niederlage,
Hut- u. Galanteriewaren, Seiden- Filz-
und Beamten-Hüte. — Kuta, M. —
Lechner, B. — Berninger, Joh.

Kunstfarbenhbl.: Ballek, Ant.

Lederfabrikant: Prech, Andreas.

Lederhändler: Elter, S. — Fischl, S.
Paschka, Joh. — Prech, Christian. —
Schüssmann, St.

Leinen- u. Weisswarenhbl.: Brachtl,
Franz. — Stosz, Ant.

Maschinenschlosser: Saabady, Jos.

Möbelhändler: Jejteles, M. — Papier, A. — Wellisch, Joh.

Nürnberg- u. Galanteriewarenhbl.:
Beamter, L. & Roth. — Ehrenhaft, Deit.
Flachhoff & Salzburger. — Georgievits,
Nik. — Gerstl's, Ww. — Heinzelmann,
Ferd. — Kranl, Joh. — Krayer, Max.
Menczer, A. & Comp. — Naftaly, M.
Rauch, Karl. — Tedesky, Johann. —
Weisz, Gerson & Comp.

Papier- u. Schreibrequisitenhbl.:
Magyar, Jos. D.

Produktenhändler: Angerbauer, Jos.
Auspitz, Moritz. — Benjoemsti. —
Belcz, Joh. — Gabron, Gz. — Gott-
hilf, Franz Söhne, auch Bank-, Wech-
sel- u. Inkasso-Geschäft. Ein- u. Ver-
kauf aller Landesprodukten, Bauholzhbl.
u. Bauunternehmung. — Gyorgievits,
A. — Grünbaum, M. & Commission.—
Haiduska, Moises. — Haiduska, Filipp.
Hartl, Eduard. — Heim, D. — Janic-
sary, Ignaz von. — Ivanovits, Ath. —
Kappus, Jak. — Kimmel, Gebrüder. —
Kralik, Joh. — Kunz, Jos. — Mayer
& Cichiny. — Magyar, Jsak Jak. —
Magyar, Mahasse. — Matyus, Anb. —
Nagy, Franz. — Nagy, Michael. —
Oszwald, Georg. — Polatsek, A. F.—
Policzer, Abr. — Popovits, Demeter
Milanko. — Risztics, Demeter. — Sá-
rits, Kasp. — Scharmann, Sam., Bank-
und Wechsel-Geschäft. — Schevits, Mich.
Schlichting, Ant. — Schlichting, Joh.
& Franz. — Sigmund, Joh. — Sprung,
Ant. — Stojanoviis, Joh. de Lacque.
Suchán, Ant. — Tabakovits, Georg.—
Totisz, Israel. — Ujj, Samuel. — Ve-
litsko, Nikolaus.

Rosoglio- u. Spiritusfabrikanten:
Reiner, Moritz. — Szabady, Em.

**Schnitt-, Currente-, Seiden- u. Sei-
benwarenhbl.:** Eisenstädter, Adolf &
Comp. — Fritsch, Jos. — Heim, L.
Söhne. — Kohn, Elias. — Lechner,
B. — Nikolits, J. D. & Comp. —
Pavlovits, A. — Peits & Zwekitsch.
Rosenberg, Jos. — Tayteszak, Dav.
Tayteszak, Abraham & Jsak. — Weiss,
Ignaz.

Spezerei= Material=Farbw.: Babus-
nik, Aug. — Blau, M. — Bandl, Ge-
brüder. — Buresch, R. F. — Ivanno-
vits, S. — Ivannovits, P. G. — Krampl,
Eb. — Krauzsilka, Ant. — Krayer, J.
Lifka, J. — Marzsany, J. — Mayer
& Sailer, auch Spedit. u. Commiss. —
Nikolits, Joh. — Schidlo, Jos., auch
Papier, Direktor der Eskompt. Bank,
Ausschußmitglied d. Sparkasse. — Varga,
Lorenz. — Weisz, Jakob, auch Soda-,
Ultramarinniederlage. — Rieger, Karl
u. Sped. Komiss. — Rieger, Überl. —
Gerstl, Gg., auch Niederlage der neu er-
fundenen Glanzwichse des Joh. Bark-
mann in Wien.
Gemischtwarenhändler: Arsenovits,
Paul. — Beamter, Franz. — Becker,
Frd. — Betlehelm, S. Löwy. — Ba-
resch, R. F. — Czauner, Gg. — Fürst,
Joh. — Gerstl, S. — Jankovits, Mat.
Krampl, Eb. — Mihailovits, D. — Na-
schits, S. — Rosenberg. — Schlager,
Karl, auch Samenhdl. — Stojanovits,
A. P. — Wesely, M. C.
Tirolerwarenhdl.: Fröger, Hermann.
Schweiber, Georg.
Advokaten: Bogsam, C. — Danczkay,
A. v. — Demko, B. v. — Esermenyi,
J. — Galgon, M. — Gerdanovits, K.
Gruics, M. — Jankovics, J. — Jes-
zenszky, F. von. — Joannovits, D. —
Kokajay, Mich. — Küttel, Karl. v. —
Loncsarcvits, M. — Marosfy, Joh. —
Mesko, J. v. — Neoplo, P. — On-
drejkovits, Jos. — Popovits, Sig. —
Rieger, Ferd. — Sandits, St. — Ser-
ban, D. — Skarlato, L. — Stokinger,
Mat. — Tury, S. — Vincze, P. —
Wassits, D.
Agentie: Dampfmühlen-Agentie, k. k.
priv.
Apotheker: Barmherzige Brüder. —
Jahner, R. — Jaromisz, M. — Pecher,
Joh. — Rath, Lad. — Simon, Em.
Bräuer: Panits & Mittermayer.
Buchdrucker u. Lithographen: Förk &
Comp. — Hazay, M. & Sohn Wilh. —
K. k. Filial-Staats-Druckerei.
Buchbinder: Eisele, M. — Hayd, J. —
Heil, A. — Hierholczer, J. — Müller,
J. — Schorulan, F. — Singer.
Delikatessen: Kukatzkay, Paul, auch
Weine.

Drechsler: Hafler, J. — Heinzelmann,
K. — Kuhn, Frz. — Weber, M.
Einkehrgasthöfe: Drechsler, Josef, zu
den 7 Churfürsten. — Klammer, Joh.,
zum Trompeter. — Lichtscheindl, Stef.,
zum Hirschen. — Mandl, J., zu den 3
Königen. — Pummer, Math., zum wil-
den Mann. — Hotel Nationale.
Färber: Brandt, R. — Ederer, Frz. —
Fiala, Gg. — Gerry, Peter. — Gold-
stein. — Kiss. — Lobmayer, Josef. —
Meister, Gg. — Schlichting, Anton. —
Schvenk, Jos. — Trautmann, Mart. —
Trautmann, Eduard.
Gold-, Silber- u. Juwelenarbeiter
u. Händler: Sauerwein, Ant. — Stil-
ler, Frz.
Gelbgießer: Lencz, Ab. — Müllich, F.
Neils, A.
Kaffeesieder: Drechsler, J. — Frankl,
J. — Glück, J. — Kellemen, St. v.
Klamer, J. — Lichtscheindl, Stef. —
Mandl, J. — Pummer, M. — Rim-
bauer, F.
Kunstmahlmühlbesitzer: Szabady, C.
Maschinenschlosser: Szabady, Jos.
Optiker: Ehrenhaft.
Oelf.- u. Spiritusbr.: Fischhoff, S.
Seifensieder: Alexicvitsch. — Marko-
vits. — Mundian. — Mihailowitsch.
Natasch. — Nikolitsch & Comp. —
Nikulitsch, Maria. — Rosenthal, Fran-
ziska. — Zitsvar.
Theaterunternehmer: Szabo, Jos.
Weinhändler: Kralik, Joh. — Kimmel,
Jg. — Pummer, Math. — Schiller,
Karl. — Schlichting, Brüder. — Su-
chau, Ant.
Zeitungs=Redaktionen: Janck, Karl,
Redakteur der k. k. amtl. Temesvarer Zei-
tung. — Pesty, Friedrich, Redakteur des
Delytu ungarische Wochenschrift für Na-
tional=Oeconomie, Geschichte und Natur-
wissenschaft.
Zuderbäder: Blaschko. — Brükelmayer.
Stampa, Joh.

Tepla (Teplitz oder Heviz). Trencsiner
Komitat in Ungarn.
Bad Teplitz oder Trenchin.
Gemischtwarenhändler: Fliegel, F.
Leicht, Bernhard. — Löwenbein, Jos.

Terebes. Süd-Biharer Komitat in Ungarn.
Spiritusfabrik: Kallos, Lorenz.

Terpinja. Esseger Komitat, Bezirk Vukovar in Slavonien.
Seidenspinnerei: Sedeli, Elise.

Thaff. Szabolcser Komitat in Ungarn.
Spiritusfabriken: Kallay's, Frz. Ww. Kovacs, Paul Witwe.

Theben. Pressburger Komitat in Ungarn.
Geschirrhändler: Breyer, Josef. — Gratzer, Ant. — Gratzer, Josef. — Gratzer, Math. — Milhay, Johann. — Pflanzelt, Anton.
Holzhändler: Parolly, Ant. — Randl, Lorenz.
Lohgärberei: Nentvich Josef & Comp., k. k. priv.
Seifensieder: Kandler's Witwe.
Vermischtwarenhändler: Sperling. F.

Thomasberg und **St. Georg,** Graner Komitat, Marktflecken nahe bei Gran, beide zusammen 3000 E.

Thorenburg oder **Thorda,** Siebenbürgen, Marktflecken am Fl. Aranyosch, mit 7000 Einw.; unitarisches Gymnasium, Salzbergwerk, wo jährlich 250,000 Ztr. Salz gegraben werden.

Thorotzko, Thordaer Komitat, Siebenbürgen Bergflecken; Eisen- und Silberbergwerke, Eisenhammer.

Titul oder **Titel,** slavische Militärgrenze, Dorf, Hauptort des Tschaikisten-Bataillonsdistrikts (von den bewaffneten Wasserfahrzeugen, ungar. Csaika, zum Infanteriedienst auf dem Wasser) an dem Einfluß der Theis in die Donau, mit 3000 Einw., Stab und Zeughaus der Tschaikisten oder Schiffssoldaten, Schiffswerfte.

Tokay a. d. Theißeisenbahn (Ungarn) 4000 Einw. Der bergige Theil der Gespanschaft, die Hegyallya, enthält das merkwürdige, 7 M. lange und 2 M. breite Weingebirge, das den berühmten tokayer Wein erzeugt, jährlich 80,000 Faß; der beste auf dem Berge Mezes male (d. i. Honigseim). 6 Jahrmärkte 2 Wochenmärkte.
Apotheker: Kretzer, Aug. — Pospischels Witwe.
Advokaten: Azari, Michael.
Eisenhandlung: Gross, Jos. — Schlesinger, Ignaz.
Spezerei: Heyduk, Josef, auch Comm., Sped., Assekuranz, Ein- und Verkauf aller Landesprodukte, Lager von echtem Tokayer eigener Fechsung. — Guttmann, Mich., auch Sped. Commiss. — Gräsely, Eb. — Frisch, Sam. — Kemptner, J. Komaroni, Bilmos. — Kantor, Wilh., auch Eisen-, Lederh., Sped. Commiss. Agent b. ersten ung. allg. Assek. u. Weinhandlungsgesellschaft. — Liebwerth, Gebrüder. — Olah, Miklos. — Sachs.
Schnittwarenhändler: Aser, Salom. Fabian, M. Ferd. — Kohn, Abr. — Kramer, Ig. — Mayer, Grof. — Ross, Em. — Schlezinger, M.
Seifensieder: Benedikt. — Deutsch, Ignaz. — Krajnyak. — Zucker, Wolf.
Zuckerbäcker: Bürger, Andr.
Weinhdl.: Burchard, Jst. & Comp.

Tolna 2000 Einw., Marktflecken a. d. Donau, Hausenfang, Potaschegewinnung, Saflorbau, Leimsieder.
Apotheker: Adler.
Bierbrauer: Baron Simon v. Sina.
Kommiss. u. Spedit.: Borovitz, J & Sohn.
Eisenhdl.: Schadutz, Joh.
Essigf.: Rosenthal.
Färber: Kindner, Karl. — Stohl, Bal.
Gal.-, Nürnb.- u. Spezereiw.: Klein, Jak.
Gemischt: Hofbauer, Markus, auch Agentur. — Isgum & Sohn. — Stern, M.
Hutmacher: Krauss.
Mode- u. Tuchhdl.: Schön, Nathan. — Weser, Jakob.
Uhrmacher: Holliger, Franz.

Torna. Tornaer Gespanschaft, Ober-Ungarn, 10 St. südwestlich von Kaschau.
Bierbräuer: Ziehard, Jul.
Gemischt: Reiner, Karl.

Tornya. Bekes-Csanader-Komitat in Ungarn.
Marczibanyi, Anton, Bierbräuerei- und Dampfmühlbesitzer und Spiritusfabrik.

Töröl-Becse (Türkisch-Becse). Banat. Handel.

Totis. Komorner Komitat in Ungarn. 8700 Einw., warme Bäder, Tuchweberei, Zucker- u. Steingutsfabrik.
Manufaktur- n. Porzellanwarenhändler: Fischer, M. A. — Steiner's, Simon Witwe.
Manufakturwarenhändler: Lustig, Moriz. — Oblath's, Josef Söhne. — Raditz's, Karl Witwe & Söhne. — Singer's, Isak Söhne.
Spezereiwarenhändler: Bauer, Herm. Busdáts, Daniel. — Ehrenfeld, Leop. — Schweiss, Ignaz.
Eisen- u. Spezereiwarenhdl.: Hennel, Karl. — Zink, Anton jun. — Zink, Anton sen.
Rübenzuckerfabriks-Inhaber: Steiner, F. & Ribars.
Steingut- u. Kurzwarenhändler: Sonnenfeld, Simon.
Steingut- u. Geschirrfabrikant: Fischer, M. A.

Trau (Dalmatien) 4000 Einw., Hafen, Oelcultur, Weinbau.

Trentschin. Königl. Freistadt, Trentschiner Gespanschaft, mit 5000 Einw. Generalversammlung der Stände und sämmtlicher Gerichte des Trentschiner Komitats. Gymnasium, Hauptschule, evang. Schule. Das ungefähr 1½ St. von der Stadt entfernte Trentschinerbad im Dorfe Teplitz ist eines der ältesten Bäder Ungarns, sehr stark, besonders von den Einwohnern Galiziens, Schlesiens, Polens und Rußlands besucht.

Man badet hier in Gesellschaft, und das Bad ist besonders in Lähmungen, Paralysen, Bleichsucht, Hysterien und Gicht von guter Wirkung. Das Badwasser ist 29—30 Grad warm und führt flüchtigen Schwefelgeist, Kochsalz, kohlensaures Natron und Kalkerde.
Eisenhändler: Kugel, Herm. — Lövien, Simon. — Neubrunn, Jakob. — Turcsan,s, Leopold Witwe.
Fruchthändler: Neumann, S. — Rintel, B. — Szusz, Ab. — Wainer, M.
Lederhändler: Adler, Abr. — Minarik, G. — Schlesinger, Sam.
Nürnbergerwarenhändl.: Kulka, J. Weisz, Sam.
Pottaschenhändler: Kaiser, Molf. — Kugel, Jac.
Schnittwarenhändler: Adler, Abr. — Fried, Rafael. — Kacser, Hermann. — Knöpfmacher, Josef & Nathan. — Knöpfmacher, Sigm. — Nadel, Jub. — Salwender, Her. — Stark, M.
Spezereiwarenhändler: Aleithner, A. Brix, Joh. — Kacser, Jos. — Knöpfmacher, Herm. — Salvender, Joach. — Turcsan's, Leop. Witwe.
Steingut- u. Porzellanhändler: Brix, Joh. — Knöpfmacher, Sig. — Weisz, Sam.
Weinhändler: Brichta's, Jos. sel. Witwe. Lövenbein, Ignaz. — Stein, Filipp. — Turcsan, Manbl. — Wainz, Jakob. — Waisz, Eman.
Wollhändler: Neubrunn, Jakob. — Schlesinger, Nathan.
Fabriken: von Kramarik, Jakob, irdenes, weiß glasirtes, sogenanntes Habanergeschirr. — Pullmann, Joh.
Wattafabrik: Stark, Adolf.
Zündwarenfabrik: Lövenbein, Sg.
Advokaten: Eördögh, Em. v. — Jos, Joh. v. — Kosstolanyi, Adolf v. — Latkoczy, Alex. v. — Pongracz, L. v. — Schwertner, Ant. v. — Szadeczky, L. v. — Thurczo, Mich. v. — Zamoroczy, St. v. — Zluparich, P. v.
Apotheker: Simon's Witwe.
Buchbinder: Gansel, L.
Einkehrgasthöfe: Cziewarek, Wen. Kaspar, Ad. — Reichfeld, N.
Gelbgießer: Czwilling, Joh.
Glaser: Bock, M. — Goldmann, J. — Zatopek, Ant.
Gold- u. Silberarbeiter: Huszar, J.

Kupferschmiede und Maschinisten:
Lonsky, Franz, Apparate zur Destillation
d. Weingeistes und Dampfapparate. —
Zweigart, Gottf.
Lederer: Adler, Abr. — Minarik, Gg.
Schlesinger, Sam.
Leihbibliothek: Gansl, Leop. — May-
sel, Karl.
Modistinnen: Kornhauser, Esther. —
Oravszky, Elen. — Sedlatczek, Franz.
Nadler: Ranft, H.
Riemer: Kollarik, St.
Sattler: Oravsky, P. — Pitran, M.
Seifensieder: Schlesinger, Nath.
Spängler: Biringer, Joh. — Thaler,
Thomas.
Tabak-Großverschleiß: Knöpfmacher,
Herm.
Uhrmacher: Junga, Anb. — Hlavaty,
Sigm.
Wachszieher u. Lebzelter: Barinyi,
Alois. — Gavora, Gab. — Gavora, K.
Stanek, St.
Zuckerbäcker: Dwoncs, St.

Trsztena. Arva-Turoczer Komitat in Un-
garn.
Färber: Teichner, N.
Gärber: Strompf, H.
Vermischtwarenhändler: Elszasz, E.
Fischer, Filipp. — Freund, Mark.

Trestyan, Siebenbürgen, Marktflecken,
Goldbergwerk. Zaranber Komitat.

Tura (D. oder Alt-). Ober-Neutraer
Komitat in Ungarn.
Bräuer: Zelinka, Jos.
Drechsler: Iricsek, Fr. — Krupa, M.
Eisenhändler: Klein, Jak.
Färber: Tarek, Joh.
Floßhändler: Csernak, M. — Szlezac-
sek, Joh. — Szulak, M.
Fruchthändler: Bustin, E. — Grün-
baum. M.
Käsehändler: Jurkovics, Rich. - - Mol-
letz, M. — Rohacsek, Joh. — Wallo,
Joh. — Wallovics, Rich.
Papiermüller: Kröner, Ant.
Schmalzhändler: Galbavy, Johann. —

Jurkovics, M. — Kollarovics, Joh. —
Parovsky, Joh. — Wallovics, J.
Schnittwarenhändler: Grünbaum,
Salomon.
Vermischtwarenhändler: Busztin,
Bernhard. — Grünbaum, Samuel. —
Mayer, Stef.

Turány. Arva-Thurozer Komitat in Un-
garn.
Branntweinbrenner: Grossmann, J.
Meisler, S.
Gärber: Mastak, Th.
Pottaschensiederei: Pollak, Jos.
Vermischtwarenhändler: Eckstein,
Felix. — Pollak, Joachim.

Tyrnau. Königl. Freistadt, Ober-Neu-
traer Komitat in Ungarn. 7—8000 Einw.
am Flusse Trnawa, 8 Posten von Wien,
6 M. n. d. von Pressburg, Distriktstafel,
erzbischöfl. Lyceum, 2 Seminarien, Gymna-
sium und Hauptschule, Invalidenhaus für
1700 Mann, Sternwarte, 8 Jahrmärkte;
Tuch- und Leinwandweberei. Handel mit
Wein, Wolle, Tuch, Leder. Eisenbahn nach
Pressburg.
Buch-, Kunst-, Musikalien- und
Schreibrequisitenhdl.: Hoffmann,
Franz, auch Leihbibliothek.
Eisenwarenhdl.: Pröbstl, Al. Witwe.
Taubinger, Joh. — Weiss, Karl.
Galant.- u. Nürnbergerwarenhdl.:
Lang, Joh. M. — Pfitzner, Georg.
Thinagl, J. M. — Kohn.
Landesprodukte: Lukachich, Jos.
Spezerei-, Material- u. Farbw.:
Ostermayer, J. F. — Leyrer, G. M. —
Keszely, Jos., Agent der k. k. privil.
Azienda Assicuratrice in Triest. — Po-
latsek, J. — Smekal & Sohn Repräsentant,
Agent der ersten ung. Assecuranz-Gesellschaft
in Pest. Besitzer einer Maschinen-Papier-
fabrik in Dechtis. — Szulowloyi, M.,
Agent der k. k priv. ersten österr. Brand-
schaden-Versicherungs-Gesellschaft. —
Tumó, Anton Witwe. — Wanitsek &
Comp., zum Elefanten, in öffentlicher Ge-
sellschaft sind, J. L. Wanitsek u. Karl
Ostermayer, welche beide firmiren, auch
Samen u. Pulver-Verschleiß.

Tuch-, Leinwand- u. Modew.: Abeles, S. & Sohn. — Nyilassy, Jof., Agent, Currents u. Modewaren. — Orkony, F. E. — Richter, Eb. — Stanzel, Em. — Wolf, Wilh.

Fabriken: Ewöky, Aloiš, Stärkefabrik. Planer, Jof. Fr., Effigfabrik. — Waymár, Gebr., Inhaber einer Runkelrüben- Zuderfabrik.

Effigf.: Winterberg, Rub. — Schmidt.

Advokaten: Balazsowitz, Jof. — Dualszky, Ig. — Franciszy, Alf. — Kanovich, Ladišl. — Krisztelka, Franz. — Kuklenik, Jof. — Moitsch. — Malatinszky, Jof. — Nemlaha, Jof. — Palugyai, Ladišl.

Apotheker: Czeibek, K. — Pántotsek, Rub.

Bildhauer: Fuger, Rudolph.

Bräuer: Koppel, Mof.

Buchfenmacher: Berger, Karl.

Buchbinder: Koszky, M. — Pokorny, Jof. — Schmidt, Eduard.

Buchdruder: Winter, Sigmund, auch Lithograf.

Commiff. u. Spedition: Roth, Sim.

Einkehrgasthöfe: Bittó, Fl. — Polnitzky, L. — Polnitzky, L.

Färber: Poppi, A. — Schiller, Jof. — Schweller, Ant. — Taxner, Ant.

Gelbgießer: Erhardt, J.

Glaser und Glashändler: Dobias, Karl. — Krausz, Ant. — Moller, J.— Schütz's, A. Witwe.

Gold- und Silberarbeiter: Christian, Joh. — Kolbenhayer, J. Witwe. — Burta.

Kaffefieder: Barthonek, J. — Karner, J. Witwe. — Krhnyák, Nik.

Kupferschmiede: Schimek. — Stör.

Lederer u. Gärber: Lewohl, Franz. — Sadlony.

Möbel-Niederlagen: Berényi. — Böcker, Ant. — Gasteier, J. & Marschal, M.

Produktenhändler: Lenner, Joh. — Thinagl, M. — Wagner, Ant.

Schloffer: Homa. — Möller. — Singhofer, Jof.

Seifensieder: Gerabek, Joh. — Lewin, Fried. — Würtzler, Gottf.

Tabak-Großverschleiß: Ertler, Leop.

Tapezirer: Böcker, Ant. — Hopfer, G. Gasteier, J. — Wolf, S.

Tifchler: Berényi, Andr. — Hecht, Jof. Karinger, Karl. — Marschal, M. — Strausz, Franz.

Uhrmacher: Bohony, Eb. — Lobmayer, Adolf. — Pinter, J.

Zuckerbäcker: Tippner, Bal. — Treitel, J. — Thurm, Eduard.

Ugrocz (Zay-). Unterneutraer Komitat in Ungarn.
Tuchfabrik: Zay, Karl, gräfl. k. k. priv.

Ujfalu. Honter Komitat in Ungarn.
Dampfmahlmühle: Schönfeld, Andr.

Ujfalu. Preßburger Komitat in Ungarn.
Bauholzhändler: Brüll, Em. — Goldberger, M.
Blutigelhändler: Fleischmann, F.
Eisenhändler: Engel, M.
Fischhändler: Fischer, M. — Haar, Salomon.
Geflügelhändler: Stern, L. — Woczner, M.
Getreidehändler: Engel, J. — Weisz, Simon.
Lederhändler: Brüll, S. — Keller, B.
Produktenhändler: Rosenbaum, H.
Schnittwarenhändler: Engel, B.
Seifenfieder: Kohn, M. — Weiner, Mich.
Silberarbeiter: Grünbaum, Aron.
Spezereiwarenhändler: Abelesz, B. Eckstein, Leop. — Fleischmann, Mof. Rosenbaum, Kal. — Stern, Salom.
Uhrmacher: Mayer, Joh.
Vermischtwarenhändler: Marberger, Sim. — Stern, Salom.
Weinhändler: Frey, Mofeš.

Ujhell. Markt, Hauptort der Zempliner Gespanschaft, mit einem Gymnasium der Piaristen.

Uj-Hute. Szathmarer Komitat in Ungarn. Karolyi, Grafen Brüder, Glasfabriksinhaber.

17 *

Ujlak. Unter-Neutraer Komitat in Ungarn. Jeszenák, Baronin, Witwe, Spiritus u. Likörfabrik.

Uj-Pécs am Temes, Reisplantagen. Banat.

Unghvár a. d. Straße von Kaschau nach Munkács. Marktflecken am Flusse Ungh, mit 6000 Einw. Gymnasium. Hauptschule.
Buchhändler: Mannsberger, J.
Eisenwarenhdl: Buymann, C. A. und Spedit. — Spitz, Ignaz, auch Probukten. — Kelérs, Jof. Witwe.
Nürnb. u. Spedition: Pollak, Phil.
Probukten: Reismann, H.
Schnittwaren: Tüchler, H. & Sohn.
Spezereiw.: Hackl, Ant., auch Samen. Preisz, M.

Unter-Kubin. Marktflecken, Arva-Turóczer Komitat in Ungarn.
Advokaten: Barnay, Joh. — Cziruli, Jof. — Dobak, Ant. — Mesko, K. — Thold, L. — Thuranszky, W.
Apotheker: Toperczer, Lud.
Bräuer: Kußler, J., auch Spiritus.
Färber: Zimányi, J.
Fruchthändler: Fischer, Elias.
Gärber: Droppa, Jof.
Gold- und Silberarbeiter: Bachner, Abraham.
Holzhändler: Haas, Sam. — Kuster, Jakob.
Kupferschmied: Rath, Friedr.
Lederhändler: Kuster, Leo.
Schnittwarenhändler: Fischer, J. — Freund, A. — Kußler, J. — Schreyer, Em. — Steiner, Benj.
Seifensieder: Freund, M. — Tanczer, Abrah.
Spezereiwarenhändler: Freund, Ab. Kußler, Herm. — Michna, Joh. — Roth, A. — Stark, S. — Tyroler, G.
Spirituserzeuger: Fischer, Elias.
Spiritushändler: Fischer, Felix. — Schwarz, Israel.
Uhrmacher: Kubalay, Joh.
Vermischtwarenhändler: Nizsnik, Chr.

Weinhändler: Kußler, Herschl.

Ungarisch-Neustadt, oder Felsö-Bánya, Szathmarer Komitat in Ungarn, freie Bergstadt mit 6000 Einw. Bergamt, Berggerichtsfubstitution, Golb-, Silber- und Antimonialwm-Werke, Elsenhammer, Aerarial-.

Ungar. Altenburg, Ovár, Wieselburger Komitat.

Urmeny. Unter-Neutraer Komitat in Ungarn.
Bermischtwarenhändler: Brasch, C. Foneder, M. — Fried, R. — Hopfer, Mich. — Neubrun, W. — Roth, J. — Schenk, Ab. — Schenk, If. — Steiner, Rath. — Welesz, Sim.

Bállay. Szathmarer Komitat in Ungarn. Karolyi, Ludwig Graf, Spiritusfabrik.

Basgyar. Neograder Komitat in Ungarn. Eisenwerke: Rima-Muranyer Eisenwerk-Berein unter derselben Firma.

Becfe (an der Waag). Unter-Neutraer Komitat in Ungarn.
Holzhändler: Deutsch, Ab. — Ehrenwald, S. — Reiss, M. — Steiner, B. Weiss, L. — Weiss, Salom.
Kaffeesieder: Würth, Adolf.
Bermischtwarenhändler: Ehrenfeld, Em. — Rosenzweig, Salo. — Schönbaum, Martin.

Belence. Stuhlweißenburger Komitat in Ungarn.
Balassa, Anton Baron v., Dampfmühlbesitzer.

Berbó. Ober-Neutraer Komitat in Ungarn.
Apotheker: Raksányi, A.
Eisenhändler: Mandl, F.
Essigsieder: Wollner, J.

Färber: Seidenberg, E.
Fruchthändler: Just, R. — Kugel, W.
Laczer, R. — Manheim, A. — Man-
heim, J. — Neufeld, L. — Quittner,
Maier. — Quittner, Mos. — Strauss,
Jakob.
Gastwirth: Guggenberger, Lud.
Glaswarenhändler: Weinwurm, Ub.
Holzhändler: Reisz, S. — Herzog, G.
Lederer u. Gärber: Deutsch, Joach.—
Grek, Joh. — Grek, Mart. — Grek,
Stef. — Holczer, R. — Kucsera, St.
Laczer, W. — Rosenfeld, J. — Za-
wodni, Joh.
Lederhändler: Drechsler, Mores. —
Fischer, Sam. — Friedmann, Sal. —
Herzog, J. — Weiss, Ab.
Potaschensieder: Kugel, Ef.
Rosoglio- u. Spiritusfabrikanten:
Geltner, Ub. — Winterberg, Wolf.
Schnittwarenhändler: Blum, Jg. —
Deutsch, J. — Dohann, S. — Her-
zog, R. — Manheim, Sal. — Nagel,
Sal. — Schwarz, Jg.
Spezereiwarenhändler: Emanuel, R.
Herzog, Mark. — Majer, Franz. —
Manheim, Dav. — Manheim, Salom.—
Peercz, Peter.
Steinmetzmeister: Hiner, R.
Weinhändler: Wertheim, Em.
Wollhändler: Manheim, L.

Bergorarz (Dalmatien) Erbharzgruben.

Berбcz. Komitat Pozeg, Bezirk Derbze,
Slavonien.

Handelsleute.

Bauer, Jul. — Beck, Alb. — Deme-
trovio, Joh. — Deutsch, Jak. — Her-
renheiser, Moritz. — Müller, Jak. —
Neuwirth, Jak. — Neuwirth, Sam. —
Pollak, Jak. — Pollak, Jos. — Rotter,
Leopold.
Dampfmühle: Lippe, Fürst.
Zuckerfabrik: Lippe, Fürst.

Beszprim. Beszprimer Gespanschaft, in
Ungarn. Bischöfliche Stadt an der Sarviz,
mit 15,000 Einw. Sitz des Bischofs, Ver-
sammlungsort des Comitats, Waisenhaus,

Gymnasium, Hauptschule. Verkehr mit
Früchten, Wein, Rüböl. In der Nähe be-
finden sich eine Glasfabrik und mehrere Pot-
aschfabriken; auch ist der Weinbau in der
Gegend am Plattensee von Bedeutung.
Eisenhändler: Kielberger, K. — Lang,
Joh., auch Spezereiwaren. — Rapoch,
Ales. — Ruttner, Joh., auch Spezerei-
waren und k. k. Tabaktrafik.
Glashändler: Scheiber, Jakob.
Lithog., Kunst- u. Musikalienhdbl:
Raimann.
Kurzwarenhdbl: Menzel, Adolf. — Neu-
mann, S. — Ditrichstein, Sam.
Lederhändler: Dunst, F. — Rapoch,
Mich. — Taussig, Sim. — Weiner,
Adolf. — Weiss, D. L.
Manufakturwarenhbl. en gros: Ber-
ger, Brüder. — Schwarz, Och.
Nürnbergerwhbl.: Braun, David, auch
Galanterie- und Glaswaren, Porzellan u.
Eisengeschmeid, zum Pfau. — Ditrich-
stein, Ignaz. — Gutthard, Theobar,
Spezerei- u. Galanteriewaren, Glas, Ge-
schirr, auch eine k. k. Tabaktrafik. —
Heinrich, Alois. — Tuszkau, Mayer.
Schnittwarenhbl.: Auer, Simon. —
Ditrichstein, David. — Ditrichstein, S.
Frömmel, Hier. — Fürst, Simon.
Grünhut, Jgn. — Kohn, Karl. —
Milchdorf, Eleonora. — Ney, Moriz.—
Paul's, Samf. Witwe. — Weiss, Wolf
G. — Weiss, Jser.
Spezereiwarenhändler: Banoczy, P.
Lang, Frz. — Ludwig, Gebrüder, auch
Kurzwaren. — Obele, Frz. — Ponkratz,
Gebr. — Rosner, Gebr. — Rothauser,
Lazar. — Schill, Eb. — Schill, Karl.—
Szabo, L. A. — Weiss, S. — Warda,
Em. — Wtassy.
Tuchhändler: Grün, Moses. — Weiss,
E. A. — Wessel, Lazar.
Advokaten: Acsády, Alex. — Balás, D.
Balogh, L., in St. Kir. Szabady. —
Barza, St., St. Kir. Szabady. — Bá-
keffy, Ga. — Fromm, Joh. — Ga-
lamb, Jos. — Gaal, Lud. — Kolosváry,
Jos. — Kolosvary, Ales. — Kelemen,
Ales. — Papp, F. — Rosas, Imre. —
Szalatkay, Georg. — Szabó, Ant. —
Vorju, Jos. — Veghely, Imre. — Ver-
mes, Jules.
Apotheker: Ferenzy, Gg. — Szentes,
Joh. Witwe.

Buchbinder: Kraus, Herm. — Jády, B.
Georgy, Ludw.

Buchhändler: Georgy, Ludw.

Buchdrucker: Ramassetter, Karl.

Drechsler: Ernhofer, Ign. — Kober,
Joh. — Papai, Rich.

Einkehrgasthöfe: Breuer, Gabriel. —
Kreuzer, Anton. — Rasel, Lorenz. —
Rothfischer, Anton. — Wisner, Joh.

Essigf.: Stern.

Färber: Husvéd, R., Vater. — Husvéd.
I., Sohn. — Stoll, R.

Gelbgießer: Weinberger, Simon.

Glashändler: Braun, Davib. — Scheiber, Jakob.

Gold- u. Silberwarenhbl.: Lázány,
Andr. — Propper, Ferdin.

Kaffeehaus: Braun, Jos.

Kupferschmiede: Brenner, Johann. —
Bokmayer, Witwe.

Gärber: Bala, Andr. — Koller, Lud. —
Schulz, Ant. — Stein, Gg. — Stein,
Jos. — Bzemény, Rich. — Szepesy,
Balas. — Ullmann, Jak.

Modistinnen: Kraus, Retty. — Weiss,
Fany.

Möbelhändler: Schultheis, Joh.

Produktenhändler: Kraus, Wolf. —
Kraus, Alex. — Margolitt, Johann. —
Ransburg, Herm.

Seifensieder: Czekkel, Joh. — Pillitz,
David. — Schützer, Adolf. — Szente,
Franz.

Uhrmacher: Lajosi, Karl. — Keresztes,
Salomon.

Weinhändler: Sonnenberg, Adam.

Zuckerbäcker: Deosy, Gebr. — Kaspar,
Johann.

Bihnye. Barfer Komitat in Ungarn.
Bad Bihnye. Gramatika, Antonia.

Eisenwaren u. Maschinenfabrik:
Kuchelmann, K.

Galanteriewarenhbl.: Gramatika, I.

Uhrmacher: Rakowan, G.

Bilagoš. Araber Komitat in Ungarn.
Bräuer: Rohus.

Billany. Barianer Komitat. Dorf. Weinbau, Marmorbruch.

Bucin. Komitat Požeg, Bezirk Bucin in
Slavonien.

Glasfabrik: Hondl, Karl.

Wasserfägewerk: Herzog, Elias.

Bukovar. Markt, Esseger Gespanschaft in
Slavonien. 7000 Einw., a. d. Donau u.
Bufo. Seidenbau.

Eisenhändler: Birra, G. & Sohn. —
Mihajlovic, K.

Schnittwarenhändler: Adamovic, K.
Birra, A. & Sohn. — Birra, K. &
Sohn. — Despotovic, Gr. — Mihajlo-
vic, Gg. — Mihajlovic, P. — Singer,
Fr. & Hiller.

Spezereiwarenhändler: Celekovic, P.
Mihajlovic, K. — Mihajlovic, Th. —
Panic, Al., auch Eisen. — Romanovic,
Bas. — Romanovic, Gg. — Stanic,
Theodor. — Weiss, Jakob.

Vermischtwarenhändler: Mojsilovic,
Marimilian.

Advokaten: Gercic, P. — Ivanovic, P.
Topolkovic, H.

Apotheker: Kirchbaum, M.

Bräuer: Lamac, Witwe.

Buchbinder: Divald, A.

Drechsler: Baumann, Witwe & Sohn.—
Margetic, M.

Färber: Brüsel, Gebr.

Gärber: Schwereg, R.

Gasthäuser: Zum Löwen. — Zum Stern.

Glashändler: Popovic, R. — Stanic,
Milan.

Holzhändler: Banhayer, Jos. & Sohn
(Schiffb.). — Knoll, Math. & Sohn.

Kleiderhändler: Bernatovic, P., (für
Frauen). — Markovic, P. — Stojanovic.

Kupferschmiede: Damjanovic, Gg. —
Tepic, Gg.

Labenhändler: Dulkuy, R. — Ksic,
Baso.

Lederer: Hoebeisl, R.

Modistinnen: Früthling, Ww. — Muk-
naner, Witwe.

Sattler u. Tapezirer: Mihic, R. —

Silberarbeiter: Menges, R.

Tabak-Großverschleiß: Mihailovic, G.

Uhrmacher: Rapp, Alois.
Zuckerbäcker: Kreck, Joh.

Walzen. Stadt im Pest-Ofner Distrikt in
Ungarn, 14300 Einw. a. d. Donau. Eisen-
bahnstation. Sitz eines kath. Bischofs mit
bischöfl. Seminar, Gymnasium, Piaristen-
kollegium, Hauptschule, Weinbau, Vieh-
märkte.
Eisenwarenhändler: Mittermann, G.
Eisen- und Geschmeidewarenhdl.:
Erdey, Alexander. — Leitner. Alex. —
Szutrely, J. P. — Trummer, Th.,
Witwe.
Lederhändler: Hirschfeld, Israel. —
Mihalovits, Konstantin, Besitzer einer Le-
dergärberei zu St. Andre. — Reiser, J.
Wilczeck, J.
Schnittwarenhändler: Braun, Gabr.
Brinauer, Wolf, auch Modewaren. —
Hirschfeld, Moises.
Sped.- und Kommissionsgeschäfte:
Zambelly, Ludwig, Expeditions- u. Kom-
missionsgeschäft in alle Gegenden des In-
und Auslandes.
Spezerei- u. Farbwaren: Bodendor-
fer, Jul. — Gebhardt, Anton. — Huf-
nagel, J. G., auch Stempel- und Zabal-
Großverschleiß. — Heidfeld, Franz. —
Heidfeld, Menharb. — Hanuss, Lud. —
Hajasy, Joh.
Vermischtwarenhändler: Gebhard. —
Horvath, J. F. — Rothauser, Dav. —
Tragor, Alois, auch Agentur.
Gasthäuser: Weißes Schiff. — Stern.
Goldner Hirsch. — Krone. — Curia.
Drechsler: Schmidt, Joh.
Essigfabr.: Bläss, Jul.
Färber: Hauer, Jos. — Meissner.
Nikitsch.
Kupferschmied: Herrl, J.
Seifen- u. Lichterfabr.: Prettenhofer.
Schmidt, Markus. — Schubert, Sam.
Trenker, Jos.
Weinhändler: Bläss, Jul., auch Kom-
missionär in Landesprodukten.

Warasdin. Gleichnamige Gespanschaft in
Kroatien. 2 St. von der Bahnstation Csaka-
thurn. Kgl. Freistadt an der Drau, mit 12,000
Einw. Sitz des Collegial-Capitels von
Chasma, und sämmtlicher Gerichte des Wa-

rasdiner Komitats. Gymnasium, Haupt-
schule. In der Nähe das Schwefel-Berg-
werk Raboboy, welches den reinsten Schwe-
fel in der Monarchie liefert. Eine halbe
Stunde von der Stadt das Schwefelbad
Teplitz.
Gasthäuser: Lamm. — Goldener Löwe.—
Wilder Mann.
Apotheker: Fodor, Th. — Halter, Alex.
Lellis, Eb.
Bierbräuer: Adler, Nic. — Stadler,
Christ.
Buchbinder: Hofirik, J. — Wallinger,
J. — Wastl, Jos.
Buchhändler: Zubers Witwe.
Buchdrucker: Platzer, Jos. v.
Eisenhbl.: Halbauer, G. — Past &
Leitner. — Radl, Alex. — Ritz, Jos.
Sadil, Ferd.
Färber: Hauer, Alois.
Glaser: Gortan, N. — Paar, Karl.
Glodeng.: Papst, A.
Gold- u. Silberarb.: Gerstner, F. —
Löwy, J.
Gutw.: Huberger. — Reichwein, J.
Kommiss.- u. Spedit.: Dietrich, Jg.—
Leitner, Sam. & Sohn, auch Lederhbl.
Leitner, Fil. — Tomasi, Ludwig, auch
Salz en gros.
Lebzelter u. Wachsz.: Kossmannhuber.
Lederhändler: Leitner & Sohn. —
Leitner, J. — Lapatny, Math.
Möbelhbl.: Fessel, Jos. — Herits, L.
Nürnberg.- u. Galanteriew.: Frit-
sches, J. E. Sohn. — Prochnigki, U.
F. — Redl, Ant. — Tauschek, S. A.
Produktenhändler: Bauer, Math. —
Chon & Sohn. — Levanich, Franz. —
Moisis & Broch. — Mosinger & Neu-
mann.
Schnitt-, Luch- u. Modew.: Bratschko
& Körber. — Ehrenfeld & Planer. —
Melincevic, Fr. — Moises, M. J. —
Moisinger, L. — Rakusch, F. S. —
Singer, Ignaz.
Seifensieder: Koterbas Witwe. — Mo-
ses. — Sieber, Jos.
Siebend. W. u. Produkten: Prukner,
Ant. — Rizto, Peter.
Spez.-, Material- u. Farbw.: Am-
broschitz, Nich. — Buzalits, Gg. —
Bratschko, Fr. — Fehmann, Lud. —
Fiunkhs Witwe. — Gradwohl, J. N.,
auch Spedition u. Pulververschleiß.—

Hieke, Jof. — Koterba, Vinc. — Pecornik, Fr. — Schopper, Fr.
Vermischtw.: Kirovich, Nic. — Breyer & Fischer.
Uhrmacher: Mauregg, J. — Zechel, J.
Baumwollwattef.: Tomasi, Karl,
Dampfmühle: Graf Draskovic.
Effigf.: Halter, Aler.
Mühle (amerikanische): Pust & Erben.
Rofog., Branntw., u. Effigf.: Fischl, Jof. — Tomasi, Karl.
Surrogatkaffeef.: Müller, W.

Wartberg. Preßburger Komitat in Ungarn.
Apotheker: Fleischer, A.
Eisenhändler: Payer, Ant.
Fruchthändler: Reisz, Sim.
Gastwirth: Kansch, Mich.
Gärber: Kammler, Gb.
Glaswarenhbl.: Grünhut, Sal.
Holzhändler: Kohn, Marl.
Schnittwarenhändler: Braun, Jof.
Viehhändler: Haifel, Jg. — Popper, Ab. — Popper, Em. — Popper, Her. Popper, Moriz. — Reisz, S. & Comp. Reisz, Moriz.
Vermischwarenhändler: Blau, Jf. — Blau, Elm. — Grüner, Jof. — Kaufmann, Mor. — Kaufmann, Simen. — Popper, Gebrüder.
Ziegelbrennerei: Lukasz, Joh.

Weißkirchen. Staatseisenbahnstation. K. k. Militär Komunität in d. Banater Militär-Grenze, 2 Jahrmärkte 7000 Einw., einer der bedeutensten Orte in weißen Weinen, es erzeugt 50—200,000 Eimer im Handel sehr beliebten Wein.
Eisen u. Eisenwarenhbl.: Albach, Ant. — Bandl, Ant., auch Früchten, Wein. Bandl, Frz., auch Weine. — Blaschuty, Ant. — Schöffer, F. M.
Gal., u. Nürnberg. W.: Harlacher, Karl, auch Spezerei, Porz. u. Steingut. Poppovits, B. M.
Schnitt, u. Modew.: Deutsch, Sam.— Eremits, Basil. — Georgievits & Georg. Lorenz, Al. jun. — Poppovics, B. J. Poppovics, D. J. — Siegel, H. J. — Stojanovics, H. Basil. — Schescherko, Anton.

Spez., u. Matfarbw.: Boschits, Joh., auch Produkten am Marktplatz. — Barbulovics, D. — Bauer, Franz, auch Produkten. — Nikolics, Jgnaz. — Nokolics, Wasil. — Radulovics, Waßa & Sohn, auch Schnittw., Wein, Produkten und Beßzer einer Seidenspinnfabrik. — Schmidbacher & Feigl, auch Schnitt. u. Modewaren.
Vermischt: Boborony, Kosta. — Schuster, Karl & Filder, Mich. — Kendelbacher, Paul. — Nikolics, Lazar. — Radulovics, Demet. — Wassner, Jof.
Produktenhändler: Deutsch & Anton. Schmitz, Joh., in Wein. — Wolf, Gebrüder.
Weinhändler: Lorenz, Alois sen., auch Beßzer einer Seidenspinnfabrik.
Advokaten: Barbulovics, Waßa. — Schuster, Franz.
Apotheker: Schmitz, Gustav.
Bierbräuer: Hellebrand, Ant. — Knöpfler, Georg.
Buchbinder: Geiger, Alois.
Buchhändler: Oberläuter, Karl, auch Buchbindermeister.
Büchsenmacher: Boschitz. — Feigl. — Greiner. — Erdelian. — Petter. — Schescherko.
Drechsler: Arensburg, Christian. — Hönisch, Jof.
Einkehrgasthöfe. Zugleich Kaffeehäufer: Fritz, Ant. — Jalovetzky, Frz.— Neukam, Jofef. — Poppovics, D. J.— Siegl, Johann. — Stitz, Karl.
Färber: Rudolf, Ferdinand.
Glas u. Geschirrhbl.: Haller, Lb. — Rossmanits, Leop. — Siegl, Jofef. — Winkovics, Jof.
Gold u. Silberarbeiter: Mühlkun, G.
Kleiderhändler: Grayner, J. — Jovanovics, Aler. — Stoikovics, Pet.
Kupferschmiede: Jeanplong, Math.— Licker, Ferb. — Licker, Johann. — Licker, Mich.
Mautermeister: Arend, Karl. — Querfeld, Ferb. — Siegl, Jof.
Müller: Boborony, C. — Georgievich, Gg. — Kuhn, Joh. — Neukam, A.— Neukam, Jof. — Radulovics, Waßa.— Weiss, Math.
Mobistinnen: Bassely, Therefe, Baronin. Hellebrand, Betti. — Schostarics, Jul. Winkovics, Therese.

Rothgärber: Becker, R. — Prech, Chr. — Sauerwald, Dal. — Wenzel, Joh.
Seifensieder: Deutsch, L. — Deutsch, Sim. — Sauerwald, Dal.
Tabak-Großverschleiß: Filder, Mich.
Tapezirer: Krewling, Hugo. — Linna, Jakob. — Werner, Silv.
Weißgärber: Fritz, Jof. — Wohlfahrt, Jof.
Zimmermeister: Fritz, Andreas, ausgedehntes Baugeschäft betreibend, auch Eisenbahnbau-Unternehmer und Möbelhändler.

Weißkirchen oder Fejéregyház, Siebenbürgen, Sauerbrunnen.

Werschetz (Temeser Banat) 23000 Einw.

meist Raizen und Deutsche. Königl. Freistadt, Eisenbahnstation, bedeutende Seidenzucht. Gymnasium. Ist der größte Weinerzeugungsort Oesterreichs, welcher jährlich 2—300,000 Eim. vorzügliche Weine liefert. Im Jahre 1857 lagerten in Werschetz cir. 2000 Eimer rothe, süße Weine erster Qualität; 15,000 Eim. rothe, nicht süße, jedoch sehr geistige Weine zweiter Qualität; 15,000 Eim. süße Schiller-Weine zweiter Qualität; 11,000 Eimer nicht süße, jedoch geistige Schiller-Weiner zweiter Qualität; 8000 E. weiße gute Ware, zusammen 150,000 Eim. gute Ware; wozu noch eine eben so große Qualität rother, weißer und Schiller-Weine von minderer Qualität hinzukommt.
Apotheker: Herczog, Eva. — Herczog, Sebastian.
Buchhdl.: Hammerschmidt, Karl. — Stoll, Jof.
Bierbauer: Zopfmann.
Commiss. u. Sped.: Schlemmer, Jof.
Dampfmühle: Fritz & Seibel.
Drechsler: Fertig, Hch. — Flaumann, Joh. jun. — Flaumann, Joh. sen. — Petri, Albert. — Schulz, Simon. — Wolf, Franz.
Eisenhdl.: Bauer, Joh. — Fuchs, Mich. Sohn. — Mihailovits, Math. & Sohn. Miloschevits, Daniel. — Prandl, J. E. Prandl, Franz.
Essig- u. Branntweinbrenner: Adler, Wilh. — Kleveday. — Pfeilschmidt,

Labisl. — Popovits, Demet. — Springer, S.
Färber: Atkary. — Köck, Jof. — Spiesart.
Gold- u. Silberarbeiter: Hlavats, Karl. — Hofmann, Bernh. — Stagl, K.
Gelbgießer: Frisch, Ant. — Mittich, Johann.
Glaser: Enzmann. — Gettmann, Joh. — Horvath, Beit. — Jäger, Leop. — Jäger, Stef. — Korman, Mich. — Milloschitz, Thomas. — Munzics, Kad. — Menzer, Leop. — Paunkovits, Peter. — Thor, Joh. — Walter, Jof. — Weifert, Jof.
Kupferschmiede: Kostil, Basil. — Mihajlovita, Joh. — Mihajlovits, Rif. — Milloschen, Gg. — Moschorka, Mat. Neukam, Balent. — Riedl, Anton. — Wladisavlyevics, Rif.
Kürschner: Milkov, Lazar. — Reiter, Leop. — Srematz, Saf.
Riemer: Blum, Jof. — Blum, Paul. — Böck, Latisl. — Hoffmann, Anton. — Humel, Lona. — Milloschitz, Jof. — Schmiedt, Friedr. — Semaier, G.. — Spielman, Peter. — Vintauer, Joh.
Rothgärber: Akimov, Joh. — Alkary, Karl. — Bervanger, Math. — Bogdanovits, Joh. — Bogdanovits, Rif. — Bogdanovits, Wil. — Constantinovits, Demeter. — Constantinovits, Georg. Czoetkovits, Joh. — Czweits, Konst. Dimetrievicz, Gg. — Dimetrievicz, Sab. Gerdecz, Kosta. — Kostoran, Paul. — Lenggel, Latisl. — Milloschen, Pet. Milenkov, Rif. — Mladenovits, Joh. — Nikoschinovits. — Steinermann, Fr. Szeitz, Anton.
Seidenzüchter: Alexandrovits, Konst.— Herczog, Eva. — Specht, Joh. — Thomits, Jakob.
Seiler: Groschel, Mich. — Kling, Jof. Nabora, Adelbert. — Pikarski, Ant. Szallantay, Mich. — Zahn, Joh.
Seifensieder: Hammerschmidt, Hch.— Marinovits, Marke. — Malheits, Joh.— Milosavlyevits. — Petrovits, Stef. — Popovits, Basilicus. — Staun, Kost. — Thomits, Kosta.
Spezi- u. Mat. Farbw.: Angyelkowits, Rif. — Blum, Jof. — Banyanin, Gg. Bücher, Jof. — Guist, Mich, auch Eisen, Kurnb. Ware, Probuften u. Agen-

rur der Donau-Dampfschifffahrt. Bierla-
ger. — Joannovits, Stef. B. — Fuchs,
Joh., auch Porzellan. — Milloschevits,
Lazar.
Schnittwarenhändler: Alexandrovits,
Konst. — Bozsits, Joh. — Bozsits, 2.
& Sohn. — Ballaschevits, Rit. — Con-
stantin, Konst. — Czeh, Franz. — De-
metrovits, Sim. — Demetrovits, Jos.—
Demetrovits, Zuruf. — Demetrovits,
Rich. — Demetrovits, Thimoth. —
Dursa, Joh. — Dursa, Raum. — Dursa,
Demet. — Grencsarsky, Boslus. —
Joanovits, Jos. — Lerra, Raum. —
Markovits, Rit. — Nandasits, Dem. —
Nedelkovits, Aler. & Sohn. — Popo-
vits, Elias. — Popovits, Jos. — Riss-
tits, Joh. — Scherban, Demeter. —
Specht, Jos. Sohn. — Stefanowits, A.
Stefanowits, Joh. — Tobakovits, Dem.
Uroschevita, Dem. — Uroschevita, R.
Vermischtwarenhändler: Barbolovits,
Georg. — Berger, Gebrüder. — De-
metrovits, A. — Formaty, Peter. —
Georgievits, J. D. — Georgievits, Joh.
Jankovits, Stef. — Joannovits, Dem.—
Knischer, Todor. — Koko, Demeter. —
Lerra, Ath. — Milin, Gg. — Milloscher,
J. P. — Milosavljevits, Ril. — Ne-
delkovits, Euthin. — Nikaschinovits,
Andr. — Obradovits, Konst., auch Pro-
dukten. — Obradovits, Jos. — Petro-
vits, Simon. — Petrovits, Thomas. —
Petrovits, Gg. — Popovits, Gg. —
Popovits, J. Dem. — Popovits, Marko.
Popovits, Peter. — Stojanovits, Sab.
Welits, Dem. — Znaim, Dem.
Wein- u. Branntweinhändler en gros:
Woinovits, Thimotheus.
Zuckerbäcker: Hahn, Sebast. — Hoff-
mann, Franz.

Wieselburg. Gleichnamiges Komitat in
Ungarn.
Borstenviehhdl.: Dorner, Rich.
Eisenwarenhdl.: Winter, Franz.
Früchtenhändler: Abeles, Jil. — Bi-
schoff, Georg. — Cziráky, Franz. —
Dora, Konst. — Dorner, Jgn. jun. —
Eckbaret, Leop. — Frankl, Jakob. —
Grach, Ant. — Huber, Paul. — Kappi,
Stef. — Keppich, Elias. — Kis, Her.
Kohn, Salm. — Kolinsky, Franz.

Kosstovits, Stef. — Kubics, Jakob. —
Karz, Jos. — Langheim, Simon. —
Nagy, Rudolf v. — Opitz, Franz. —
Pauer, Joh. — Rabl, Frz. — Raithl,
Ferd. — Rohrer, Joh. — Unger, Frz.—
Unger, Jak. — Unger, Max. — Un-
ger, Moses. — Unger, Wolf. — Win-
ter, Karl. — Zechmeister, Josef.
Holzhändler: Redl, Jos.
Kaufleute: Herss, R. Joh. — Kesstler,
Bernh. — Kloiber, Joh. — Krizsán,
Aler. — Kesstler, Sam. — Lobler,
Samuel. — Nusser, Karl. — Welsch,
Max. — Welsch, Salomon.
Lederhändler: Schinkovits, Franz.
Galanteriewarenhdl: Pollack, S.,
prot. Firma, Schnitt-, Putz- und Pfaid-
lerwarenhändler, übernimmt Kommissionen
für alle in diese Fächer einschlagenden
Artikel und Agentien für das Kronland,
Ungarn in Spezerei- und Kolonialwaren,
dann in allen Versicher-Angelegenheiten.
Spediteure: Frey, Salomon. — Lag-
leder, Michael. — Micheller, Georg. —
Ostermayer, Karl. — Pfahl, Karl. —
Papp, Jos. — Poppovich & Löffler.—
Schipf, Fried.
Stärkefabrikant: Harnisch, Gg.
Weinhändler: Heischmann, Georg. —
Koppi, Stef., auch Früchtenhändler.
Zuckerfabriksbesitzer: Albrecht, Erz-
herzog, k. Hoh. — Ostermayer, Paul.

Wolfs bei Oedenburg, Schweselbad.

Záhony. Szabocser Komitat in Ungarn.
Spiritusbrennerei: Ritter, von, Familie. — Steinhard, Moriz.

**Zalathna, Klein-Schlatten oder Gol-
denmark,** Sitz einer Berg- und Hüttenad-
ministration, Gold-, Zinnober- u. Queck-
silberbergwerk, das schon von den Römern
benutzte sagebayer Bergwerk, wo die Kies-
erze 2, 10, 30, 40 Loth im Centner geben; die Quecksilbergruben geben jährlich an
60 Ctr., ebenfalls berühmte Goldbergwerke
zu Böröß Patak und Ofenbanya.

Zara. Hauptstadt im Königreich Dalmatien. 8000 Einw. Hafen, Fischfang, See-

handel, 3 große Cisternen, welche den Mangel an Quellwasser ersetzen.

Fabbricanti.

Battara, Fratelli, Carte da ginoco. — Berettini, Giovanni, Candele di sego. Calligarich, Gasparo, Rosolj. — Drioli, Francesco, Rosolj. —. Klein, Agostino, Birs. — Loxardo, Girolamo, i. r. fabbr. privileg nazionale e premiata di Maraschino. — Luxardo, Nicolo, Rosolj. — Luxardo, Nicolo, Cordaggi. — Paparelli, Pietro. Cordaggi. — Salghetti, Petricioli, Cere. Vesselcovich, Giuseppe, Saponi.

Commercianti.

Backmaz, Pasquale, Manifatture. — Backmaz, Francesco, Commestibila. — Berettini, Giovanni, Pelami crudi sego. Battara, Pietro, Stamperia. — Glissich, Gabriele, Manifatture. — Grego, Rocco, Commestibili. — Giotta, Pietro, Commestibili. — Illich, Davide, Manifatture. — Jurkovich, Theodoro, Manifatture. — Medovich, Cristoforo, Manifatture. — Mandel, Alberto, Chincagliere. — Orfei, Fabbriz, Manif. et oggetti moda di moda. — Rougier, V. qm. Giov., Stamperia. — Rossinich, Doimo, Commestibili. — Vucovich, Diodato, Manifatture. — Zanutig, Giuseppe, Manif. ed oggeti di moda.

Avvocati.

Benvenuti, Dr. V. — Bujas, Dr. S.— Filippi, Dr. N. — Ghiglianovich, Dr. G. — Petrovich, Dr. Sp., Caval, della corona ferrea.

Zeiden. Kronstädter Kreis in Siebenbürgen.
Vermischtwarenhändler: Michaelis, Wilhelm. — Sigmund, Karl.

Zengh oder Seni. Militärgrenze. Stadt am Meer, mit 6000 Einw. Sitz eines Bischofs, Sanitätsmagistrat, Freihafen, 2 Freimessen. Handel mit Tabak, Getreide, Honig, Wachs, Holz zc. nach Italien, Fischerei. Hinter der Stadt auf einem Berge die Fartezza, ein Vertheidigungsthurm aus den ältesten Zeiten, mit einer Cisterne.

Zernest. Kronstädter Kreis in Siebenbürgen.
Joanovits, Kenst., Baumwollspinnfabrikant. — Zernester, k. k. landespriv. mechanische Papierfabrik.

Zilah. Kreis Szilagy-Somlyo Siebenbürgen. Reform. Gymnasium.
Advokaten: Huberth, J. — Koronka, Lud. — Orban, Joh. — Rambausek, Dr. — Zacharias, Joh.
Apotheker: Dulka, Frz.
Schnittwarenhändler: Abraham, G. sen. — Bogdanffy, Gregor. — Deák's, Josef Witwe. — Gyöngyösi, Josef. — Hármath, Joh. — Laszló, Christ.
Vermischtwarenhändler: Abraham, Gabriel jun. — Balog, Joh. — Boesanczi, Kajetan. — Inzom, Ludwig. — Pakurár, Pet. — Szonngott, Joh. und Michael. — Takais, Karl.

Zlatnó. Neograder Komitat in Ungarn.
Glasfabrik: Zahn, J. G., auch Kali-Ratren-Erzeug.

Zinkendorf. (Batscher Komitat) bei Groß-Höflein.
Zuckerfabrik k. k. priv.: Luft, U.

Znyo-Barallya. Árva-Turoczer Komitat in Ungarn.
Advokaten: Csepcsány, F. von. — Raksányi, F. von. — Vladár, Em.
Apotheker: Ruttkay, L.
Bierbrauer u. Branntweinbrenner: Pollak, Sam.
Bärber: Klack, Math.
Schnittwarenhändler: Hrasko, P.
Tuchhändler: Stilla, Joh.
Uhrmacher: Koncsek, Ulex.
Vermischtwarenhdl.: Blassik, Frz. — Gruszmann, Rich. — Mayer, Gg. — Pollony, Joh. — Porabsky, Georg. — Tocsek, Labiél.

Zombor. Stadt, gleichnamig. Kreises im Temeser Banat mit 22,000 Einw., am Anfang des Franzkanals, fast alle Raizen;

18 *

schönes Comitatshaus, Sitz eines griechischen
Protopopen, kathol. und griech. nicht unirte
Hauptschule, Gymnasium für die serbische
oder illyrische Nation, Getreide- und Vieh-
handel.

Advokaten: Ambrozovitz, Al. — Ast
v. Astenburg, J. — Büttner, Ant. —
Gruics, B. — Hauke, Jg. — Ivanics,
El. — Koczkár, Mich. — Koczig, P.
Kuliáncsics, Gg. — Lallosevits, Nik.—
Leovics, Geb. — Nikolics, Ark. — Ni-
tyin, Aron. — Razovits, Andr. — Sza-
bocsky, Ant. — Turszky, Frz.

Apotheker: Millasevits, J. — Tumer, E.

Bräuer. Laczkovits, Paul.

Buchbinder: Gottlieb, M. —Schön, S.

Drechsler: Ehrlich, L. — Huber, Jg.—
Huber, J. — Kaczer, L. — Keszner,
Ern. — Neumann, A. — Oswald, G.

Eisenhändler: Berényi, F. — Gergurov, Ath. — Gergurov, G. — Gergurov, Th. — Markovits, J. — Schverer,
P. — Wranits, J.

Färber: Gopeck, Alb. — Pavkowetz,
M. — Szabadka, Jg.

Galanteriewarenhdl.: Falcioni, L.

Handelsmann: Radoszavlyevits, E.

Lederhändler: Jankovits, A. — Jankovits, Joh. — Radoszavlyevits, J.

Nürnbergerwarenhdl.: Wlaskatits, N.

Produktenhändler: Athanaszievits, J.
Bikár, M. — Csavrák, J. — Wuits, J.

Schnittwarenhändler: Bikár, Jf.—
Bogojevits, Uros. — Lukits, Adam.—
Maschirevits, Las. — Morokvasits, P.—
Palanatsky, Mich. — Prokopovits, P.

Prokopovits, Stef. — Srtanimirovits,
P. — Theofanovits, Pet. — Ullmann,
Ab. — Zsianovits, S.

Spezereiwarenhändler: Bákits, G.—
Balasz, Joh. — Bikar, J. — Csarsch,
Karl. — Falcioni, Andr. — Falcioni,
Jul. — Fischer, Jul. — Jerasovits,
Joh. — Kollarits, Th. — Kosztus,
Gotti. — Popics, St. — Popovits, E.
Stampfl, Paul. — Stein, Mark.

Tuchhändler: Kolarovits, Gg.

Vermischtwarenhdl.: Berety, Aron.—
Schwurcz, N. — Stoisics, Simon. —
Theodorovits, Mich. — Wlaskalics, B.

Zsambokréth (Nyitra). Unter-Neutraer Komitat in Ungarn.

Advokaten: Schwarz, Jos.

Kupferschmied: Zsischka, Mich.

Seifensieder: Schlesinger, Herm.

Vermischtwarenhdl.: Bienenstock, M.
Friedrich, Joach. — Lang, Markus. —
Lang, Filipp. — Neumann, Markus. —
Singer & Sohn.

Zselicz. Neograder Komitat in Ungarn.
Branntwein- und Spiritusfabrik:
Breuner, Jos. u. August, Grafen.

Zsurk. Szabolcser Komitat in Ungarn.
Spiritusfabrik: Forgasch, Kolomann
Graf von.

Nachtrag.

Balan bei Domokos, Siebenbürgen, 4 Ku-
pferlager, welche jährl. bis zu 6000 Ztr.
Kupfer, meist durch Cementation, liefern.

Nagy Ag. Siebenbürgen, 4 St. n. von
Deva, 2000 Einw. Bergschule. Franz
Stollens Goldwerke.

Gallizien und Bukowina.

Biala, königl. Freistadt, Babowicer Kreis 13,000 Einw.
Gasthäuser: Schreintzer, K. — Wilke, Friebr.
Advokat: Errler, Wenz. Karl. — Neusser, Eb.
Apotheker: Keeler, Agn. Witwe. — Reichert, Jos.
Bierbrauer: Gischitzky.
Buchbinder: Feitzinger, J. — Schmeer, Ferd.
Chem. Produkte und Zündwaren: Schindler, Ant.
Dampff. ätherischer Oele: Block, R.
Drechsler: Bauer, H. — Häusler, K. Neutwich, Th. — Strenger, Fr.
Eisen-, Stahl-, Messing- u. Schlosserwaren-Werkzeuge: Berger, Jos., in Lipnik, Privilegiums-Inhaber der k. k. pat. Faß-Luft-Ventile.
Färber: Schirn, Henr. Witwe. — Schlesinger.
Gemischtwaren: Bucki, Kasim. — Bukowski, Paul, auch in- und ausländische Galanteriewaren, Eisen- u. Stahlwaren-Werkzeuge. — Gettwert, Georg., auch Drechslerwaren. — Gross, in Lipnitz, auch Nürnberger und Eisenwaren u. k. k. Pulververschleiß. — Jenkner, Joh. — Kestl in Lipnik, auch Galanteriew. — Linhort, Rub. — Piesch, K., hat auch die Niederlage der erzherzogl. Eisenfabrik u. k. k. Pulververschleiß. — Piechowics, Bens. — Raffay, Og. — Reichert, Höch. Nürnberger, Galanterie- u. Stahlwaren. Pongratz & Samesch, auch mit Weinen, haben die Agentschaft der k. k. privil. Triester österr.-italien. allgemeinen Versicherungsgesellschaft. — Schaller, Ferd.— Thuretzki, in Lipnik. — Ullmann, K.
Gelbgießer: Schmidt, Karl.

Glashändler: Pfister, Ab. — Schermanski, Jgn.
Glockengießer: Schwabe, Karl.
Goldarbeiter: Pongratz, Em.
Gürtler: Fussek, Eb.
Hutmacher: Susanka, Joh. Filz- u. Seidenhüte.
Lederer u. Gerber: Klein, Franz. — Mokrzycki, Karl. — Schottek, Joh. — Zimier, Joh.
Messerschmied: Bittner, Frz.
Putzmacherinnen: Bogusch, Julie. — Susanka, Ther.
Rosog.-, Liköbr- u. Rumfabr.: Gross, J. — Könlzer, J., k. k. landesbfr.
Sattler: Brudniok, J. R., hauptsächlich Wägen. — Fuchs, Val., hauptsächlich Wägen.
Schlosser: Brachvogel. — Dembowski, Andr. — Bzowski, St.
Schnitt- u. Galanteriewarenhdl.: Demski, K. — Fialkowski, Raim.
Seifensieder: Fuchs, Joh. — Fuchs, Alb. — Ilming, Jul. — Kaluschka, Karl. — Kunz, Karl.
Steindrucker: Klimek, Eb.
Südfrüchtenhandl.: Ferian, Thom. — Knaus, Jos.
Tabak-Großverschleiß: Wagner, Frz.
Tapezierer: Dusil, Ant. — Völkel, Aug.
Tuchfabrikanten: Schulz u. Söhne. — Sternickl & Gülcher, k. k. priv. — Strygowsky, Frz. — Strzigowski u. Söhne, k. k. priv., erzeugt auch Wollstoffe. Thetschel, Gebr., Frz., Georg u. Joh., Feintuch- u. Wollstoff-Erzeuger. — Zagórski, Gebr., Frz., Jos. u. Ant., Feintuch- u. Wollstoff-Erzeuger. — Zagórski, Jal., Feintuch- u. Wollstoff-Erzeuger.
Uhrmacher: Fischa, Karl.

Bergolber: Czrszewski, Ant. — Witeci, Jos.
Waschblaufabrik: Fölsch, Benjamin, erzeugt Waschblau im Großen und treibt damit Handel nach Ungarn und Polen.
Weinhandl.: Hartmann. — Nagowsky. — Strauss, Max. — Strauss, Gebrüd. — Wilke, Fried. — Wolf, Joh.
Zuckerbäcker: Casti, Petr. — Gizicki, Jos. — Marolli, Joh.

Bochnia. Bochnier Kreis, k. k. Kreis u. Salinen-Bergstadt, 300 Fuß weite Steinsalzlager, die jährl. 400,000 Ctr. Steinsalz liefern.
Dotkowski, Frz., Vermischt. — Hawranek, Frz., Vermischt. — Hoser, Franz, Vermischt mit Eisen. — Hubner, Konstantin's Sohn, Vermischt mit Eisen. — Nacbowski, Gust., Vermischt. Niedzielski, Paul, Schnitt- u. Galanteriewarenhändler. — Niesner, Jos., Gewürzhändler. — Teichmann, Josef, Schnittwarenhdlr.
Apotheker: Reiss, Franz.
Buchdrucker, Buchhändler u. Buchbinder: Pisch, Laur.
Drechsler: Gotschek, David.
Gasthöfe: Hantsche), Ant. — Uhma, Ant. — Vlaszczak, Ant.
Gelbgießer: Jarzyna, Bonif.
Glashändler: Pyttewuz, Joh.
Kupferschmied: Mrozinski, Ab.
Gärber: Schneider, Jos. — Müller, Frz.
Seifensieder: Michnik, Joh. — Rojkosk, Anton.
Tabaks-Großtrafikant: Koller, Joh.
Uhrmacher: Pallman, Joh.
Weinhändler: Gorski, Ant. — Waninger, Valentin.
Zuckerbäcker: Becke, Karl.

Bolechow, Stryer Kreis, Markt. Salz (40,000 Ztr.).

Brody. Stadt Zloczower Kreis, 12 M. östl. von Lemberg, 22000 Einw., worunter 19000 Juden, Schloß, Merkantil- und Wechselgericht, kath. Haupt- und Mädchenschule, Realschule, Judenspital; Brody treibt einen äußerst wichtigen Speditions- und Transito-Handel nach Rußland, der Rohbau und Wallachei, so daß 1830 die Ausfuhr über das einzige russische Zollamt Radziwiloff 2c. 9,660,225 Rubel, die Einfuhr von daher aber 6,262,227 Rubel betrug. Der Handel umfaßt Waren jeder Art, besonders aber Schlachtvieh, Pferde, Wachs, Honig, Talg, Hasenfelle, Hüte, Leder, Pelzwerk, Obst.
Advokaten: Kukucz, G. — Landau, J.
Apotheker: Deckert, Binz. — Koscicki, Adalb. v. — Liskowacki, Ant.
Banquiere: Braun, H. M. — Fränkel, S. sen. — Halberstam & Nirnstein. — Kallir, Lazar & Söhne. — Kallir, Leon Söhne. — Nathansohns, Erbe & U. Kallir.
Eisenhändler: Baras, Moses.
Großhändler: Hausner & Violland.
Kaufleute: Bernstein, L. M. — Braun, Hirsch. — Landau, Lazarus U. — Poper, Rubin. — Stryzower, Rubin.
Kolonialwarenhdl.: Kornfeld, Reum. Landau, Leon. — Landau, Manasses. — Liebmann, Gebrüder. — Lublin, Jak. — Sobel & Münz.
Korallenhändler: Berman, Herz. — Fränkel, Jsk. Mayer.
Kurzwarenhdl.: Häkler, Beile. — Klarfeld, M. Sam. — Roniger, Mayer.
Lederhändler: Jetzes, Diltor.
Leinwandhdl. und Kommissionär: Landesberg & Handtuch.
Produktenhändler: Aschkenasy, Jak. — Byk, Alex. M. — Dawidsohn, Jos. — Franzos, Saul. — Händler, Nathan. — Horowitz, Hersch. — Jolles, Samuel R. Landau, Juda. — Loudon, Jak. Herz. Kommissionär. — Margulies, Joel. Margulies, Manasses.
Rauchwarenhdl.: Harmelin, Marl. — Schapiro, H. B. — Schapiro, Oktas, auch Kommissionär. — Sigall, B. U. — Zins, Jos. & Sohn.
Schnittwarenhändler: Benjanowicz, Elias. — Berger, Lazar. — Indech, Chaim. — Klar, Hersch. — Kramrisch, Becc. — Krima, Selig. Leib. — Lewin, Gebrüder. — Lothringer, Wolf. Scheermesser & Sohn. — Margulies, Ußcher. — Reich's, Hersch Nachfolger.
Sensenhändler: Engländer, Markus. — Fränkel, Markus. — Hilferding, Jos. — Hilferding, Dav. — Rieger, Math.

Spediteure: Bassechea, S. & Ambos, Fischler, Jof. — Hilferding & Nathansohn. — Ostersetzer, L. & Comp. — Ostersetzer & Margulies. — Rittner, J. & Cie.

Spezereiwarenhbl.: Babad, Chaim. — Brünner, Elias Witwe. — Chiger, Jol. — L. — Czaczkes, J. H. — Franzos, Marluf. — Poper, Rachel. — Saphir, Aron. — Schaffels, Leo, auch Kommanbite. — Streicher, M. Ch. — Zahler, B.

Tuchhändler: Goldfeld & Sohn. — Reinhold, Aron.

Uhrenhändler: Balter, S. — Häkler, B. — Häkler, M. — Lempert, K. — Saklikawer. J.

Vermischtwarenhbl.: Sala, Johann. — Sirachiotti, Demel.

Weinhändler: Zoller, Jfrael.

Wollhändler: Deiner, Herfch.

Brzezan. Königl. Kreisstadt an einem See, 10 M. f. von Brody, mit 6000 E. Kreisamt, Gymnasium, Kreishauptschule, Segelleinwandweb. Handelsleute.

Brenner, Herz. — Fadenhecht, B. — Fried, Baruch. — Halberthal, Chaim. — Kecht & Nerazzy. — Magulies, Jon. — Moerl, Emanuel.

Rohproduktenhbl.: David, Djias. — Dimant, Abrah. — Finkelstein, Riff. — Nathansohn, Salom. — Rappaport, Herfch.

Apotheker: Zminkowski, J.

Buchbinder: Blaszkiewicz, Ant.

Einkehrgasthöfe: Hofmokel, Johann, Hotel d'Europe. — Moerl, Emanuel, Hotel de Galicie.

Färber: Pisch, Anfelm.

Gelbgießer: Freyfogel, R. — Freyfogel, H. — Tobias, M.

Gold- u. Silberarbeiter: Goldmann, H. — Pomeranz, M. — Streusand, Ch.

Kupferschmied: Wagner, F.

Mobilfin: Hotoszkiewicz, Ap.

Möbelhändler: Blumenfeld, J.

Seifensieder: Bataban, Jof. — Vogel, Benj. — Vogel, El.

Tabakverschleißer: Saphier, J.

Uhrmacher: Hollmann, L.

Weinhändler: Grossmann, Jfrael. — Hofmokel, Joh. Sz. — Kecht & Na-

---

razzy. — Moerl, Eman. — Unger, Chune.

Zuckerbäcker: Toppe, Ignaz.

Brzozow, Sanoler Kreis, Stadt mit 2000 Einw., Schloß, Leinweberei.

Bulszoja, (Bukowina). Kalitta, Gebrüder, Eisenwerlsbefitzer.

Cisna, Sanoler Kreis, Dorf. Fredro, Graf, Eisenwerl.

Czernowitz. Hauptstadt des Herzogthums Bukowina, nicht weit vom Pruth, 30 M. f. d. von Lemberg, 10000 Einw. Sitz eines griechischen, nicht unirten Bischofs, Kreisamt, Berggerichtssubstitution, philof. Lehranstalt und Gymnasium, Kreishauptschule des griechisch nicht unirten Ritus, Märchenschule, Hebammenschule, Criminalgericht, Handel, Schifffahrt.

Buchhändler (hebräischer): Hitler, Schul.

Buchhändler: Winiarz, Eduard.

Eisenhändler: Luttinger, Chaim. — Luttinger, Herfch. — Rosenzweig, Laf. Rosenzweig, Mofes. — Rosenzweig, Mendel.

Lederhändler: Bleicher, M. — Brecher, Jfr. — Fromer, Salam. — Grieshaber, Lina. — Grieshaber, Ch. — Gelber, Gerf. — Lebenschoss, Ch. — Salter, Chaim.

Papierhändler: Alth, B. & Sohn.

Spedit.- u. Wechselgeschäft: Barber, Jfal. — Brunstein, S. — Dlugacz, Sam. — Finkelstein & Braun. — Kohn, Jof. — Links & Chodorower.

Tuchhändler: Rubinstein & Rosenzweig. — Salter, Benjamin.

Vermischtwarenhändler: Amster, M. Berl, Abraham. — Brecher, Juba. — Czuczawa & Tabakar. — Donenfeld, Süßmann. — Grüngrass, Abraham. — Horniker, Oflas. — Klug, Karl. — König, Sam. — Krieger, Karl Vistor. Kohn, Joach. — Kapralik, Elias. — Luttinger, Abr. — Luttinger, David Jofel. — Luttinger, Elias. — Luttinger, Herfch. — Luttinger, Jfal. —

Merdinger, Sim. — Nadler, Peret. —
Rozanski, Jos. — Ricci, Frz. — Salter, Jonas. — Salter, Joffel Berl. —
Schally, Eduard. — Scharf, Joffel. —
Schnürch, Ignaz. — Tartakower, Jal.
Titting's, Wolf Erben. — Uzisblo &
Towarnicki. — Zachariasiewicz, Thom.

Advolaten: Fechner, J. — Gnoinski,
Joh. — Kamil, K. — Kochanowski,
Ant. — Reitmann, J. — Ryglewicz,
Paul. — Stabkowski, L. — Wohlfeld,
Jof.

Apotheler: Alth, Wilh. v. — Chalbasani, Desiderius.

Baumeister: Fiala, Ant. — Müller, J.

Bräuer: Gebel. — Schätz, Samuel.

Broncewarenf.: Gretz, Karl.

Buchbinder: Bruck, K. — Reiss, Wm.
Wohlfeil, K.

Buchdruder: Eckhardt, Joh. & Sohn.

Büchsenmacher: Konarowski, Joh.

Drechsler: Dornbaum, S. — Korduba,
K. — Rednarz, Ab.

Einlehrgasthöfe: Goldene Birn. —
Goldenen Löwen. — Hotel de Galicie.
Hotel de Moldavie. — Hotel de Paris.
Hotel de Russie. — Schwarzer Adler.

Färber: Schäffer. — Skowron.

Gärber: Wampach, Eduard.

Juweliere: Bronarski, Karl. — Manugiewicz, Ant. — Sause, Heinr.

Kleiderhändler: Redinger, Dav.

Kupferschmiede: Blaus, Wm. — Weissbach, Jal.

Maschinist: Grochotski, Abalb.

Maschinenf.: Speiser, Karl.

Seifensieder: Ehrlich, Rissen. — Horaczek, Ignaz & Schösser, K. — Lichtendorf, Jal. — Wender, Samuel.
Wender, Moses.

Tabal-Großverschleiß: Trebicz, R.

Tapeziret: Gensthaler, Karl. — Janiszewski, Leon.

Uhrmacher: Engel, Fr. — Kerzel, K.—
Petraczek, M. — Rudolf, J. — Rosenzweig, D. — Wojaczek, Th.

Weinhändler: Birnbaum, Manoli. —
Fehr, Schabfo. — Maider, Chaim. —
Nadler, Meier.

Zuckerbäcker: Baumann, Joh. — Rummel, Ant. — Righetti, Ant.

Dolina. Stryer Kreis, Markt. Salzsiederei.

Dorna, Czernowitzer Kreis, Dorf. Eisenbau, Mineralquellen.

Dragomirna, Czernowitzer Kreis, Dorf. Hauport der 8000 unter Joseph II. aus der Krimm eingewanderten Filipponen oder Lippowanen, die Hanf- u. Flachsbau treiben und alle Gattungen von Seilerwert verfertigen.

Drohobicz. Stadt, Samburer Kreis. Gegen die Karpathen zu Glashütten und Eisenhämmer, gegen den Dniester zu starke Vieh- und Bienenzucht. Aus den Forsten der Herrschaften Borynia, Skole und Smorze wird viel Bauholz mittelst des Stryflusses auf den Dniester gebracht und nach Podolien und Bessarabien verführt. Der Hauptstapelplatz für die Holzgattungen in Galizien ist Halycz. Auf der hiesigen Cameral-Herrschaft wird Bergöl, Bergtheer u. Gyps gewonnen.

Eisenhändler: Bleiberg, Moritz. —
Munzer, Isal. — Wolf, David.

Kurzwarenhdl.: Reiner, Frimel.

Lederhändler: Josephsberg, Leifor. —
Kornbaum, Pintns. — Seif, Abra. —
Sternbach, Rath.

Schnittwarenhändler: Altbach, Leib.
Wolf. — Blumenkranz, Abraham. —
Frenkiel, Baruch Hersch. — Kreppel,
Chaim. — Kreppel, Jone. — Lauterbach, Abr. Aron. — Menkes, Leib. —
Sussmann, Hersch.

Spezereiwarenhändler: Goldhammer, Aron. — Hofmann, Spinze. —
Kuhmerker, Hersch. — Mayer, Jos. —
Pfefferkorn, Hersch. — Piroszka, Chr.
Rappaport, Israel Beer. — Richter,
Mendel. — Seemann, Jal. Mendel.
Seif, Schmale. — Singer, Josel. —
Solldörfer, Mendl. — Sternbach Osias.
Sussmann, Schachne. — Wagmann, Ar.

Tuchhändler: Kachane, Aron Pintas.—
Lauterbach, Jakob.

Buchbinder: Einsiedler, Chaim.

Drechsler: Antoniewicz, Mich.

Einkehrgasthöfe: Horowitz, Pinl. —
Lauterbach, Jak.
Gelbgießer: Weiss, Dav.
Goldarbeiter: Baumgarten, Schul. —
Bratspies, 2. — Löwen.bal, Isal. —
Zwey, Jauf.
Kupferschmied: Spanndorfer, Jakob. —
Wóytowicz, B.
Lederer u. Gärber: Herlinger, Dav.—
Hofmann, J. 2. — Josephsberg, 2. —
Kornbaum, V. — Löw, H.'— Seif, U.
Seif. H. — Stern, Ch. J. — Stern-
bach, R.
Modistin: Lewicka, Dom.
Seifensieder: Richter, Hillel. — Rich-
ter, Mendel. — Seif, Elmon.
Tabak-Verschleiß: Wegner, Ubr.
Uhrmacher: Schleissateher, Jak.
Weinhändler: Morowitz, Isal. — Lau-
terbach, Isal. — Maurer, Mendel. —
Segal, David. — Sternbach, Osias R.
Unger, Osias. — Wegner, Sure.
Zuckerbäcker: Wysoczanski, Unt.

Dukla, Jasloer Kreis, Stadt mit 2200
Einw. Schloß mit franz. Garten, Arme-
ninstitut, Leinwandfabr., Weinhandel.

Gurahumora, (Bukowina).
Vermischtwarenhdl.: Leiser, Karl. —
Schäffer, Abraham.

Halicz, Stryer Kreis, Stadt am Dnjester,
mit 2000 Einw. Salz- und Seifensiederei.

Jaroslaw. Stadt an der San, 15 M.
westl. von Lemberg, 15 M. östl. von Tarnow, mit 19000 E. Domkapitel, Hauptschule, Mädchenschule, k. k. Monturkommis-
sion, auf dem Fluß zur Weichsel mit Garn,
Leinwand, Wachs, Honig rc.

Jakobeny. Bezirk Kimpolung (Bukowina).
Manz, Vinzenz, Ritter von, Eisen- und
Kupferwerksbesitzer in Pozoritta, Silber-
und Bleigewerk in Kirlibaba.

Kenty. Wadowicer Kreis. Stadt an der
Sola, 6 M. n. ö. von Teschen, mit 4000
Einw. Leinwand - und Tuchweberei, Straße
über die Karpaten nach Ungarn.

Kirlibaba, Czernowitzer Kreis, Dorf, am
Bach gleichen Namens. Bergbau auf sil-
berhaltiges Blei (562 Mark Silber u. 1000
Ztr. Blei in Glätte).

Kimpolung. (Bukowina).
Vermischtwarenhdl.: Hopmeier, R.—
Kossinski, Georg. — Sommer, Gebr.
Apotheker: Fritsch, Ferdinand.

Komarno, Samborer Kreis, Stadt, 2320
Einw. Leinwand- u. Zwillichweberei, Lin-
nenhandel.

Krosno, Jasloer Kreis, Stadt an der
Wislota, mit 4900 Einw. Altes königl.
Residenzschloß, Niederlage für ungarische
Weine.

Krynitza, Sandeczer Kreis, Dorf. Sauerbrunnen.

Lancut oder Landshut. Rzeszower Kreis.
Stadt an der Niedersan, 2 M. n. östl. von
Rzeszow, mit 2100 Einw. Schloß und
schöner Garten, Leinwandbleichen.

Lakou und Huczko. Sanoker Kreis. Salz-
siedereien.

Lemberg. Hauptstadt im Königreich Galizien. 14 M. von der russischen Grenze,
mit 80,000 Einw., worunter 20,000 Ju-
ben. Sitz der obern Behörden, Merkantil-
und Wechselgericht, Handel mit Flachs,
Hanf, Leinwand, Honig, Wachs, Talg, Leder, Getreide, Wolle, Com. und Spedit.
Handelsstand (Christlicher).
Großhändler: Hausner & Violland. —
Singer, J. B. & Comp., Bank- u. Kom-
missions-Geschäfte.

149

Eisenhändler: Iskierski, Konst., auch
Nürnbergerwaren. — Gablenz, Jul. —
Popowicz, Franz. — Schumann, Joh.,
auch Ziegelei-Inhaber.
Galanteriewarenhdl.: Boczkowski &
Schnürr. — Fuchsa & Schwarz. —
Glixelli, Sebastian. — Kirschner, Vinz.
Ross, Georg. — Schier, Jos. Sohn. —
Winiarz, Alexander.
Gemischtwarenhdl.: Buber, Salom.,
auch Chef der Firma Pohoryles & Bu-
ber in Hussina. — Ehrlich, Franz. —
Juristowski, Jos. — Kopetzki, Lub. —
Penther, S. A., Bank- und Verwechs-
lungsgeschäften, auch Lederwaren. —
Schellenberg & Wache, meist Kom-
missions- u. Agenturgeschäfte, auch Leder-
waren. — Schick, Ant. Witwe, meist
Handschuhmacherwaren. — Schie, Ferd.,
meist Nürnberger und Quincailleriewaren.
Schubuth, Frieb., Besitzer einer Wachs-
bleiche und Wachskerzenfabrik. — Seid-
ner, Joh. — Skriba, Joh. — Werner,
Karl, Agentur-, Kommissions- und In-
tassogeschäft.
Glas- u. Porzellanwarenhdl.: Kel-
ler, Ignaz. — Lewicki, Kasimir.
Hulstepperwarenhdl.: Schittenhelm, F.
Florian. — Schmidt, Franz. — Weis-
ser, Joh.
Möbelhändler: Kirschner, Ant. —
Sieradzki, Michael.
Nürnbergerwarenhdl.: Dymet, Mich.
Niemirowski, Joh. sel. Witwe. — Stil-
ler, Bonifacius.
Schnitt- und Modewarenhändler:
Adamski, Franz. — Knauer, Franz. —
Krassny, Jos. — Lunda, Andreas. —
Sopuch, Gabriel. — Stoppel, Josef. —
Uziebto & Towarnicki. — Willmann's.
W. sel. Witwe.
Schreib- u. Zeichnungsmaterialien-
händler: Bogdanowicz, Ant. — Jür-
gens, J. S. — Kummer, J. — See-
hak, Ant.
Speb.- und Kommissionsgeschäfte:
Breuer, Jos. — Strzelecki, Emil.
Spezereiwarenhdl.: Boziewicz, R. A.
Brühl, J. H. — Brunn, Josef. — Him-
mel's, J. sel. Witwe. — Justian, J.
Kamienski, Wilh. & Comp. — Klein,
Joh., Eigenthümer einer Bierbräuerei,
Oelfabrik und Ziegelei. — Korytynski,
Kornel. — Mankowski, Abolf. — Milde,

Karl Ferd. — Reiss, Julius. — Rusycki,
Felix. — Schubuth, Karl. — Winekler,
O. L.
Tuch- u. Schafwollwarenhändler:
Ruszizynski, Guido. — Zipser & Wal-
lach.

Handelsstand. (Israelitischer).
Grosshändler: Halberstam & Nhrenstein.
Mises, Rachmiel R., Bank-, Kommiss.-
und Wechselgeschäfte.
Protokollirte Kauf- und Handelsleute.
Bank- u. Verwechslungsgeschäfte:
Braun, O. R. — Epstein, Benjam. —
Horowitz, Dav. — Horowitz, Osias L.
Horowitz, Rachmiel. — Klärmann, S.
Mises, Josef Hersch. — Ornstein, H. —
Orstein, Moses Hersch. — Ornstein,
Rachmiel.
Eisenhändler: Bernstein, Jakob Herz.—
Pordes, Isak R. — Schütz, Jakob R.
Sobel, Pinkas Söhne. — Sprecher's,
Markus sel. Witwe.
Galanteriewarenhändler: Kohn, O.
Schön, Samuel sel. Witwe. — Sokal,
Rubin & Comp. — Weinreb, R. H.
& Gedalie Förster.
Glashändler: Hulles, Mathias.
Lederhändler: Kohan & Baruch.
Nürnbergerwarenhändler: Hescheles,
Isak H. — Margoles, Simche. — Rap-
paport, Jakob. — Schneeck, Abrah.—
Schneeck, Sal. — Schmelkes, Osias.—
Spiel, J. L. — Steifs, Abraham sel.
Witwe.
Schnitt- u. Manufakturwarenhänd-
ler: Appermann, Josef Girsel. —
Awerbach & Willer. — Ax, Rathan
Mayer. — Bach, Mayer. — Bardach,
Koppel sel. Witwe. — Blumenfeld, J.—
Both, Benzion. — Chamaydes, Berl.—
Chamaydes, Moses. — Czopp, Abrah.
Beer. — Feder & Frachtenberg. —
Flecker, Salom. — Glanzer & Both.—
Goldberg, Dav. — Goldenberg, Mor.—
Hahn, Abraham. — Hahn, Isak Ber.—
Harmann, R. G. — Hulles, Jakob
Salomon. — Jüttes, Jakob. — Löchel,
R. R. — Melher, Simon. — Meller,
Hersch. — Menkes, Josef. — Mintzéles,
Moses. — Mittelmann, Salomon &
Comp. — Menkes, Simche (Reischer).
Philipp, Aron. — Pilpel, Hersch J.—
Rappaport, R. H. Keller. — Reich,
Ascher. — Reiss, Osias, meist Seiden-

waren. — Rotter, Emanuel. — Rabner. Jsidor. — Schiffmann, Lemel. — Scholz & Zeller. — Schrenzel & Necheles. — Schwarz, J. L. — Semis, R. H. — Springer, Rifke. — Weber, Hersch & Sohn. — Weinreb, Mendel. Widrich, Leib. — Widrich, Salamon Hersch. — Widrich, U. Benjamin. — Wittels, Leib. — Wollfuss, Daniel. — Ziller, Nathan.

Schreib- und Zeichnungs-Materialien: Karpel, Gebrüder. — Roth, Baruch.

Speditions- und Commissions-Geschäfte: Buber, Salomon. — Flieg, Jakob. — Goldbaum, Gebrüder. — Hochfeld, Joach. — Kosel & Thom. — Liss, Bendet. — Losch, Hersch. — Thom, Josef.

Spezerei- und Materialienhändler: Art & Schwatzer. — Atlas, Rubin. — Awerbach, U. K. sel. Witwe. — Baumann, Jakob. — Baumann, Nathan. — Buber, Schaje Abraham. — Estreicher, Berl. — Hulles, Hersch. — Hulles, Jsrael. — Hulles, Salomon. — Hulles, Jakob Wolf. — Kehlmann, Michael. — Kosel, R. B. — Kosel, Samuel. — Mahl, David. — Mendrychowicz, El. Mintzeles, Schmaje. — Rappaport, Simche. — Rentschner, Jakob. — Rentschner, R. H. — Rosenthals, J. sel. Witwe. — Werberg, Leib. — Wohls selig. Witwe & Goldbaum. — Zion, Mendel.

Tuch- und Wollwarenhändler: Adler & Landes. — Bach, U. L. — Bach, J. — Kronstein, David Leib. — Nuky, Chaim. — Russmann, Gebr. — Samuely, S. & R. — Sorter, Jeruchem.

Vermischtwarenhändler: Gruder, Jre. Hellin & Berggrün. — Kehlmann, S. Kolischer, Jsak Leo. — Kolischer, Jos. — Kommer, Jakob. — Mahl, Heinrich. — Mises, U. D. — Nathansohn, Jsrael, meist Produkten. — Nathansohn, Mayer Joel besgl. — Rappaport, Moses K. — Rappaport, Lepel. — Russmann, Leib. — Rentschner, Feivel. — Scholz, Abrah. Hersch. — Sokal, R. — Striszower, J. Antiquar-Buchhändler: Bodek, Her. Gergovich, U. — Igel, Menb. Eisig. —

Igel, Berl. — Igel, Sam. sel. Witwe. — Müntzer, Wolf. — Pinson, Leib.

Buch- u. Kunsthändler: Galinsky, J. Jablonski, Kajetan. — Jelen, Joh. — Igel, Elias. — Milikowsky, Joh. — Mrozek, U. — Piller, Franz & Comp. Stockmann, William. — Wild, Karl. — Winiarz, Eduard.

Leihbibliotheken: Igel, Berl. — Igel, Elias. — Wild, Karl.

Buchdruckereien: Ossolinskische, Institut-Druckerei. — Piller, Kornel, auch Lithographie und Schriftgießerei. — Poremba, Michael. — Stauropigianische, Institut-Druckerei und Lithographie. — Winiarz, Eduard.

Buchdruckerei (für ausschließlich israelitische Schriften: Back, Sucher, auch Schriftgießerei. — Balaban, Pinkas. — Matfus, Abr. Jos. — Schrenzel, D. H. — Jablonski, Martin, auch Lithographie. — Unger, Schmerl, auch Kupferdruckerei.

Gewerbtreibende.

Advofaten: Baczynski, R. — Bartmanski, J. — Blumenfeld, E. — Duniecki, J. — Fangor, U. — Hoffmann, K. — Jablonowski, J. — Kabath, R. Komarnicki, L. — Landesberger, R. — Maciejowski, U. Ritter v. — Madejski, R. — Madurowicz, J. — Mahl, R. — Malinowski, J. — Malisch, K. — Menkes, D. — Onyszkiewicz, R. Ritter v. Piszklewicz, Gr. — Piwocki, Jos. — Polanski, T. — Raciborski, R. Ritter v. Rayski, Th. — Rodakowski, S. Ritter v. — Smiatowsky, J. — Smolka, J. Starzewski, Th. — Tarnawiecki, R. v. Tustanowski, R. Ritter v. — Witwicki, J. — Zminkowski, U.

Apotheker: Bierzecky & Weber. - Laneri, Heinrich. — Mikolasch, Peter. Mülling, Gab. — Sklepinski, Ant. Tomanek, Franz. — Torosiewicz, Th. Zietkiewicz, Vit. — Zuccani, Joh. Baumeister: Engel, J. — Franz, Jos. Rawicki. W. Bräuer: Hübner, Friedr. — Jurkiewicz, Albert. — Kahane. — Kiczales, Jsc. — Kiselka, Karl. — Klein, Joh. — Laskowski, Thomas. — Landes, Moises. Rappaport, Joine. — Rappaport, R. Schmelkes, S. Buchbinder: Jarosiewicz, J. — Kostiuk,

J. — Opuchlak, Fried. — Sakowsky, Rich.
Büchsenmacher: Tabaczkowski, Rich.— Wianiowiecki, Tobreus. — Wojtowicz, Bartolhomeus.
Bürstenbinder: Gösche, Friedr.
Drechsler: Nadwozki, Aler. — Pawlik, Ferdinand.
Einkehrgasthöfe: Hotel d'Angleterre. — Hotel zur Eisenbahn. — Hotel d'Europe. Hotel Kuhn. — Hotel Lang. — Zajazd podolski. — Hotel de Russie. — Hotel zum weissen Ross. — Hotel Silwinski.
Färber: Köhler, Ludwig. — Stankowski, Karl.
Gelbgießer: Bruchnalski, Ant. — Moser, Sigmund.
Goldarbeiter: Bertolino, A. — Dick, Gab. — Neumann, J. — Ostrowski, Jof. — Ostrowski, Rich. — Plinta, L.
Handschuhmacher: Buczynski, Jof. — Langner, Rudolf. — Stachiewicz, J.
Hutmacher: Fiala, Franz.
Kaffeehäuser: Lewakowski, J. — Ludwig, B. — Müller, J. — Sieber, A.— Sienicki, H.
Kammmacher: Guerinot, Jacques. — Müller, Joh.
Klempfner: Bratkowski, A. — Gallambosch, A. — Legade, J. — Wegner, L. — Weich, Ant.
Kürschner: Armatys, Karl. — Czernik, Anna. — Wixel, Leifer.
Lebzelter: Berdarich, Ant. — Lewicki, Labisl. — Lewicki, Nikolaus.
Liför- und Rosoglio-Fabrikanten: Baczewski's, L. Witwe. — Dubs, Marl. Potocki, Graf. — Schifmann, Pinl. — Scholz, Traugott. — Viebig, Herm. — Viebig, Karl.
Männerkleidermacher: Balutowski, F. Gromadzinski's Witwe & Lewicki. — Kubicki, J. — Kulczycki, Thomas. — Patraszewski, Brüder. — Wieczynski, Josef.
Maschinenfabrikanten: Pietzsch, K. Schuhmann, August. — Schuhmann's, Franz Witwe. — Schumann, Wilh. —
Messerschmied: Klarenbach, G. — Mann, Mathias. — Töpfer, Karl Sohn.
Mobistinnen: Adamska, Babette. — Bakowska, B. — Blotnicka, Therese. —

Filasiewicz, Babette. — Krajczycka, J. Kulczycka, B. — Lewicka, Antonia.— Lunda, Wilt. — Przeslakiewicz, H. — Schier, Anna.
Dampfmühlen: Doms, Robert.
Seifensieder: Schram, Frz., auch Elearinterzenfabrikant. — Sidorowicz, Adam.
Steinmetzer Eitele, H. — Schimser, A. Szizudtowski, F.
Tabak-Großverschleiß: Flach, L. — Korretzki, Jof.
Tapezierer: Sassy, Joh. — Schönhuber, Ant. — Watrich, Eb.
Uhrmacher: Engel, F. — Grabinski, L. Krulisch, A. — Majewski's H. Ww.— Milaszewski, J. — Sienicki, Barth.
Wagenhändler und Fabrikanten: Boczkowski, Kasp., Ladirer. — Stromenger, Joh., Sattler. — Zielinski, Jof., Sattler.
Weinhändler: Engel, Ferd. — Götz, Joh. — Hofmann, J. M. — Ludwig, Michael. — Stadtmüller, Lud. — Zihn, Eduard.
Zeitungsredaktionen: Dziennik literacki. — Lemberger polnische und deutsche Zeitung. — Przeglad powszechny. — Przyjaciel domowy.
Zimmermaler: Beringer, J. — Lehner, Eb. — Zacharaki, Leonh.
Zinngießer: Tridondani, Jof.
Zuckerbäcker: Ehrbar, Gebrüder. — Grossmann, Friedr. — Pasynkowski, Thomas. — Pollo & Comp. — Rothländer, Leopold. — Zólkiewski, Sig.

Lisko. Sanoker Kreis, Stadt an der Sau. Handel mit Grütze und Graupen nach Ungarn.

Lipnik. Wadowitzer Kreis.
Effig- u. Rosogliof.: Fränkl, Eb. — Thomke, Georg.
Getreidehbl.: Rumpler, Sam.
Krämer: Unger, Israel.
Produktenhändler: Altmann, Wilh.
Rosogliof.: Köntzer, Jul. — Kraus, Eduard. — Reich, Emanuel.
Schnittwarenhändler: Tobias, Sam.
Spediteur: Zipser, Julius.
Luchmacher: Strzygowski, Franz.

Vermischtwarenhändler: Berger, J. Blau, Moritz. — Fuchs, Bernh. — Gross, Jakob.
Waren=Kommissionär: Bardas, Is.
Umgebung von Lipnik.
Borek Falencki.
Celinski, Blau & Comp., Stearinkerzen und chemische Produktenfabrik.
Buczkowice.
Kolbenheyer, Theodor, Tuchfabrik.
Mikuszowice.
Zipser, Eduard, Tuchfabrikant.

Maydan, Samborer Kreis, Dorf. Eisenbau.

Mikulince, Tarnopoler Kreis, Stadt am Sereth, mit 2000 E. Tuchfabr., Schwefelquelle, Handel.

Neu-Sandec. Königl. Kreisstadt, am schiffbaren Fluß Dunajec, 36 M. von Lemberg, 12 M. s. d. von Krakau. Kreisamt, Gymnasium, Kreishauptschule, Liceum.
Eisenhändler: Lustig, Abr. — Lax, Juda Leib.
Glashändler: Kotz, Dav. — Zimetbaum, Juda Schopse.
Lederhändler: Pfeffer, Scheinbl. Pfeffer, Schulim. — Rosenwasser, Josf. Rottenberg, Zinn Jak. — Weinfeld, Salke.
Schnittwarenhändler: Birnbaum, Jak. Birnbaum, Mark. Meier. — Blumenstock, Jakob. — Goldklang, Israel. — Holländer, Mark. — Holländer, Mois. Holländer, Samuel. — Honig, Eisig. — Keller, Hersch. — Kleinberger, Eisig. — Körbel, Heinr. — Lustig, Jakob. — Natte, Abr. Moises.
Spezereiwarenhdl.: Ettinger, Eisig. — Fränkel, Jakob. — Friedmann, Hersch. Klausner, Aber. — Kosterkiewicz Joach. Erben. — Kotadzicy, Frz. — Reich, Benjam. — Rosenfeld, Bar. — Seinvel, Leib. — Zimmetbaum, Salke.
Tuchhändler: Biedermann, Eisig. — Holländer, Baruch.
Advokaten: Bersohn, L. — Miczewzki, Joh. — Pawlikowski, D. — Zaykowski, Ed. — Zidinski, Dan.

Apotheker: Woyolkowski, Dionisius Erben.
Buchdrucker u. Buchhändler: Pisch, Josef.
Drechsler: Spiess, Andr.
Einkehrgasthöfe: Grünberg, Sim. — Kopatzko, K.
Gelbgießer: Singer, Kuna.
Goldarbeiter: Blumenkranz, J. M.
Kleiderhändler: Klausner, Sal. — Kolber, M. — Steiner, M.
Kupferschmied: Kwoka, Frz.
Produktenhändler: Kindermann, Jüd.
Seifensieder: Lerner, Israel.
Weinhändler: Dormann, Naftali. — Ehrlich, Mantel. — Herbst, Salom. — Landau, Moses. — Landau, Mos. Is. — Schützer, Berl — Sinay, Chaskel.
Zuckerbäcker: Czyzewski, Andreas. — Obrecht, Joh. — Weber, Karl.

Nowosielce, Brzezaner Kreis, Dorf. Schwefelbad.

Ochotnica, Sandecer Kreis, Dorf am Bach Ochotnica, das längste Dorf im österreichischen Kaiserthum 18,725 Schritte lang.

Pizarzovice bei Biala. Gurnink, Joh., Zucketfabrik.

Possucita, Czernowitzer Kreis, Dorf. Eisen und Kupferbau.

Przemisl. Hauptstadt des Przemisler Kreises an der Soan, über die eine schöne Brücke führt, an der Straße von Wien (92 M.) nach Lemberg (11 M.), 25 M. v. Brody, mit 12000 Einw. Bergkastell, Sitz einer kath. und griechisch unirten Bischofs und des Kreisamts; Kreishauptschule, Gymnastum mit physi. Studien, physol. u. theol. Lehranstalten, Benediktinernonnenkloster mit Mädchenschule, Spital, Buchdruckerei, Wachsbleiche, Handel mit Produkten.
Kommissions-, Speditions- u. Inkassogeschäft: Adolf, Hersch. — Singer, Stadtfeld & Rebbuhn.

Lederhändler: Banger, Rosses Chaim. —
Turnheim, Mariom.
Schnittwarenhändler: Adolf, Mizle.
Brodheim, Rothias. — Bross, Moses. —
Krammer, Chaim. — Morgenroth, Jf.
Steuer, Ostas.
Spezereiwarenhbl.: Blumen, Sam. —
Brodheim, Abr. — Lindenbaum, Bor.
Lindenbaum, Ralf. — Lindenbaum,
Schoja. — Rauch, Chaim. — Taub,
Markus.
Vermischtwarenhändler: Gaidetschka,
Franz & Sohn. — Klausner, Jsal, Mo-
ses, Großhändler. — Proczinski, Ding —
Weczerzick, Jof. & Muchelski. — Za-
walkiewicz, Rich.
Tuch- u. Wollwarenhändler: Fried-
mann, Bär. — Hummerschmidt, Abr.
Ornstein, Hersch. — Schwarz, Jal.
Advolaten: Dworski, A. — Koztowski,
R. — Madejski, R. Ritter v. — Re-
ger, K. — Sormaz, J. — Waygarl,
Zezulka, Joh.
Apotheker: Bajer, Felir Bw. — Nah-
lik, Franz.
Bräuer: Hornik, Ber. — Singer, Jf.
Buchbinder: Gorazdowski, Felir.
Buchdrucker: Dzikowski, Rich.
Buchhändler: Jelen, Johann & Paul.
Drechsler: Szeliga, Stanisl.
Einkehrgasthöfe: König, Jsal. — Koz-
nalewski, R. — Reben, L. — Süss-
wein, L. — Zambasovits, P.
Gold- und Silberarbeiter: Fink, J.
Glashändler: Woloski, Rat.
Kupferschmied: Reben, Rich.
Modistin: Brzozowska, Emilia.
Möbelhändler: Endzweig, Sara. —
Probstein, Jal.
Produltenhändler: Gans, Leiser. —
Maus, Lipa.
Seifensieder: Ratz, Mendel. — Roth,
Wolf. — Tatelbaum, Süßm. — Wald,
Bitwe.
Tabal-Großverschleiß: Odrobina, G.
Tapezirer: Oberhard, G.
Uhrmacher: Rarer, Simche.
Weinhändler: Hornig, Jsig. — Lin-
denbaum, Mendl.
Zuckerbäcker: Jakubowski, Ludwig. —
Schuhmacher, Jof.

Rabauß. (Bukowina).
Eisenhändler: Hörer, David.
Vermischtwarenhändler: Jargau, Roe.
Reichenberg, Alt. — Schnirch. Jof.
Papierfabrilant: Eckhardt, Joh.
Apotheker: Rosignon, Joh.

Rzezow. Königl. Stadt im Rzezower Kreis
an der Wisloka, 82 M. von Wien, 33 von
Brodi, 21 westlich von Lemberg, Kreisamt,
Gymnasium, Kreishauptschule, Mädchenschule,
Handel, auch mit den von Juden verfertig-
ten Bijouterie- und unächten Schmuckwaren,
mit ungar. Wein, Getreide, Wachs, Honig,
Hanf, Flachs, Garn, Leinwand, Kleesamen,
Spedition. Im April berühmter Pferdemarkt.
Buch-, Kunst- u. Musikalienhänd-
ler: Pellar, J. A.
Eisenhändler: Enker. Leib. — Foss,
Rifts. — Fink. Ostas. — Greismann,
Salomon. — Grünstein, Elias. — He-
lin, Nathan.
Galanterie-, Mode- u. Schnittwa-
renhändler: Praschill, Brüder. —
Schaitter, Ferdinand. — Wachtel, Juba
& Friedmann.
Juwelenhändler: Bergstein, Jsal.
Kunsthändler: Schott, Leon.
Kurzwarenhändler: Golatti, Rafael. —
Goldstein, Jof. — Helfer, Soffl. —
Raumer, Jalob. — Reich, Wolf. —
Reichwald, Karl. — Reichwald, Sim.
Roff, Chaim. — Roff, Sam.
Nürnbergerwarenhbl.: Frankl, Hillel.
Spira, Lipmann. — Winkler, Amalia.
Schnittwarenhbl.: Buch, Mof. — Els-
ner, Jalob. — Englender, Berl. —
Englender, Joach. — Englender, Jub.
Foss, Jsal. — Fränkl. Jal. — Hers-
feld, Marl. — Herzberg, Wittel. —
Kaffeehaum, Ostas. — Reich, Leib. —
Rosshändler, Gebrüder. — Rosshändler,
Wolf. — Steigelfest, Simon. — Wachs,
Nathan. — Weissmann, Bonuch.
Spedit.- u. Kommission: Wohlfeld
& Klarfeld.
Spezereiwarenhändler: Binder, D.
Fink, Moses. — Jaskiowicz, Felir. —
Kanarek, Joel. — Kanarvogel, Marl.
Neugebauer, Eb. G. — Reich, Sim.—
Verständig, Süßl.
Tuchhändler: Matzner, J. — Sobel,
Jf. — Sobel, Juba.

Weißwarenhdl: Bonhard, Schachn.. — Buch, Mayer.
Advofaten: Rainer, S. Dr. — Rybicki, A. Dr. — Zbyszewsky, W. Ritter v., Dr.
Apothefer: Hibel's, Eduard Erben.
Bräuer: Reisner, Wendl.
Buchbinder: Knirpel, M. — Ewis, A.
Buchdrucker: Pellar, J. A.
Drechsler: Goldmann. — Szeliga.
Einkehrgasthäuser: Hotel de Léopold. Hotel de Luftmaschine.
Färber: Adelsberger, K.
Gelbgießer: Günther, M.
Gold- u. Silberarbeiter: Birnbaum, H.
Kaffeehäuser: Mogierowsky, Jos. — Obrecht, J.
Kleiderhändler: Nidjol & Czarnecki.
Kupferschmiede: Brudnicki, Felix. — Fosiewicz, Jos. — Podgórski, Mich.
Modistinnen und Putzmacherinnen: Fuchsbalg, Adele. — Schebesta, Jul. — Wachtel, Josefine.
Möbelhändler: Fertig, Jaf. — Sandhaus, Nathan.
Produktenhändler: Birnberg, Amalia. Blumenfeld, Samuel. — Brust, Jsaf. — Driller, Pinkes. — Jeszower, Hillel. — Leber, Samuel. — Maultasch, Berl. — Paloga, Rafael. — Reich, Elias. — Reich, Schia. — Reichmann, Hersch. — Reichmann, Sal. — Rost, Juda. — Seide, H. — Strziszower, Chaim Wv. — Strziszower, Mof. — Verständig, Mof. — Wachtel, Jsaf. — Wachtel, Jakob. — Wachtel, Sal. — Wachtel, Schia. — Wertfried, Mof. — Zucker, Leisers Erben.
Seifensieder: Adler, Leib. — Gross, Josef. — Kasser, Naftali. — Weinstock, Berl.
Tabaf-Großverschleiß: Holzer, Lud
Tapezierer: Borgielewics, Theobor. — Sperling, Mailach.
Uhrmacher: Ehrlich, D. — Nasser, A. Unsinn, M.
Vergolder u. Maler: Krzeczewski, F. Nawojski, V.
Weinhändler: Brand, Mayer. — Eletner, Barb. — Fuchs, Elias. — Tuchfeld, Hirsch.

Sambor. Hauptstadt des Samborer Kreises am linken Ufer des Dniesters, 9 M. f. w. von Lemberg. Sitz des Kreisamtes, Gymnasium, Kreishauptschule, Criminalgericht, Salinentenbarg und Distriktualberggericht, Salzsiederei, in der Nähe eine Bälzerkolonie mit einer Rhabarberpflanzung.
Gilatowski, Franz, Spezerei-, Nürnberger-, Galanteriewaren und Weine.
Eisenhändler: Markdorfer, Jsig.
Galanteriewarenhdl.: Schwarz, Sam., auch Vermischt.
Lederhändler: Finsterbusch, Hersch. — Krämer, Jsig. — Lehrmann, Moif. — Nachtigall, Salomon. — Zeiner, Leib.
Schnittwarenhdl.: Ranunkel, Abra., auch Spezereiwaaren. — Wittmayer, M.
Spezereiwarenhändler: Hornstain, Wolf, auch Wein. — Liebermann, Jos., auch Eisen. — Schreckinger, Wolf, auch Eisen. — Schwarz, Michael. — Steuermann, Jsaf. — Zudik, Traugott.
Tuchhändler: Friedmann, Henie. — Kohn, Hersch, auch Schnittwaren.
Weinhändler: Reichmann, Mortis. — Tänber, Hersch. — Wischniowitzer, Moises.
Apothefer: Riedl, Stanislaus.
Buchhändler: Rosenheim, Joh.
Handschuhmacher: Hendrich, Joh. — Ziegler, Joh.
Seifensieder: Pitsch, Jakob. — Pasdauski, Jos.
Uhrmacher: Kolischer, Ignaz.
Zuckerbäcker: Lang, Joh.

Sadagura. (Bukowina).
Vermischtwarenhändler: Flemminger, Aron. — Flemminger, Ros. — Gottlieb, Leib. — Graner, Dav.
Apothefer: Grabowicz, Alex.

Sanok. Sanoker Kreis. Stadt an der San, 19 M. f. w. von Lemberg, mit 2000 Einw. Sitz des Kreisamtes, Kreishauptschule.

Sereth. (Bukowina).
Bräuer: Bell's, Gustav Erben.
Vermischtwarenhändler: Hochberg,

Hersch. Leib. — Kapelmann, Abrah. — Rosenbeck, Isig.
Apotheker: Linde, Franz.

Smolna, Samborer Kreis, Dorf, Eisenfabr. (jährl. 2500 Ztr.), Eisenbergwerk.

Stanislawow, im gleichnamigen Kreis, Kreisstadt an der Bistrida, 17 M. s. ö. von Lemberg, mit 9000 E. Kreisamt, Landrecht, Criminalgericht, Gymnasium, Kreis- und Mädchenschule, Tabakmagazin, Handel.

Starosol, Samborer Kreis, mit 3510 E. Salzquelle und Salzsiederei, Bergölquelle.

Szczawnica.
Szalay, Jos., Eigenthümer des Brunnen und Curorts.

Stry, gleichnamiger Kreis, Stadt an der Stry und Driwa, 9 M. s. von Lemberg, mit 6700 Einw. Kreisamt, Schloß, Kreishauptschule.

Suczawa. Stadt im Herzogthume Bukowina am Flusse gleichen Namens, 10 M. s. öst. von Czernowitz, an der Straße nach Jassy, Hauptschule, Feinledergerb., Woll- und Baumwollf., Mittelpunkt des Speditionshandels zwischen der Moldau und Siebenbürgen.
Lederhändler: Alloez, Christi. — Beiner, David. — Hausvater, Juda. — Krämer, Chaim. — Meth, Abraham. — Redlich, Josel. — Sternlieb, Jesel. — Sternlieb, Mart.
Mastviehhändler: Krämmer, Ch. — Krämmer, J. — Popowicz's, R. Erben. Prunkol, U. — Prunkol, B. — Prunkol, B. G. — Prunkol, Gab. — Prunkol, Garab. — Rosenfeld, A. — Stefanowicz, R.
Spezereiwarenhbl.: Barber, Salo. — Beiner, David. — Hurtig, Pinkas. — Langer, Hersch. — Lenzberg's, Abrah. Erben. — Rukenstein, Chaim Juda. — Schneker, Nathan.

Vermischtwarenhändler: Allacz, Eg. & Tubakar, Grigorze. — Allacz, Th.— Barbar, Hersch. — Friedmann, Saml. Gewölb, Jalob. — Haldner, Efraim. — Hausenbusch, Jac. — Langer, Hersch.— Meth, Abraham.
Wechselgeschäft: Barber, Leibuto.
Weinhändler: Elsenberg, Mendel. — Gaina, Peter. — Langer, Hirsch. — Lenzberg, Jac. — Rosenfeld, Aron. — Wischoffer, Mart.
Apotheker: Bottezat, Elias.
Branntweinerzeuger: Aritonawiz, M. Barber, Leib. — Kapry, Joh. Freiherr v. — Kapry, Nikol. Freiherr v. — Mario, Adolf. — Popowicz's, Nikol. Erben. — Prunkol, Gabr. — Prunkol, Garabeth. — Stefanowicz, Nik.
Branntweinhändler: Barber, Leib.— Gisibel, Jos. — Rosenfeld, Aron. — Simche, Chaim. — Steiner, Nathan. — Wagner, Alter. — Wagner, Wolf. — Wischoffer, Mart.
Bräuer: Meixner, Eg. — Wischoffer, Markus.
Buchbinder: Wald, D.
Buchhändler: Theodorowicz, D.
Drechsler: Niesen, Frz.
Einkehrgasthöfe: Feller, B. — Feuerstein, Frz. — Gaina, P. — Rabisch, Th. — Schächter, S. — Weidenfeld, D. — Wischnowska, A. — Zötte, J.
Färber: Drimbey, Theodor. — Simonowicz, Georg.
Früchtenhändler: Balner, S. — Barber, Ur. — Barber, L. — Klopper, S. — Kreimmer, J. — Meth, J. — Rosenfeld, A. — Suchter, J.
Gelbgießer: Weber, A. — Weber, L.
Glashändler: Dimand, E. — Tanenhaus, M.
Goldarbeiter: Boguslawski, S.
Kaffeehäuser: Gaina, A. — Gaina, M.
Kleiderhändler: Berghoff, J.
Kupferschmiede: Fallik, F. — Kessler, L. — Kupferschmidt, J.
Manufakturwarenhbl.: Barber, Sal. Friedmann, Saml. — Hausenbusch's, Jac. Erben. — Holdengräber, Jtes. — Pollak, Aron.
Modistinnen: Czaykowska, M. — Hauptmann, S. — Rukoczi, A.
Müller: Gewölb, A. — Hermann, J.— Löffelmann, J.

Seifensieder: Weinbach, R. — Weisler, J.

Tabak-Großverschleiß: Gewölb. U.

Tapezirer: Halmann, J. — Halmann, Joh. — Liebich, L. — Neumann, L. Stoller, G.

Uhrmacher: Bilinski, Ul. — Brucker, Ud. — Koralewicz, W.

Vergolder: Schlayer, J.

Zuckerbäcker: Brand, Jg.

Swoszowice, Wadovicer Kreis, Dorf. Schwefelbergwerk (10,000 Zent.), Schwefelwasser.

Tarnopol. Stadt in Galizien am Sereth, mit 12000 Einw. Kreisamt, Jesuitenkollegium, phylos. Lehranstalt, Gymnasium, Kreishauptschule, jüd. Hauptschule.

Advokaten: Blumenfeld, J. — Delinowski, U. — Frühling, U. — Kolischer, L. — Kozminski, L. — Reisner, J. — Wsseloczquski, L.

Apotheker: Bucholt, Karl. — Perl, R.

Buchhändler: Csilik, Jr., Dr.

Eisenhändler: Hirsch, Salom.

Getreidehändler: Auerbach, Jsak. — Blaustein, Jsak. — Buchwald, H. — Eisenberg, Ofak. — Franzos, Sch. — Kahane, R. — Landau, R. — Menkes, J. — Parnes, Markf. — Parnes, Mof. — Perlmann, W. — Rapoport, Rusch. — Tenenbaum, Rath. — Wilner, L.

Holzhändler: Garfein, Salomon.

Hanfhändler: Weinbeer, Saul.

Kaufleute: Morawetz, Andr. — Stachewitz, Valent. — Weinberg, Jakob.

Nürnbergerwarenhändler: Sohlifka, Markus.

Produktenhändler: Aschkenasy, S.— Byk, J. — Byk's, S. Söhne. — Ebermann, U. — Ebermann, J. — Ebermann, R. — Frühling, J. — Gross, Aron. — Regel, L. — Regel, R. — Saphir, J. R. — Saphir, J. — Trachtenberg, J. — Weisstein, S. R.

Salzhändler: Byk, Mayer.

Schnittwarenhändler: Adlersberg, J. Bomse, Mich. — Durst, Jof. — Ingwer, Jof. — Kampel, Markus. — Karmin, Lazar. — Saphir, Jsak.

Tuchhändler: Blaustein, sel. Witwe. — Durst, Jof. — Frisch, Joachim. — Hirschborn, R. — Katz, Leon. — Horowitz, Schmerl. — Landesberg, Schulim. — Regel, J. — Sigal', U.— Sobel, Mof. — Weissmann, Munisch.— Wohl, Abraham.

Vermischtwarenhändler: Ingwer & Sperling. — Kodrebski, Joh. — Latinek, Cyp. — Strachiewicz, Valent. — Wagschal, Gebr.

Umgebung von Tarnopol.

Hussiatyn (an der russischen Grenze). Poboryles & Buber, Vermischtwarenhdl., auch Kommissions-, Speditions- u. Inkassogeschäft.

Tarnow. Stadt gleichnamigen Kreises am Dunajec, mit einer schönen Brücke, 11 R. östl. von Krakau, 32½ R. von Lemberg, 4 R. von der Grenze. Kreisamt, Kreishauptschule, Landrecht, Gymnasium, Seminar, Bischofsitz, Militärspital, Fabriken von Leder und Leinwand, Handel mit Spezerei- und kurzen Waren, Wachs, Honig, Leinwand, Talg, Wolle, Potasche, Leder, Leinsamen, Getreide.

Kauf- und Handelsleute. (Christliche).

Buch-, Kunst- u. Musikalienhdl.: Milikowski, Joh.

Nürnbergerwarenhdl.: Pahn, Josef.

Schnittwarenhändler: Kasperzykiewicz, Joh.

Spezereiwarenhändler: Kunz, Jof.

Südfrüchtenhdl.: Muchitz. Jakob.

Advokaten: Bandrowski, U. — Grabisynski, U. — Jarocki, J. — Kaczkowski. — Kanski. — Rutowski. — Serda. — Stojalowski.

Apotheker: Reid, Julius. — Sidorowicz, Mariana.

Bauunternehmer: Juraki, J.

Einkehrgasthof: Polityuski, Karl.

Goldarbeiter: Lorber. Franz.

Handschuhmacher: Borzineki, F.

Kleiderhändler: Kobilski, Albin. Sreligiewicz, Stanislaus.

Möbelhändler: Budzinsky, Joh.

Modistin: Hasdzinska, Angela.

Uhrmacher: Boczkowski, Felix.

Zuckerbäcker: Dzieslowski, Leo. — Sparguapani, Joh.

Kauf= und Handelsleute.
(Israelitische).

Eisenhdl.: Bernstein, Hersch Wolf. —
Engel, Juda. — Feigenbaum, Ch. 2.—
Fenichl, M. & Krampfner. — Flur,
Moses.
Nürnbergerwarenhdl.: Glaswscheib,
Baruch. — Klausner, B. & Licht. —
Perlberg. Brüder. — Plachte, Leib.
Schnittwarenhändler: Eisenberg, J.
Eisner, Abrah. — Feiwel, Feiwel. —
Frank, Abr. — Fränkl, Berl. — Lan-
dau, Mend. — Laulicht, Leib. — Leser,
Wolf. — Margulies, Josef. — Sche-
nirer, Juda. — Schmal, Dav. — Sil-
ber, Berl. — Wechsler, Mehr. —
Westreich, Abraham.
Speditions=, Commiss= u. Wechsel=
Geschäft: Bernstein. H. J. — Sala-
mon, Jakob.
Spezereiwarenhändler: Band, Rissen.
Bloch, Tafel. — Edelstein, Efraim. —
Gottlieb, Michael. — Kochane, Leib. —
Korber, Araham, Inhaber einer Ligör=
und Rumsabrik zu Karwedza bei Tuchow.
Ringelheim & Merz. — Steinberg &
Gluck. — Stieglitz, M. D. — Sturm-
dorf, Salle. — Wolf, Sere.
Tuchhändler: Kochane, Wolf. — Wal-
lerstein, Rastali.

Fabriken.

Ackerbaugeräthschaften: Eliasiewicz,
St.
Liför= u. Rhumf.: Geisler, Jakob &
Comp.
Spodiumf.: Feitel, Jakob, auch Färber.
Auskunftsbureau für Güter, Kauf=
u. Verkauf: Fechtdegen, Jakob.
Baumwollwarenhbl.: Jakobsohn, W.
Branntweinhändler: Rossel, Marx.
Gastwirth: Fink, Isak.
Getreidehändler: Blau, Jos. — Dril-
lich, Heim Hersch. — Katz, Mendel. —
Kleinhändler, Ch. — Majerhof, Hersch.
Ratz, Frischel. — Rubin, Abraham. —
Tisch, Elias.
Glaswarenhändler: Gartner, Rachel.
Handelsagent: Goldmann, Simon.
Holzhändler: Maschler, Josua. — Pa-
lester, J. & Comp.
Kerzen= u. Seifenhändler: Goldberg,
Leib.
Lederhandlung: Bernstein, Moses. —

David, Abr. — Ingber, Nath. — Kurz,
Benj. — Wazsermann, Meyer.
Leinwandhdl.: Rubin, Hersch. — Spira,
Reftalie.
Pelzwarenhbl.: Fast, Josef.
Perlhändler: Engel, Herz.
Produktenhändler: Geisler, Jakob. —
Kehlmann, Moriz.
Putzwarenhändler: Jnbeller, S. —
Klein, R. — Kleinhändler, J. — Ra-
paport, Saul. — Rapaport, Sim. —
Spira, M.
Salzhändler: Neumark, Berisch.
Seiler: Strum, Schia.
Sped= u. Fettwarenhbl.: Ringer, Eb.
Tabat=Großverschleiß: Steiner, M.
Uhrmacher: Rager, Salom. — Reiter,
Moriz. — Stieglitz, Adolf.

Tlumacz bei Stanislawow, Aktien=Gesell=
schaft der Zuckerfabrik in Galizien.

Tosmienica, Stanislowower Kreis. Stadt
an der Worana, mit 3000 Einw.

Truskawec, Samborer Kreis, 1 M. von
Drohobicz, Mineralbad.

Tyrawa Solna, Sanoker Kreis, Dorf.
Salzwerk und Erdölquellen.

Wadowice. Kreisstadt des gleichnamigen
Kreises in Galizien, am Flube Skawa, an
der Straße von Wien nach Lemberg, 2 Posta=
tionen von der schlesischen Grenze. Sehr
fruchtbare Gegend, Kreisamt, Kreishaupt=
schule, Mädchenschule.
Kaufleute: Franuszek, Lola. — Ko-
strzyca, L. — Mykos, Maria. —
Schwarz, Erben. — Schwarz, Ant. —
Scholz, Fl.
Apotheker: Rougr, Jgnaz.
Buchhändler: Sabinski, Joh.
Weinhändler: Stankievitz, J.

Wama. (Bukowina).
Heyek, Franz, Zeughammerbesitzer. —
Schierger, Joh., Zeughammerbesitzer.

Wirliczka, Bochnier Kreis, liefert jährlich
über 1 Million Steinsalz. Salinenbergstadt,

180 Fuß über der Weichsel, 2 M. f. östl.
von Krakau, mit 4000 Einw. Hauptschule,
Mädchenschule. Die Stadt steht auf einem
unerschöpflichen Salzstock, daher Salzwerke
seit 1253 in Betrieb. Salznieberlage, Steinkohlenbau, Salzsolen, Schwefel und Malzbäder.

Zloczow. Königl. Kreisstadt, 8 M. östl.
v. Lemberg, 8000 E., Kreishauptschule,
Kreisamt.
Advokaten: Mijakowski, A. — Plotnicki,
Lub. — Rechon, Ab. — Skalkowski,
Jos. — Warteresiewicz, M. — Wesotowski, Jos.
Apotheker: Petosch, Felix.
Eisenhändler: Schorr, Nachm. — Zwerdling, Chaim Wolf.
Getreidehändler: Auerbach, Berm. —
Elinger, Ch. — Freundlich, Salo. —
Zwerdling, M.
Holzhändler: Lam, Leis. — Pundik, H.
Lederhändler: Eidelberg, Moses.
Schnittwarenhändler: Schapire, B.
Spezereiwarenhändler: Auerbach,
Sacher. — Gottwald, Anbr. — Links,
Jakob, auch Vermischtwbhl. — Ney, Leo.

Zolkiew. Königl. Kreisstadt, 3 M. n. von
Lemberg, 7000 Einw. Festes Schloß, Sitz
des Kreisamts und Kreishauptschule.
Eisenhändler: Apisdorf, Salomon. —
Reitsfeld, Effeg.
Vermischtwarenhändler: Barasch, D.
Mankowsky, Abolf.
Krämer: Bromberg, Laje. — Deutscher,
Israel. — Ehrlich, Dtefel. — Fisch,
Dwora. — Fischbein, Dov. — Fischbein, Renb. — Fränkl, Aron. — Fuchs,
Kell. — Grünwald, Samuel Gißg. —
Häusler, Dwora. — Lumpeltz, Isr. —
Landau, Schael. — Liebermann, Chaj.
Elios. — Liebermann, Gib. — Maymann, Rifka. — Meisner, Gerschoa. —
Pesaches, Hersch. — Schmelkes, J. F.

Sesch, Sender. — Stein, Isak. — Wittmann, Aron. — Zipper, Elios.
Apotheker: Nahlik, Julius.
Bräuer: Swoboda.
Buchbinder: Rotter, Ef. — Schönbuch, L.
Buchdrucker: Madfus, Leib.
Buchhändler: Stiller, Sam. Pinkas.
Drechsler: Feilschuss, Mos. — Hollender, Abrah.
Einkehrhäuser: Bubr, M. — Ehrlich,
B. — Fränkl, M. — Goldstein, L. —
Lechner, D. — Katz, If. B.
Färber: Fuchs, Mos.
Gelbgießer: Fändrich, S. — Gassenbauer, Mayer. — Winter, Chasl.
Getreidehändler: Gabel, H. — Gottlieb, Meyer B. — Kohl, M. — Kohl,
M. — Morgenstern, Isak. — Oster, J.
Glaser und Glashändler: Kles, J.
Weidenholz, Dsias.
Goldarbeiter: Mannesfeld, Leib. —
Schläfrig, Schulein.
Holzhändler: Eisenstein, J. — Herz,
Lub. — Höhner, Mos. — Meiseles,
Jenol. — Schapira, Jonas.
Kaffeehäuser: Leisner, M. — Leisner, S.
Kleiderhändler: Fisch, Ch. — Fuchs,
Ch. — Fuchs, K.
Kupferschmied: Hellmann, Berl.
Lederer und Gärber: Rehfeld, Chr. —
Rehfeld, Joh.
Möbelhädler: Fisch, Chaim Leib. —
Fuchs, Chaim.
Produktenhändler: Lichter, Sim. —
Wildmann, Jakob.
Seifensieder: Bär, Aron. — Bär, H. L.
TabakGroßverschleiß: Aufschauer,
Riffa.
Tapezirer: Nachtwächter, Salomon. —
Sobel, Schzie. — Wroblewski, Joh.
Uhrmacher: Ladenmüller, Meyer.
Weinhändler: Kahano, Meyer. — Leisner, Marf. — Rapp, Hersch. — Weiss,
Chaie.
Zuckerbäcker: Horaczek, Jos.

Waren- und Fabrikaten-Register,

(mit Ausschluß derjenigen, die fast auf jeder Seite vorkommen.)

Orts-Register

von

Ungarn, Siebenbürgen, Banat, Croatien, Slavonien und Siebenbürgische-, Croatische-, Slavonische Militärgrenze, Gallizien, Dalmatien.

Acs 1.
Agram 1.
Alibunar 2.
Almasch 2.
Almissa 2.
Altendorf 41.
Alt Lublau 2.
Alt Ofen 73.
Alt Sohl 2.
Alt Vasa 2.
Apatin 2.
Arad 2.
Arany Ibka 5.
Aranyos Maroth 5.

Baan 5.
Baja 5.
Bat 107.
Bakabanya 6.
Balan 140.
Bal. Jarmath 6.
Bal. Hutta 6.
Bartfeld 6.
Baterkeszi 7.
Bath 7. 41.
Bekesvar 7.
Bela 7.
Bellus 7.
Belovar 7.
Berezg Szaß 7.
Bernstein 7.
Berzete 107.
Betler 107.
Betsvar 23.
Biala 141.
Bistriß (Siebenbürgen) 7.
Bistriß (a. d. Waag) 8.
Blitse 8.
Blasenstein 8.

Boboth 8.
Bochnia 142.
Bolechoro 142.
Bois Fony 16.
Böös 8.
Bösing 8.
Bölzörmeny 9.
Bogfan 9.
Botosch Jenö 9.
Bonnhad 9.
Borek Falencki 149.
Borfa 9.
Boza 9.
Botsko 116.
Brazza 9.
Brezorwa 9.
Brieß 9.
Brod 10.
Brodn 142.
Brood 10.
Brzezan 143.
Brzozow 143.
Buczkowice 149.
Buldzoja 143.
Buggany 10. 110.
Bujalowa 10.
Bzowa (Alt) 10. 106.
Bzowa (Neu) 10. 106.

Carlstadt 10.
Cattaro 10.
Chisnowoda 106.
Ciena 143.
Csaba 11.
Csakathurn 11.
Csanad 11.
Csetnek 11.
Csetnekthal 106. 108.
Csongrad 11.

Czakowa 11.
Czernowiß 143.
Czerwenicza 12.
Czinobanya 106.
Czubar 12.

Damany 57.
Datuvar 12.
Debreczin 12.
Dechtiß 13. 130.
Dees 13.
Demetrovißa 61.
Denta 14.
Deczezke 14.
Derns 106. 108.
Detta 14.
Detwa 14.
Deutsch Bilsen 14.
Deva 14.
Devetser 14.
Dilln 14. 110.
Diosreg 14.
Diosgyör 14.
Dobra 14.
Dolina 106. 141.
Donaczka 14.
Dopschau 14.
Dorna 144.
Dorosma 14.
Dragomirna 141.
Drahova 14.
Drohobiez 144.
Dubowa 14.
Dukla 145.

Ebeczk 14.
Edeleny 14.
Einsiedel 15.
Eisenstadt 15.
Eisenburg 15.

S. LOCHNER, Kaufmann in **PRAG**, Eigenthümer und Redacteur der Geschäfts-Zeitung und des öst. Geschäfts-Anzeigers für Handel, Industie u. Landwirthschaft. Geschäfts- und Redactions-Bureau: Heuwagsgasse Nr. 1394 im I, Stock neben Hôtel de Saxe.

EXPORT-,
Commissions- & Speditions-Geschäft.
(Geschäfts-Programm).

Einkauf und Verkauf, Commission und Spedition
von
Bergwerks-Produkten, Colonial-Waaren, Düngerprodukten, Farbwaaren, Getreide- und Hülsen-Früchten, Hopfen, Sämereien (hauptsächlich Klee-, Lein- und Rüben-Samen, Raps), Schafwolle, Spiritus, Stärke (aus Kartoffeln, Kukuruz und Weizen), Zucker (Melasse, Syrup).

Besorgt werden ferner:

1. Agenten für jede Geschäftsbranche.
2. Commissions-Häuser für alle Waaren, worauf Geldvorschüsse gewünscht werden.
3. Compagnie-Geschäfte und Associés, welche sich bei Industrie- und Handels-Unternehmungen betheiligen.
4. Einkassirungen, Acceptationen und Zahlungen, so wie Käufe und Verkäufe von Staats-, Industrie- und Privat-Papieren, Wechsel auf in- und ausländische Handels-Plätze.
5. Engagements für Bedienstungen höherer Kathegorie in industriellen Etablissements und landw. Branchen, als Dirigenten, Directoren, Inspectoren, Verwalter etc.
6. Käufe und Verkäufe, Pachtungen und Verpachtungen von Fabriken, Gewerben, Häusern und Realitäten.
7. Merkantilische und Technische Auskünfte über Einleitung und Vermittlung zu Handels-Verbindungen mit allen in- und ausländischen Plätzen, über Rentabilität von neu zu errichtenden Etablissements, Absatz- und Bezugsquellen von diversen Fabrikaten, Producten und Waaren etc.

Johann Uoyka
in Primislau in Böhmen.
Mühlenbesitzer und Erdäpfelstärke-Fabrik
in
vorzüglicher Qualität und großartigem Betrieb.

ADOLF SCHMITT
in Deutschbrod in Böhmen
empfiehlt sein grosses Lager von allen Sorten ächten geschliffenen böhmischen Fassgranaten & Schnurgranaten, so auch in Tyroler Fass- und Schnurgranaten aus den eigenen Schleifereien; ferner exportirt derselbe alle Sorten geschliffene Hohlgläser, so auch alle Sorten Glasperlen und bittet um Zuspruch.

Die im Jahre 1839 gegründete

Pester Walzmühl-Gesellschaft,

deren Fabrikate auf allen Industrie- und landwirthschaftlichen Ausstellungen, wo sie vertreten waren, durch den

ersten Preis

ausgezeichnet wurden, empfiehlt ihre auf Stahlwalzen erzeugten und allgemein rühm-lichst bekannten

Weizenmahlproducte.

J. R. Csanyi

in

Eperies, (Saroscher Komitat in Ungarn)

Haupt-Agent

der k. k. priv. allgemeinen Assecuranz in Triest.

Beförbert **Spedition** aller Kaufmannsgüter Möbeln, & Effecten. Besorgt alle **Incasso-Geschäfte** & ähnliche Anträge.	**En Gros Lager** in deutschen, französischen & englischen **Nürnberger Galanterie- & Parfümerie-Waren.**	Vermittelt alle **Ein- & Verkäufe** für **In- & Ausland.** Niederlage & en gros Verkauf von **Schuhwaren** in Leder & Sammt.

Besorgt Ein- und Verkauf aller Gattungen Staats-, Industrie- & Privat-Papiere, Lotterie-Effecten, so wie Gold & Silbermünzen.

Gibt Vorschüsse auf Früchte & aller Art Landes-Producte.

Leon Gross

in

Miskolcz in Ungarn,

Speditions - Bureau

der k. k. priv. Theiß-Eisenbahn, Commissions-Inkasso-Productengeschäft

21 *

167

J. Fletſchner,
Glas - und Geſchirrhandlnng
in
Pressburg,
Stadt vis à vis der Polizei - Direktion,

empfiehlt ſich unter derſelben protokolirten Firma mit allen erdenklichen Sorten, ſowohl ord. als bis zum feinſten Artikel von Glas, Porzellan und Steingutwaren.

A. Ganz
k. k. privilegirte
Eiſen = und Metallgießerei
in Ofen, Wasserstadt, Spitalgasse Nr. 254.

Giesst aus Eisen und Metall allerlei Gegenstände, und zwar zu Maschinen, Bauwerken und Räder zu Eisenbahnen. Dieselbe wurde im Jahr 1846 bei der ungarischen Gewerbs - Industrie - Ausstellung mit einer silbernen und im Jahr 1855 bei der Pariser Weltindustrie - Ausstellung ebenfalls mit einer silbernen Verdienst - Medaille beehrt.

☞ Derselbe ist zugleich Inhaber eines k. k. ausschl. Privilegiums für Rädergiesserei zum Gebrauch der Eisenbahnen.

J. S. Spitzer
in
Kronſtadt
in Siebenbürgen,
Speditions-, Commiſſions- & Jncaſſogeſchäft
ſowie
Ein- und Verkauf
aller Landes - Produkte.

Ignatz Schlick's
Eiſen=, Metall= und Zinkgießerei
in Ofen
Wasserstadt, Hauptgaſſe Nr. 118 und 119, nächſt der Kettenbrücke,

übernimmt die Anfertigung aller Gattungen Kunſt- und Baugegenſtände, Grabmonumente, figuraliſch-plaſtiſche Darſtellungen und Maſchinenbeſtandtheile nach Modell wie nach Zeichnungen zu den beſt billigſten Preiſen u. ſichert die prompteſte Bedienung.

Aller Art

Schuhware

als **Herrn-** und **Knabenstiefel** und **Stiefletten**, Damenschuhe und Damenstiefletten von allerlei Leder, Brünell (Lasting) und Sammt, nebst diverse

Winterschuhwaare

als **Pelzstiefel**, **Reiseüberstiefel**, **Filzstiefel**, **Filzüberstiefel** mit und ohne Lederbesetz, nebenbei auch eine Gattung von

Wintertuchschuhe

mit durchgenähten Tuchsohlen, welche ohne allen Lederbesatz getragen werden und für Winterszeit sehr zweckmäßig sind, — läßt bei billigen Bedingnissen erzeugen und exportiren nur en gros

Joh. Mukarovsky (Handelsmann)
Sobotka (Böhmen).

---

k. k. priv. Maschinen - Fabrik

von

TH. BRACEGIRDLE & SOHN

in

BRÜNN

erzeugen nebst allen in ihr Fach einschlagenden Arbeiten auch

Federn für Locomotive, Wagen etc.

---

k. k. privileg.

Bronce- & Pfeifen-Fabrik

des **F. J. Heine** in **Prag,**

(Graben) Nekazalka Nr. 882 — II.

Erzeugt auch viele Broncegegenstände für Buchbinder etc. Alle Sorten und Grössen **französischer Garnituren** auf Gebethbücher. — Alle Sorten **Knöpfchen** zum Verzieren. Glasknöpfchen mit oder ohne Scheibel, so wie alle Sorten **Bergmanns-wappen & Abzeichen,** Schnallen, Adler, Löwen in verschiedenen Grössen, **Missal-Schliessen** etc.

Für **gute, solide und billige Arbeit & Waare** garantire ich, überhaupt verarbeite ich nur guten, feinen, weissen Packfong, wesshalb auch die Beschläge immer schön weiss bleiben, auch werden die gelben Beschläge im Feuer vergoldet, und immer neue Dessins angefertigt.

Andreas Müller,

Glasfabrikant

in Albrechtsdorf bei Morchenstern

in

Böhmen,

erzeugt alle Sorten Broches, Bracelets, Gürtelschnallen, Ohrringe und Fassungs-Steine, sowie Chemisette-Knöpfe u. dgl. m.

K. k. ausschliesslich priv.

ERSTE ÖSTERREICHISCHE

TRAUBENZUCKER-FABRIK

von

CARL HESSE

in

PRIMISLAU

in

Böhmen.

F. S. ZAHN

| Raffinerie et Fabrication de toutes Sortes de Cristeaux. | in | Glas - Raffinerie und Glaserzeugung aller Sorten. |

LANGENAU

pr. Hayda

en Bohéme

in

Böhmen.

Kartoffelsyrup

und

Traubenzuckerfabril

von

R. F. Strakele

in

Zwittau. Mähren.

Raimund Knöspel

Glasfabrikant,

BLOTTENDORF

bei Haida in Böhmen.

Während der Messen:

| Leipzig,
Augustusplatz
6. Budenreihe. | Wien,
vor dem
Schottenthor. | Frankfurt a/M.
Romerberg,
breiter Gang. |

J. Langthaler & Comp.

landwirthschaftliche

Maschinen-, Zündrequisiten- und Holzwaaren-

FABRIKEN

in

ZLABINGS

in

Mähren.

WITSCHEL & REINISCH

kais. kön. landesbef.

Baumwoll-, Schafwoll- und Leinenwaaren-Fabrik

zu

Warnsdorf in Böhmen.

Niederlagen:

| in Wien: Hohe Brücke Nr. 350.
in Prag: bei Georg Unger sel. Ww.
Altstädter Ring. | in Brünn: Brünnergasse Nr. 282.
in Altbrünn: Zur Marktzeit. |

Sebastian Zincke

Lüster-Fabrikation und Glas-Raffinerie

in

Parchen

bei

Steinschönau in Böhmen.

Pharmaceutische Cartons- & Galanteriewaaren

ERZEUGUNG

von

Karl Theodor Hiecke

zu

TEPLITZ

in Böhmen

(zum Eiskeller beim Waldthore).

Ant. Wieden

in

Zwickau (Böhmen)

empfiehlt seine vorzüglich gut construirten **Decimalwaagen** nebst **Decimalgewichten** von 1 Loth bis 5 Pfund.

Gegen 3 Jahre Garantie, zu den möglichst billigsten Preißen.

P. J. Krätschmer

in

Bodenbach.

Spedition und Waarengeschäft.

Fabrik von Glas-Schmirgel-Papier und Leinwand

Niederlage

der Drahtstiften-Fabrik in Riegersdorf. Gyps-Knochenmehl.

Zinnfolien- und Staniol-Fabriken

des

in

Wilhelmshof

bei

Klentsch in Böhmen.

Leuchs, Adreßbuch von Ungarn, Siebenbürgen, Gallizien.   22

173

J. Kaufried & Sohn

in

Neuhaus, Böhmen.

Bierbrauerei, Spiritusfabrik.

Chemische Fabrik, besonders gelbes und rothes
Blausaures Kali, Berlinerblau und Dampfmühle.

BRUEDER STELZIG

Glasfabrikanten

in

Steinschönau

pr. Bodenbach in Böhmen.

Niederlage,

PEST, Platingasse, Nr. 12

Gottl. Raeithels Ww.

in Schwabach.

Manufaktur= und Kurzwaarenhandlung, fabrizirt auch aromatischen Augentabak mit
feinstem Wohlgeruch und Parfümeriewaaren=Handlung.

Serafin Liebisch

in

Böhm. Zwickau.

Erzeugt alle Gattungen in Leinen und Baumwolle, Gradel, Zwillich, Kannafaß, Bett- u.
Federzeuge, so auch in verschiedenen Mustern, ganz echt färbige Kleiderstoffe, in $^9/_8$, $^4/_4$ und
$^7/_4$ breit, und empfiehlt sein wohl assortirtes Lager.

Die

Maschinen-Fabrik

von

D. G. Diehl

in Chemnitz in Sachsen

liefert **Werkzeug=** und **Hülfsmaschinen** jeder Art und Dimension, worunter: Drehbänke,
Supporte, Centrirapparate, Hobel=, Shaping= und Nuthstoßmaschinen, Horizontal=Vertikal=,
Langloch= und Nuthen=Bohrmaschinen; Mutter=, Räderfraß= und Schraubenschneidmaschinen;
Klappen, Bohrschnorren, Krahne, Flaschenzüge; transportable Schmiedeherde, Ventilatore,
Trebschlitten, Maschinen zum Blechschneiden und Lochen; Bandsägemaschinen, Transmis-
sionen, Stanz=, Appretur=, Glätt=, Horn= und andere Pressen; Trocknen= und Farbereib=
maschinen, Linie=, Papier=, Pappbeschneid=, Knopf=, Moirée=, Lederspalt= und Kreppma-
schinen zc.

Empfiehlt sich mit Hobeln, Bohren und Drehen diverser Maschinentheile, sowie ihre nach
französischem System eingerichtete Fabrik von Schrauben mit und ohne Muttern zc.

Providentia
Frankfurter Versicherungs-Gesellschaft
in Frankfurt am Main.

Die Gesellschaft übernimmt Lebens-, Feuer- und Transport-Versicherungen jeder Art.

Lebensversicherung.

Die vorzüglichsten Versicherungsarten sind:

Einfache Lebensversicherung. Jährliche Prämie für je 100 Thaler, beim Tode des Versicherten zahlbar:

Alter:	25			35			40			45			50		
	Thl.	Sgr.	Pf.	Thl.	Sgr.	Pf.	Thl.	Sgr.	Pf.	Thl.	Sgr.	Pf.	Thl.	Sgr.	Pf.
Prämie:	1	26	6	2	12	9	2	24	7	3	11	10	4	5	—

Versicherung auf kurze Zeit, von 1 bis 10 Jahren, für welche die Prämien nur etwa halb so hoch als für Versicherung auf ganze Lebensdauer sind.

Ausstattungs-Versicherungen für Kinder sowohl auf feste Capitalsumme, welche in einem bestimmten Lebensalter ausgezahlt werden, wie durch Betheiligung in gegenseitigen Ausstattungs-Vereinen behufs Erwerbung einer Aussteuer aufs 21ste Lebensjahr.

Alters-Versicherungen, mittelst deren bei Erreichung eines bestimmten Lebensalters ein Capital oder eine lebenslängliche Rente erworben wird.

Leibrenten-Versicherungen. Die Gesellschaft giebt.

im Lebensalter von . . . . 50 60 70 Jahren
eine lebenslängliche Rente von 7½ 9 14 pCt.
vom eingezahlten Capital.

Versicherung gegen Verunglückung im Beruf oder auf Reisen zu Land und zu See. Die Gesellschaft zahlt, wenn der Versicherte durch Verunglückung stirbt, die volle Versicherungssumme, im Verletzungsfalle eine entsprechende Entschädigung aus. Prämie je nach der Gefahr 1 pro mille oder höher.

Ausführliche Prospecte geben über alle, sich auf Leben und Gesundheit beziehende Versicherungen vollständige Auskunft.

Feuerversicherung.

Unbewegliche und bewegliche Gegenstände jeder Art werden gegen feste billigst gestellte Prämien versichert. Die Versicherten haben in keinem Falle Nachzahlung zu leisten, Hypothekar-Gläubiger von bei der Providentia versicherten Gebäuden sind durch die Versicherungs-Bedingungen für alle Fälle sicher gestellt. Die Höhe der Prämie ist verschieden nach den innern und äußern Verhältnissen des Risico. Bei Versicherungen auf mehrere Jahre werden besondere Vortheile gewährt.

Transportversicherung.

Der Transport von Handelsgütern und Passagier- (auch Auswanderers-) Effecten

a) auf dem Rheine, der Donau, Weser, Elbe, Oder, auf den Binnenseen der Schweiz und Deutschlands und den damit in Verbindung stehenden schiffbaren Gewässern; ·

b) auf Eisenbahnen und gewöhnlichen Frachtwagen,

c) zur See von und nach allen Handelshäfen

wird zu sehr mäßigen Prämien versichert und werden bei Abonnementsversicherungen noch besondere Vortheile eingeräumt.

Die Versicherungsanmeldungen können bei der Direction in Frankfurt, Gallengasse Nr. 15, oder bei den betreffenden Agenten gemacht werden.

Bötticher & Sondermann,
Maschinenfabrik
in **Chemnitz** in **Sachsen**,

liefern nach bester, neuester Konstruktion alle Sorten von Hülfsmaschinen, als:
Drehbänke, Hobel-Shaping und Rutenbohrmaschinen, Schraubenschneidemaschinen, Durchstoßmaschinen und Scheeren, Muttermaschinen, Mutter- und Ueberfräsemaschinen, Fraisenschneideapparate, Ventilatoren, Krahne und Flaschenzüge u.

Heinr. Victor Ueberfeld,
Banquier und Grosshändler in Frankfurt a. M.

Ein- und Verkauf von Staats-Papieren, Credit-, Eisenbahn- und Industrie-Aktien, Anlehens-Loosen etc. Wechsel und Credit-Briefe auf alle europäischen Handelsplätze. Besorgung von Inscraten in der deutschen Presse, Incasso, Commission und Spedition.

Manufaktur= und Spielwaaren=Handlung
en gros und en detail

von

A. Wahnschaffe
Nürnberg
Josephsplatz L. 292.

Grosse Auswahl in Fenster-Rouleaux
und
Gardinen-Verzierungen.

Maschinenfabrik und Drahtweberei
von

A. MUENNICH & Cie.
in Chemnitz in Sachsen,

empfiehlt ihr Etablissement zur Anfertigung ihrer neu erfundenen Malz= und Cichorien=Darren in dreierlei System patentirt, auch selbstthätiges Darrsystem patentirt, sowie aller der damit verbundenen Nebenarbeiten und Hülfsapparaten für Brauereieinrichtungen als Ofen und Feuerungsanlagen, nach bestem System, Malzputzmaschinen und Sortircylinder für Gerste, zum Malz, Getreide und Sämereien (ganz neuer Constructionen), Kühlschiffe, Reservoir, Hopfen= und Gewürzseiher, Maischmaschinen, Kühapparate, Malzquetschen, Malzfegen, Läuter oder Senkboden u. dgl. m. — Projekte zu allen diesen Ausführungen und Brauerei=anlagen nach den besten Methoden, liefern wir gratis. Einrichtungen zur Kartoffelmehl=fabrikation und Brennereien, Wollschweißkessel, Wollspülmaschinen, Spülkörbe und Centrifugalmaschinen mit patentirtem Kessel aus starkem Drahtgewebe in Kupfer, Messing und verzinktem Eisendraht. Patentirte Wolltrockenmaschinen und aller anderen raumartigen Faser=stoffe, welche in einem sehr kleinen Raum und in 14 Arbeitsstunden bis tausend Pfund Wolle so trocknet, daß sie sofort verarbeitet werden kann. Woll= und Staubreinigungs=Maschinen, Rabeur und Krempelsiebe für Spinnereien; sowie auch in den mannigfachsten Flechtereien, unter Zusicherung prompter und billiger Bedienung.

Johann Adam Gebhardt

(Besitzer Leonhard Münch)

in

Fürth bei Nürnberg.

En gros Geschäft in Colonialwaaren, Ein- und Verkauf von Producten, Commission, Spedition, Agenturen der Gothaer Lebensversicherungsbank, der Münchener und Aachener Mobiliar-Feuerversicherungs-Gesellschaft und der niederrheinischen Güter-assecuranz-Gesellschaft in Wesel.

Die

VERSTEINERUNGS-ANSTALT

von

KARL BEHR

in Carlsbad

empfiehlt ihr reichhaltiges Lager aller Arten versteinerter Gegenstände: als Vasen, Figuren Blumentöpfe, Schreibzeuge etc., ferner naturelle Gegenstände, als: Thiere, Distelstauden, Farrenkräuter, Fichtenzweige, Blumen-Bouquets, Kränze, Zusammen-stellungen von Wurzelwerk, Schilf, Moos etc. für Aquarien und Cabinetstücke, ferner aus einem Stück geschliffenen Steine und Mosaiks für Broschen, sowohl gefasst als auch ungefasst, sodann Schatullen, Büchsen, Zuckerdosen, Briefbeschwerer mit rohen und geschliffenen Steinen in den mannigfaltigsten Zusammensetzungen und vieles Andere.

Als Neuestes und Interessantestes werden die Sprudelstein-Reliefs (Sinteroplastique) empfohlen. Dieselben sind weder geschnitten noch gravirt, sondern gebildet durch Ablagerung oder Nie-derschlag des in den Carlsbader Mineralwässern enthaltenen kohlensauren Kalkes und wer-den gewonnen, indem man elastische Formen dem fortwährenden Ueberfliessen des Mineral-wassers aussetzt. Es bildet sich dann nach und nach über genannte Form eine Kruste von welcher, wenn sie stark genug ist, die Form durch Erweichen mit Wasserdampf entfernt wird und das Relief ist fertig.

Diese Ablagerungen verdienen nicht allein in naturwissenschaftlicher, sondern auch in künstlerischer Beziehung ein hohes Interesse, indem sämmtliche Modelle meisterhaft durchgeführt sind. Als kleine Ablagerungen eignen sich dieselben besonders in Metall gefasst zu Broschen für Damen, in grösseren Dimensionen zu Schaustücken für Naturalien-Sammlungen und eingerahmt selbst zur Aus-schmückung von Zimmern, da sie entsprechende Piécen darstellen.

Zu Broschen geeignet sind besonders die in grosser Auswahl vorräthigen Portraits berühmter Persönlichkeiten, Phantasie-Portraits, Engelsköpfe, Christus und Madonnenköpfe u. Blumen-Bouquets; ferner zur Einrahmung passend, liegt stets eine zahlreiche Collection von allegori-schen Darstellungen, Heiligenbildern, Jagdstücken und anderen Gegenständen vor. Die kostspielige und überaus schwierige Herstellung der Formen, sowie die nothwendige grösste Aufmerksamkeit bei der Ablagerung lässt nur ein langsames Fortschreiten dieses neuen In-dustriezweiges zu, trotzdem bin ich jedoch im Stande, dem P. T. Publikum bereits eine bedeu-tende Anzahl sinteroplastischer Erzeugnisse in den verschiedensten Genres bieten zu können.

Niederlage in PRAG, Wenzelspl. Nr. 819.